Longman/Garnier
L'anglais pour le voyage

L G Alexander
Judith Clopeau
Madeleine
Le Cunff-Renouard

Longman/Garnier

Longman Group Limited
Longman House, Burnt Mill, Harlow,
Essex CM20 2JE, England
and Associated Companies throughout the world.

First published 1983
Second impression 1984
ISBN 0 582 79959 7

Set in 7/8 Linotron 202 Helvetica light.

ISBN : 2 - 7370 - 0128 - 5

Table des matières

Contents

Préface

Ce livre contient

un dictionnaire bilingue qui vous permettra de trouver les mots utiles en toutes circonstances, que vous voyagiez pour vos affaires ou pour votre plaisir

une section 'pour partir du bon pied' où vous trouverez 'un minimum à savoir', des 'phrases clés' et quelques dialogues qui vous aideront à utiliser au mieux le dictionnaire

Par exemple, vous avez appris;

I'd like /.../ please Je voudrais /.../, s'il vous plaît
Cherchez le mot qui ira dans ce modèle de phrase. Si vous voulez un billet ou un café, cherchez le mot 'billet' ou 'café', insérez-le dans le modèle et vous aurez réussi à demander ce dont vous avez besoin
I'd like /a ticket/ please Je voudrais /un billet/, s'il vous plaît
I'd like /a coffee/ please Je voudrais /un café/, s'il vous plaît

une section de références qui vous aidera à comprendre les mots que vous aurez l'occasion de voir autour de vous (par exemple sur les routes, dans les grands magasins) à choisir un plat dans un restaurant, à vous débrouiller si votre voiture tombe en panne etc...

Preface

The Longman French Pocket Traveller contains

a bilingual dictionary which gives you all the words you're likely to need to cope with social situations whether you're travelling for pleasure or on business

a section to 'help you get around' with lists of basic words, key sentence patterns and some short conversations to enable you to make the best use of the dictionary

For example, suppose you want to ask for a ticket or a coffee. All you have to do is to look up 'ticket' or 'coffee' in the dictionary and slot the French words into the appropriate key sentence pattern:

Je voudrais /un billet/, s'il vous plaît   I'd like /a ticket/ please
Je voudrais /un café/, s'il vous plaît   I'd like /a coffee/ please

a reference section to help you find all the essential information you need to cope abroad, everything from choosing a meal to understanding French currency

Français – Anglais

French – English

Pour partir du bon pied

Un minimum à savoir

Pour vous sentir plus à l'aise, apprenez les expressions suivantes
par coeur

S'il vous plaît	Please [*pliiz*]
Merci	Thank you [***thannk*** *you*]
Oui	Yes [*yèss*]
Non	No [*no*]
Oui, merci	Yes please [***yèss*** *pliiz*]
Non, merci	No thank you [*no* ***thannk*** *you*]
Comment?	Sorry? [***sor****i*]
Excusez-moi!	Excuse me! [*ex****kiouz*** *mi*]
Désolé	I'm sorry [*aïm* ***sor****i*]
Ça va	That's all right [***thats*** *oll raït*]
Bon!	Good! [*goud*]
Je ne comprends pas	I don't understand [*aï donnt eundè****stannd***]
Bonjour	Hello [*hè****lo***]
Je m'appelle ...	My name's ... [*maï nèmz*]
Au revoir	Goodbye [*goud****baï***]
Bonjour (le matin)	Good morning [*goud* ***morn****inng*]
Bonjour (l'après-midi)	Good afternoon [*goud afteur****noun***]
Bonjour (le soir)	Good evening [*goud* ***iv****ninng*]
Bonsoir (quand on s'en va, le soir)	Good night [*goud* ***naït***]
Comment ça va?	How are you? [*hao* ***ar*** *you*]
Très bien, merci	Fine thanks [***fain*** *thannks*]
A votre santé!	Cheers! [*tchiirz*]

NB Voir Guide de la prononciation p 16

Vous pouvez répéter, s'il vous plaît?	Could you repeat that please? [*koud you ri**piit** that pliiz*]
Plus lentement, s'il vous plaît	Slower please [***slo**-eur pliiz*]
C'est combien? (singulier)	How much is it? [*hao **meutch** iz it*]
C'est combien? (pluriel)	How much are they? [*hao **meutch** ar thè*]

Phrases clés

Pour mieux vous servir du dictionnaire, apprenez ces phrases par coeur

Où est la /banque (la plus proche)/, s'il vous plaît?	Where's the /(nearest) bank/ please? [*ou-èrz the (niireust) **bannk** pliiz*]
Est-ce qu'il y a un /parking/ par ici?	Is there a /car park/ near here? [*iz thèr e **kar** park niir hiir*]
Est-ce qu'il y a des /restaurants/ par ici?	Are there any /restaurants/ near here? [*ar thèr èni **rèsto**rannts niir hiir*]
Je voudrais aller /nager/	I'd like to go /swimming/ [*aïd laïk tou go **sou-i**-minng*]
Voulez-vous /faire des achats/?	Would you like to go /shopping/? [*woud you laïk tou go **chop**inng*]
Vous avez un /plan/, s'il vous plaît?	Have you got a /street map/ please? [*hèv you got a **striit** map pliiz*]
Vous avez des /enveloppes/, s'il vous plaît?	Have you got any /envelopes/ please? [*hèv you got èni **enn**velops pliiz*]

NB Voir Guide de la prononciation p 16

Je n'ai pas de /monnaie/	I haven't got any /change/ [*aï hèveunt got èni **tchanndje**]*
Il me faut un /médecin/	I need a /doctor/ [*aï niid e **dok**teur*]
Il me faut des /chèques de voyage/	I need some /traveller's cheques/ [*aï niid som **trav**leurs tchèks*]
Je voudrais une /chambre/, s'il vous plaît	I'd like a /room/ please [*aïd laïk a **room** pliiz*]
Je voudrais des /timbres/, s'il vous plaît	I'd like some /stamps/ please [*aïd laïk som **stammps** pliiz*]
Voulez-vous un /café/?	Would you like a /coffee/? [*woud you laïk e **kof**i*]
Voulez-vous des /chocolats/?	Would you like some /chocolates/? [*woud you laïk som **tchok**lèts*]
Pouvez-vous m'appeler un /taxi/, s'il vous plaît?	Could you call a /taxi/ for me please [*koud you kol e **ta**xi for mi pliiz*]
A quelle heure part le /(prochain) train/ pour /Brighton/?	When does the /(next) train/ to /Brighton/ leave? [*ou-ènn doz the (nèxt) trènn tou braiten **liiv**]
A quelle heure ouvrent (ferment) les /banques/?	When do the /banks/ open? (close) [*ou-ènn dou the **bannks** opènn (kloz)*]
Aimez-vous cette /couleur/?	Do you like this /colour/? [*dou you laïk this **kol**or*]
Aimez-vous ces /chaussures/?	Do you like these /shoes/? [*dou you laïk thiiz **chouz**]*

NB Voir Guide de la prononciation p 16

J'aime ce /style/	I like this /style/ [*aï laïk this staïl*]
Je n'aime pas cette /forme/	I don't like this /shape/ [*aï donnt laïk this chèp*]

Conversations

Voici quelques courts dialogues où sont utilisés,
un minimum à savoir et les phrases-clés.

Présentations

Good morning Mr Baker. This is Liliane Gautier	Bonjour Mr Baker. Je vous présente Liliane Gautier
How do you do	Enchanté
How do you do	Enchantée

Salutations

Good evening	Bonjour
Good evening Mr Allen	Bonjour Mr Allen
How are you?	Comment ça va?
Fine thanks	Très bien, merci

Renseignements – Directions

Excuse me	Excusez-moi!
Yes?	Oui?
Where's the Hotel Bristol please?	Où est l'Hôtel Bristol, s'il vous plaît?
Straight on, then right	Tout droit, et à droite
Thank you	Merci
Not at all	De rien

À la gare

A second class single to Cambridge please	Un aller Cambridge deuxième classe, s'il vous plaît

£3.40 (three pounds forty)	£3.40
When does the next train leave?	A quelle heure part le prochain train?
At four fifteen	A 16h 15
When does the train arrive in Cambridge?	Le train arrive à quelle heure à Cambridge?
At five thirty	A 17h 30
Thank you	Merci

À l'hôtel – vous voulez une chambre

Good afternoon. Can I help you?	Bonjour. Vous désirez?
Good afternoon. I'd like a double room please	Bonjour. Je voudrais une chambre pour deux personnes, s'il vous plaît
For how many nights?	Pour combien de nuits?
For two nights please	Pour deux nuits, s'il vous plaît
Would you like a room with or without bath?	Voulez-vous une chambre avec bain ou sans bain?
With bath	Avec bain
Yes, that's fine	Oui, ça va
How much is it please?	C'est combien, s'il vous plaît?
Twenty pounds a night	£20 la nuit
OK	D'accord

Achats

Good morning. Can I help you?	Bonjour, Vous désirez?
Good morning. Have you got any sugar?	Bonjour. Vous avez du sucre?
Yes. How much would you like?	Oui. Combien en voulez-vous?
I'd like a pound please	J'en voudrais une livre, s'il vous plaît
Anything else?	C'est tout?
Yes. I'd like some apples please	Non. Je voudrais des pommes, s'il vous plaît

How many?	Combien?
Four please	4, s'il vous plaît
Two pounds thirty	£2.30
Thank you	Merci

Que choisir?

Good afternoon. Can I help you?	Bonjour. Vous désirez?
I'd like a T-shirt please	Je voudrais un T-shirt, s'il vous plaît
What size would you like?	Quelle taille voulez-vous?
Twelve please	12, s'il vous plaît
Do you like this one?	Aimez-vous celui-ci?
No. I don't like that colour. Have you got a red one?	Non. Je n'aime pas cette couleur. Vous avez ça en rouge?
Yes, of course	Oui, bien sûr
How much is it please?	C'est combien, s'il vous plaît?
Two pounds fifty	£2.50
I'll take it. Thank you	Je le prends. Merci

Quelques conseils

Par certains aspects l'anglais est moins compliqué que le français.
Souvenez-vous qu'en anglais:

1 Vous et tu: *'you'*

Une seule forme: *'you'* pour 'vous' et 'tu' ex: *you are* tu es
vous êtes

2 Masculin ou féminin?

Les noms n'ont pas de genre (masculin/féminin) en anglais. Les
articles sont invariables ex:

a/the bottle	une/la bouteille
a/the plane	un/l'avion

3 Pluriels

Tous les pluriels irréguliers sont notés de la manière suivante:

address -es	adresse/adresses
baby -ies	bébé/bébés – enlevez le 'y' et remplacez-le par '-ies'
knife -ves	couteau/couteaux – enlevez '-fe' et remplacez-le par '-ves'
sheep/sheep (pl)	mouton/moutons – quand le même mot est à la fois singulier et pluriel

4 Adjectifs

Les adjectifs sont invariables. Le plus souvent l'adjectif précède le
nom qu'il qualifie ex:

a beautiful landscape	un beau paysage
a beautiful city	une belle ville

5 Comparaisons

Vous devez former les comparatifs des adjectifs d'une ou deux
syllabes en leur ajoutant *'-er'*:

I'd like something bigger	Je voudrais quelque chose de plus grand
I'd like something heavier	Je voudrais quelque chose de plus lourd

Attention: Les adjectifs d'une syllabe redoublent leur consonne finale ex: *big – bigger*. Les adjectifs terminés en *'y'* changent leur *'y'* en *'i'* devant *'-er'* ex: *heavy – heavier*

Plus (*more*)
Si un adjectif a plus de deux syllabes, le comparatif est formé avec *'more'* (plus – plus de):

I'd like something more comfortable	Je voudrais quelque chose de plus confortable

Moins (*less*)
'Less' (moins) peut être employé devant tous les adjectifs:

I'd like something less expensive	Je voudrais quelque chose de moins cher

Adjectifs irréguliers:

good – better	bon – mieux/meilleur
bad – worse	mauvais – pire
much/many – more	beaucoup – plus
little – less	peu – moins
little/small – smaller	petit/e – plus petit

6 Possessifs

Les possessifs ne s'accordent pas avec l'objet possédé mais avec le possédant

my passport	mon passeport
my suitcase	ma valise
my things	mes affaires
his glass (Philip's)	son verre (celui de Philippe)
his family (Philip's)	sa famille (celle de Philippe)
her glass (Elizabeth's)	son verre (celui d'Élizabeth)
her family (Elizabeth's)	sa famille (celle d'Élizabeth)

7 Verbes

Vous ne trouverez dans le Vocabulaire que la forme infinitive des verbes (sauf exception) ex: fermer *'close'*

8 Avoir (posséder): *'Have got'*

En anglais, lorsque le verbe *'have'* (avoir) signifie 'posséder', vous devez le renforcer en y ajoutant le mot *'got'* (surtout en anglais britannique), ex.

I've got an appointment	J'ai un rendez-vous
I haven't got enough money	Je n'ai pas assez d'argent
Have you got the key?	Vous avez la clé?

9 Remarque sur les quantités

'Some' et *'any'* s'emploient pour désigner des quantités indéfinies.
   I'd like some coffee please   Je voudrais du café s.v.p.

'Any' ne s'emploie que dans les phrases négatives et interrogatives, ex:

Have you got any biscuits?	Avez-vous des biscuits?
I haven't got any change	Je n'ai pas de monnaie

Si vous voulez exprimer des quantités précises en poids et en volume (ex: 20 litres d'essence, un kilo de tomates), reportez-vous à la p 134 (Équivalences).
Pour faciliter vos achats apprenez les expressions suivantes:

a tin of /tomatoes/	une boîte de /tomates/
a bottle of /beer/	une bouteille de /bière/
a piece of /cake/	un morceau de /gâteau/
a packet of /cigarettes/	un paquet de /cigarettes/
a slice of /ham/	une tranche de /jambon/
a glass of /milk/	un verre de /lait/

10 Guide de la prononciation

Si vous voulez bien prononcer l'anglais, il n'y a pas d'autre solution que d'écouter les Anglais parler. Mais sachez que:

– l'intonation est très importante en anglais
– le son le plus difficile à prononcer pour vous sera;
   [th] qui se prononce d/z la langue entre les dents
– [h] en début de mot est toujours aspiré

Pour vous aider, vous trouverez une transcription approximative des sons des sections 'Un minimum à savoir' p 8 et 'Phrases clés' p 9

Abréviations

Abbreviations

(adj)	adjectif	adjective
(adv)	adverbe	adverb
(n)	nom (substantif)	noun
(prep)	préposition	preposition
(pron)	pronom	pronoun
(vb)	verbe	verb
(m)	masculin	masculine
(f)	féminin	feminine
(s)	singulier	singular
(pl)	pluriel	plural
(infml)	familier	informal
(tdmk)	marque déposée	trademark
(eg)	par exemple	for example
(inv)	invariable	invariable

Vocabulaire
A – Z
Dictionary

A

à
à /la gare/ *to /the station/*
à /l'hôtel/ *at /the hotel/*
à /l'université/ *at /the university/*
à /sept heures trente/ *at seven-thirty*
abat-jour (m) *lampshade*
abeille (f) *bee*
piqûre (f) d'abeille *bee sting*
abîmé *damaged*
abonné
être abonné à / / *subscribe to / /*
abonnement (m) *subscription*
carte (f) d'abonnement *season ticket*
abord
d'abord *at first*
abricot (m) *apricot*
abrité *sheltered*
absent (m) **absente** (f) *away, absent*
absurdité (f) *nonsense*
acajou (m) *mahogany*
accepter *accept*
accident (m) *accident*
accident (m) de voiture *crash (car c.)-es*
accompagner *escort (vb), go with*
accord *agreement*
être d'accord *agree*
je suis d'accord *I agree*
je ne suis pas d'accord avec /vous/ *I disagree with /you/*
accrocher *hang*
accueillir *welcome (vb)*
merci pour votre accueil *thank you for your hospitality*
achats (mpl) *shopping*
faire des achats *go shopping*
acheter *buy*
acheter /un parapluie/ *buy /an umbrella/*
où est-ce que je peux acheter /un parapluie/? *where can I buy /an umbrella/?*
acide (adj) *sour*
acier (m) *steel*
acier inoxydable *stainless steel*

acteur (m) *actor*
actrice (f) *actress -es*
adapter *adjust*
addition (f) *bill (for food, hotel, etc.)*
adolescent (m) **adolescente** (f) *teenager*
adresse (f) *address -es*
adresse temporaire *temporary address*
adresser
s'adresser à / / pour /un visa/ *apply to / / for /a visa/*
adulte (m) *adult*
réservé aux adultes *adults only*
aérogare (f) *air terminal*
aéroglisseur (m) *hovercraft*
en aéroglisseur *by hovercraft*
aérogramme (m) *air letter*
aéroport (m) *airport*
bus (m) pour l'aéroport *airport bus -es*
aérosol (m) *aerosol*
affaire (f) *business (n)*
c'est une affaire *it's a bargain*
affaires (fpl) *belongings (pl), things (pl)*
affiche (f) (avis) *notice*
affiche (f) *poster*
affreux (m) **affreuse** (f) *awful*
âge (m) *age*
d'un certain âge *middle-aged*
agence (f) *agency -ies*
agenda (m) *diary -ies*
agent (m) *agent (of company)*
agent comptable *accountant*
agent de police *policeman/policemen (pl)*
agent immobilier *estate agent*
agité (eg mer) *rough (= not calm)*
agneau (m) **agneaux** (pl) *lamb*
côtelette (f) d'agneau *lamb chop*
un gigot d'agneau *a leg of lamb*
agrafes (fpl) *staples (n) (pl)*
agrafeuse (f) *stapler*
agrandir *enlarge*
agréable *enjoyable, pleasant*
aide (f) *help (n)*
aider *help (vb)*

ananas

aiguille (f) *needle*
aiguilles (fpl) **à tricoter** *knitting needles*
aiguille (f) (montre) *hand (of watch)*
aiguiser *sharpen*
ail (m) *garlic*
aile (f) *wing*
ailleurs *elsewhere*
aimable *friendly*
aimer (bien) *be fond of*
je /l'/aime bien *I'm fond of /him/*
aimer (bien) *like (vb)*
j'aime ça *I like it*
vous aimez /nager/? *do you like /swimming/?*
aimer *love (vb)*
air (m) *air*
pression (f) **d'air** *air pressure*
système (m) **d'air conditionné** *air conditioning*
un peu d'air *some fresh air*
ajouter *add*
ajuster *fit (vb)*
alcool (m) *alcohol*
alcool (m) **dénaturé** *methylated spirit*
une bouteille d'alcool dénaturé *a bottle of methylated spirits*
alcoolique *alcoholic*
alimentation (f)**/épicerie** (f) *grocer's*
aliments (mpl) **naturels** *health food*
allaiter *breast-feed*
allée (f) *drive (n)* (=entrance)
aller *go*
aller à /une conférence/ *go to /a conference/*
allons /prendre un verre/ *let's /have a drink/*
allons-y! *let's go!*
ça va bien? *how are you?*
ça va bien, merci *fine thanks*
comment y va-t-on? *how do I get there?*
aller chercher (à) *collect (from)*
aller chercher mes bagages *collect my luggage*
aller et retour (m) *return ticket*
aller simple (m) *single ticket*

allergique *allergic*
je suis allergique /à la pénicilline/ *I'm allergic /to penicillin/*
allô! *hello (on telephone)*
allonger
s'allonger *lie (vb)* (=lie down)
allumé *on (of light etc)*
allumer *switch on, turn on*
allumer /un feu/ *light /a fire/*
allumette (f) *match -es*
une boîte d'allumettes *a box of matches*
allumeur (m) (voiture) *distributor (car)*
alphabet (m) *alphabet*
alpinisme (m) *climbing, mountaineering*
faire de l'alpinisme *go climbing*
alpiniste (m&f) *mountaineer*
ambassade (f) *embassy -ies*
l'ambassade /française/ *the /French/ Embassy*
ambassadeur (m) *ambassador*
ambulance (f) *ambulance*
améliorer *improve*
amende (f) *fine (n)* (=sum of money)
payer une amende *pay a fine*
amer *bitter (adj)*
ami (m) *boyfriend*
ami (m) **amie** (f) (copain) *friend*
amidon (m) *starch -es (n)*
amidonner *starch (vb)*
amie (f) *girlfriend*
amitiés
mes amitiés à /Julie/ *give /Julie/ my regards*
amortisseur (m) *shock absorber (car)*
amour (m) *love (n)*
faire l'amour *make love*
ample (vêtements) *loose (of clothes)*
ampoule (f) *blister*
ampoule (f) **électrique** *light bulb*
/quarante/ watt */forty/ watt*
amusant (m) **amusante** (f) *amusing, funny*
amuser
s'amuser *enjoy oneself, have fun*
amusez-vous bien! *enjoy yourself!*
ananas (m) *pineapple*

jus (m) **d'ananas** *pineapple juice*
une tranche d'ananas *a slice of pineapple*
ancre (f) *anchor*
âne (m) *donkey*
anémique *anaemic*
je suis anémique *I'm anaemic*
anesthésie (f) *anaesthetic (n)*
angine (f) *tonsillitis*
animal (m) **animaux** (pl) *animal*
animal (m) **domestique** *pet*
animé *excited, lively*
année (f) *year*
cette année *this year*
l'année dernière *last year*
l'année prochaine *next year*
il a /six/ ans *he is /six/ years old*
anniversaire (m) *anniversary -ies*
anniversaire de mariage *wedding anniversary*
anniversaire (m) **(de naissance)** *birthday*
annonce (f) **(publicité)** *advertisement*
annonce (f) *announcement*
annoncer (publicité) *advertise*
annoncer *make an announcement*
annuaire (m) *directory -ies*
annuaire téléphonique *telephone directory*
annuel *annual, yearly*
annulation (f) *cancellation*
annulé *cancelled*
annuler /mon vol/ *cancel /my flight/*
anorak (m) *anorak*
antenne (f) *aerial*
anti-alcoolique *teetotal*
antibiotique (f) *antibiotic*
antichoc *shockproof (eg of watch)*
antigel (m) *antifreeze*
un bidon d' antigel *a can of antifreeze*
antiquité (f) *antique /*
magasin (m) **d'antiquités** *antique shop*
antiseptique *antiseptic*
crème antiseptique (f) *antiseptic cream*

un tube de crème antiseptique *a tube of antiseptic (cream)*
août (m) *August*
apéritif (m) *aperitif*
appareil (m) **acoustique** *hearing aid*
appareil-photo (m) *camera*
appartement (m) *flat (n)*
appartement meublé *furnished flat*
appartement non-meublé *unfurnished flat*
appel (m) **(téléphonique)** *call (n) (telephone call)*
appel d'alarme *alarm call*
appel international *international call*
faire une communication interurbaine *make a long distance call*
s'appeler *be called (a name)*
je m'appelle /Jacques Dupont/ *my name's /Jacques Dupont/*
comment vous appelez-vous s'il vous plaît? *what's your name please?*
appeler /la police/ *call /the police/*
appendicite (f) *appendicitis*
apporter *bring*
apprendre (à quelqu'un) *teach*
(m')apprendre /l'anglais/ *teach (me) /English/*
il (m') **apprend /l'allemand/** *he teaches (me) /German/*
apprendre (= étudier) *learn*
apprivoisé *tame (adj)*
approvisionner *supply (vb)*
appuyer *press (vb) (eg button)*
après (prep) *after*
après (adv) *afterwards*
après-midi (m) *afternoon*
cet après-midi *this afternoon*
demain après-midi *tomorrow afternoon*
hier après-midi *yesterday afternoon*
de l'après-midi (m) *p.m.*
après-shampooing (m) *conditioner (for hair)*
une bouteille d'après-shampooing *a bottle of hair conditioner*
aquarelle (f) *watercolour*
araignée (f) *spider*

arbitre (m) umpire (cricket), referee (football)
arbre (m) tree
architecte (m & f) architect
argent (m) money
  gagner de l'argent make money, earn money
argent (m) silver (n)
  en argent silver (adj)
argent (m) **de poche** pocket money
armée (f) army
aromate (m) spice
arracher (dent) take out (tooth)
arrangement (m) arrangement
arrêt (m) stop (n)
  arrêt de bus bus stop
  arrêt de tram tram stop
arrêter stop (vb)
  s'arrêter à / / stop at / /
arrhes (fpl) deposit (n)
arrière
  en arrière backwards
arrivée (f) arrival
  heure d'arrivée time of arrival
arriver arrive
  arriver à /seize heures trente/ arrive at /four-thirty/ p.m.
  arriver en /juillet/ arrive in /July/
  arriver /lundi/ arrive on /Monday/
arriver (à) get (to)
  /le train/ arrive à /Brighton/ à quelle heure? when does /the train/ get to /Brighton/?
  arriver à /Milan/ arrive in /Milan/
arriver (= se passer) happen
artichaut (m) artichoke
artificiel artificial
  respiration (f) **artificielle** artificial respiration
artisanat (m) **régional** local crafts
artiste (m&f) artist
ascenseur (m) lift (n) (= elevator)
asperges (fpl) asparagus
  pointes (fpl) **d'asperges** asparagus tips
aspirateur (m) hoover (tdmk), vacuum cleaner

aspirine (f) aspirin
  un tube d'aspirine a bottle of aspirins
  un paquet d'aspirine a packet of aspirins
assaisonnement (m) seasoning
assassiner murder (vb)
asseoir
  s'asseoir sit
  asseyez-vous s'il vous plaît please sit down
assez enough
  assez d'argent enough money
  assez vite fast enough, quite fast
assiette (f) plate (= dinner plate)
assistant (m) **assistante** (f) assistant
assister attend
  assister à un office /catholique/ attend a /Catholic/ service
associé (m) partner (business)
assurance (f) insurance
  attestation (f) **d'assurance** insurance certificate
  police (f) **d'assurance** insurance policy -ies
  prendre /une assurance-vie/ insure /my life/
assurer insure
  est-ce que vous êtes assuré? are you insured?
asthme (m) asthma
atlas (m) atlas -es
attacher fasten, tie (vb)
attaque (f) attack (n)
atteindre reach (= attain) (vb)
attendre
  attendez-/moi/ s'il vous plaît please wait /for me/
attention! look out!
atterri landed (of a plane)
attirant (m) **attirante** (f) attractive
attraper catch (illness)
  attraper /une maladie/ catch /an illness/
au chômage unemployed (adj)
au pair (f) au pair
au revoir goodbye
aube (f) dawn (n)

auberge (f) *hostel*
  auberge (f) **de jeunesse** *youth hostel*
aubergine (f) *aubergine*
au-delà (de) *beyond (prep)*
  au-delà de /la gare/ *beyond /the station/*
aujourd'hui *today*
aussi *also*
auteur (m) *author*
authentique *genuine*
autobus (m)**/bus** (infml) *bus -es*
  arrêt (m) **de bus** *bus stop*
  en bus *by bus*
  le bus pour / / *the bus for / /*
automatique *automatic*
automne (m) *autumn*
  en automne *in autumn*
automobiliste (m&f) *motorist*
autorisé *allowed*
autoriser *allow*
  autoriser à /fumer/ *allow /smoking/*
autorités (fpl) *authorities (pl)*
autoroute (f) *motorway*
auto-stop
  faire de l'auto-stop/faire du stop (infml) *hitchhike*
autour *around*
  autour /de la table/ *around /the table/*
autre *other*
  l'autre /train/ *the other /train/*
  un autre (m) **une autre** (f) *another (different)*
avalanche (f) *avalanche*
avaler *swallow (vb)*
avance (f) *advance (advance of money)*
  à l'avance *in advance*
avant *before*
  avant de /partir/ *before /leaving/*
  avant /le petit déjeuner/ *before /breakfast/*
avantage (m) *advantage*
avare *mean (= not generous)*
avec *with*
avenir (m) *future (n)*
avertir *warn*
  avertir /la police/ de / / *inform*

/the police/ of / /
avertissement (m) *warning*
avertisseur (m) **d'incendie** *fire alarm*
aveugle *blind (adj)*
avion (m) *aeroplane, plane (infml)*
  par avion *by air*
aviron (m) *oar (for rowing)*
avocat (m) *(fruit) avocado*
avocat (m) *lawyer*
avoir *have*
  vous avez /des timbres/? *have you got /any stamps/?*
  je n'ai pas /d'argent/ *I haven't got /any money/*
  qu'est-ce qu'il y a? *what's the matter?*
  j'ai /un rendez-vous/ *I've got /an appointment/*
  en avoir assez *be fed up*
  j'en ai assez *I'm fed up*
  avoir mal à *hurt (vb) (feel pain)*
avril (m) *April*

B

babysitter (m&f) *baby-sitter*
bacon (m) *bacon*
badminton (m) *badminton*
  jouer au badminton *play badminton*
  une partie de badminton *a game of badminton*
bagages (mpl) *luggage*
  bagages à main *hand luggage*
  bagages de cabine *cabin luggage*
  filet (m) **à bagages** *luggage rack (in train)*
bagarre (f) *fight (n)*
bague (f) *ring*
  bague de /diamant/ */diamond/ ring*
  bague de fiançailles *engagement ring*
  alliance (f) *wedding ring*
baguettes (fpl) *chopsticks (pl)*
baie (f) *bay (= part of sea)*
baigner *bathe (eyes etc)*
se baigner *bathe (in the sea etc)*
bain (m) *bath*
  bain turc *Turkish bath*

bonnet (m) **de bain** *swimming cap*
prendre un bain *have a bath*
tapis de bain *bath mat*
baiser (m)**/bise** (f) (infml) *kiss -es (n)*
baisser *lower (vb)*
  baisser le prix *reduce the price*
bal (m) *ball (=dance)*
  salle (f) **de bal** *ballroom*
balai (m) **éponge** *mop (n)*
balance (fs) *scales (pl) (=weighing machine)*
balançoire (f) *swing (n) (children's swing)*
balayer *sweep (vb)*
balcon (m) *balcony -ies*
balle (f) *ball*
  balle de golfe *golf ball*
  balle de squash *squash ball*
  balle de tennis *tennis ball*
  balle ping-pong *table tennis ball*
ballet (m) *ballet*
  danseur de ballet (m) **danseuse de ballet** (f) *ballet dancer*
ballon
  ballon (m) **de football** *football*
  ballon (m) **de plage** *beach ball*
ballon (m) *balloon*
banane (f) *banana*
bande (f) **magnétique** *tape (n)*
bander *bandage (vb)*
banlieue (f) *suburb*
banque (f) *bank*
bar (m) *bar (=for drinks)*
barbecue (m) *barbecue*
barrer *steer (vb) (boat)*
barrière () *barrier*
bas
  en bas *down*
bas (mpl) *stockings (pl)*
  quinze/trente deniers *fifteen/thirty denier*
  bas de /nylon/ */nylon/ stockings*
  une paire de bas *a pair of stockings*
bas (m) **basse** (f) *low*
  marée (f) **basse** *low water*
basket (m) *basketball (=game)*
  jouer au basket *play basketball*

  une partie de basket *a game of basketball*
bassin (m) (hôpital) *bedpan*
bateau (m) **bateaux** (pl) *boat*
  bateau à moteur *motor-boat*
  bateau à rames *rowing boat*
  bateau à voiles *sailing boat*
  en bateau *by boat*
  par bateau *by sea*
  train-bateau (m) *boat train*
bâtiment (m) *building*
  bâtiment public *public building*
bâton (m) *stick (n)*
batte (f) *bat (cricket)*
batterie (f) *battery -ies (car)*
  ma batterie est à plat *I've got a flat battery*
battre
  se battre *fight (vb)*
bavette (f) *bib*
beau (temps) *fine (adj) (of weather)*
  il fait beau *it's fine*
beau (m) **belle** (f) *beautiful, good-looking*
  un bel homme *a good-looking man*
  une belle femme *a beautiful woman*
beaucoup (de) *lot (of)*
  pas beaucoup d' /argent/ *not a lot of /money/*
beau-fils (m) **beaux-fils** (mpl) *son-in-law /sons-in-law (pl)*
beau-frère (m) **beaux-frères** (pl) *brother-in-law /brothers-in-law (pl)*
beau-père (m) **beaux-pères** (mpl) *father-in-law/fathers-in-law (pl)*
bébé (m) *baby -ies*
beige *beige*
belle-fille (f) **belles-filles** (pl) *daughter-in-law/daughters-in-law (pl)*
belle-mère (f) **belles-mères** (fpl) *mother-in-law/mothers-in-law (pl)*
belle-soeur (f) **belles-soeurs** (fpl) *sister-in-law/sisters-in-law (pl)*
béret (m) *beret*
bétail (ms) *cattle (pl)*
betterave (f) *beetroot/beetroot (pl)*
beurre (m) *butter*

bibelot (m) *ornament*
biberon (m) *feeding bottle*
bible (f) *Bible*
bibliothèque (f) *library -ies*
bic (m) (tdmk) *biro (tdmk)*
bicyclette (f) **vélo** (m) (infml)
  bicycle/bike (infml)
  faire de la bicyclette *go cycling*
bien (adv) *well (= all right)*
  c'est très bien! (felicitations) *well
  done! (congratulation)*
bien (adj) *fine (adj) (= OK)*
  ça va bien merci! *fine thanks!*
bientôt *soon*
  à bientôt! *see you soon!*
bienvenu à / / *welcome to / /*
bière (f) *beer*
  une bière *a beer*
  une boîte de bière *a can of beer*
  une bouteille de bière *a bottle of
  beer*
  un demi *a pint of beer*
bigoudis (mpl) *curlers (pl)*
bijouterie (f) *jeweller's*
bijoux (mpl) *jewellery*
bikini (m) *bikini*
billard (ms) *billiards*
  jouer au billard *play billiards*
  une partie de billard *a game of
  billiards*
billet (m) (de banque) *note (= money)*
  billet de /dix/ francs */ten/ franc note*
billet (m) *ticket*
  aller et retour (m) *return ticket*
  aller et retour (m) **dans la journée**
  day return
  aller (m) **simple** *single*
  billet collectif *group ticket*
  billet de première classe *first class
  ticket*
  billet de seconde classe *second
  class ticket*
  billet pour enfant *child's ticket*
biscuit (m) *biscuit*
blaireau (m) **blaireaux** (pl) (brosse)
  shaving brush -es
blanc (m) **blanche** (f) *white*

blanchisserie (f) *laundry (place) -ies*
blé (m) *corn*
blessé *hurt (adj)*
  gravement blessé *badly hurt*
blessure (f) *injury -ies*
bleu *blue*
bloc (m) (papier) *pad (of writing paper)*
  bloc à dessins *sketch-pad*
blond (m) **blonde** (f) *blonde, fair*
bobine (f) *reel*
boire *drink (vb)*
bois (m) *wood*
  en bois *wooden*
boisson (f) *drink (n) (usually alcoholic)*
  boisson non alcoolisée *soft drink*
boîte (f) (bois, carton) *box -es*
  une boîte de / / *a box of / /*
boîte (f) *can (n)*
  une boîte de /bière/ *a can of /beer/*
boîte (f) *tin*
  une boîte de /tomates/ *a tin of
  /tomatoes/*
boîte (f) **à lettres** *postbox -es*
boîte (f) **de nuit** *nightclub*
bol (m) *bowl*
bombe (f) *bomb*
bon (m) *voucher*
  bon pour hôtel *hotel voucher*
bon (m) **bonne** (f) (adj) *good*
  une bonne idée *a good idea*
  la bonne réponse *the correct answer*
bon marché *cheap*
bonbon (m) *sweet (n) (= confectionery)*
bonde (f) *plug (for sink)*
bonjour (après-midi) *good afternoon*
bonjour (matin) *good morning*
bon (m)(n) *coupon*
  bon /d'essence/ */petrol/ coupon*
bonne (f) *maid*
bonnet (m) **de bain** *swimming cap*
bonnet (m) **de douche** *shower cap*
bonsoir *good evening*
bookmaker (m) *bookmaker*
bordeaux (couleur) *maroon (colour)*
bottes (fpl) *boots (pl)*
  bottes en caoutchouc *rubber boots,
  Wellingtons*

une paire de bottes a pair of boots
bouché blocked (eg drain)
bouche (f) mouth
boucherie (f)**/charcuterie** (f) butcher's
bouchon (m) cork
boucle (f) buckle
boucles (fpl)
  boucles d'oreille earrings (pl)
  boucles pour oreilles percées
  earrings for pierced ears
bouddhiste (m&f) Buddhist
boue (f) mud
bouée (f) buoy
boueux (m) **boueuse** (f) muddy
bouger move (vb)
bougie (f) candle
bougie (f) (voiture) sparking plug (car)
bouillir boil (vb)
bouilloire (f) kettle
bouillotte (f) hot-water bottle
boulangerie baker's
boules (fpl) **/Quiès** (tdmk) earplugs (pl)
boulevard (m) **/périphérique** bypass (n)
  -es
boulot job
bouquet (m) bunch -es
  un bouquet de /fleurs/ a bunch of
  /flowers/
bouquet (m) (crevette) prawn
bourre (f) stuffing (material)
bourse (f) grant (for studies)
boussole (f) compass -es
bouteille (f) bottle
  une bouteille de / / a bottle of / /
bouteille (f) **thermos** vacuum flask
bouton (m) button
bouton (m) (radio) knob (radio)
bouton (m) (corps) spot (=blemish)
boutons (mpl) **de manchette** cuff links
  (pl)
  une paire de boutons de manchette
  a pair of cuff links
bowling (m) bowling (= ten pin bowling)
  piste (f) **de bowling** bowling alley
boxe (f) boxing
  match (m) **de boxe** boxing match
boxeur (m) boxer

bracelet (m) bracelet
  bracelet en argent silver bracelet
  bracelet (m) **de montre** watch strap
brancard (m) stretcher
brancher plug in
bras (m) arm
bretelles (fpl) braces (pl)
  une paire de bretelles a pair of
  braces
  sans bretelles strapless
bride (f) bridle
bridge (m) bridge (= card game)
  une partie de bridge a game of
  bridge
brillant (m) **brillante** (f) shiny
briquet (m) cigarette lighter
  briquet à gaz gas lighter
  briquet à jeter disposable lighter
  essence (f) **à briquet** lighter fuel
brocanteur (m) junk shop
broche (f) brooch -es
  broche en argent silver brooch
brochure (f) brochure
brocoli (m) broccoli
broderie (f) embroidery
bronzage (m) suntan (n)
bronzé suntanned
brosse (f) brush -es
  brosse à chaussures shoe-brush
  brosse à cheveux hair-brush
  brosse à dents tooth-brush
  brosse à habits clothes brush
  brosse à ongles nail-brush
brouillard (m) fog
  il y a du brouillard it's foggy
bruit (m) noise, rattle
brûlé burnt
brûlé (coup de soleil) sunburnt
brûler burn (vb)
brûlure (f) burn (n)
brume (f) mist
brun brown
brun (m) **brune** (f) (cheveux) dark (hair)
bruyant (m) **bruyante** (f) noisy
bureau (m) **bureaux** (pl) (meuble) desk
bureau (m) **bureaux** (pl) office
  bureau (m) **des objets trouvés** lost
  property office

bureau (m) **bureaux** (pl) **de paris**
betting shop
but (m) *goal*
butane (m) *butane, calor gas*
buvard (m) *blotting paper*

C

ça *it*
ça y est? *are you ready?*
cabine (f) *cabin*
  cabine à /quatre/ couchettes */four/ berth cabin*
cabine (f) **téléphonique** *call box -es*
cabinet (m) **de consultation** *surgery -ies (=place)*
câble (m) *cable (n)*
câble (m) **de remorquage** *tow rope*
cacahuète (f) *peanut*
  un paquet de cacahuètes *a packet of peanuts*
cacao (m) *cocoa*
  une tasse de cacao *a cup of cocoa*
cache (m) (photo) *lens cap*
cachemire (m) *cashmere*
  pull-over (m) **en cachemire** *cashmere sweater*
cadeau (m) **cadeaux** (pl) *gift, present*
  magasin (m) **de cadeaux** *gift shop*
cadenas (m) *padlock (n)*
cadran (m) *face (of watch)*
cadre (m) *frame (n) (=picture frame)*
cafard (m) *cockroach -es*
café (m) *café*
café (m) (boisson) *coffee*
  café crème *white coffee*
  café décaféiné *decaffeinated coffee*
  café moulu *ground coffee*
  café noir *black coffee*
  café soluble *instant coffee*
  express (m) *espresso*
  une cafetière pleine de café *a pot of coffee*
  une tasse de café *a cup of coffee*
café-concert (m) *floor show*
caféine (f) *caffeine*
cafetière (f) *coffeepot*

caille (f) *quail (=bird)*
caisse (f) *cash desk*
caissier (m) *cashier*
calculatrice (f) **de poche** *pocket calculator*
calculer
  machine (f) **à calculer** *calculator*
calculer *calculate*
  calculer /les frais/ *calculate /the cost/*
caleçon (ms) *underpants (pl) (for men)*
  un caleçon *a pair of underpants*
calendrier (m) *calendar*
calmant (m) *painkiller*
calme *calm*
calories (fpl) *calories (pl)*
cambriolage (m) *burglary -ies*
camée (m) *cameo*
caméra (f) *cine camera*
  caméra 35 mm *35 mm camera*
camion (m) *lorry -ies*
camionnette (f) *van*
camionneur (m) *lorry driver*
camp (m) *camp*
  camp de vacances *holiday camp*
  lit (m) **de camp** *camp bed*
  feu (m) **de camp** *campfire*
campagne (f) *countryside*
  à la campagne *in the country*
camping (m) *camping*
  faire du camping *go camping*
camping
  (terrain de) **camping** (m) *campsite*
  camping (m) **pour caravanes** *caravan site*
canal (m) *canal*
canalisations (fpl) **sanitaires** *drains (pl) (=sanitary system)*
canard (m)/**caneton** (m) *duck/duckling*
canif (m) *penknife -ves*
canne (f) *walking stick*
canne (f) **à pêche** *rod (=fishing r.)*
canoë (m) *canoe (n.)*
  faire du canoë *go canoeing*
canot (m) *dinghy -ies*
  canot de sauvetage *lifeboat*
  canot pneumatique *rubber dinghy*

cantine (f) *canteen (eating place)*

caoutchouc (m) *rubber (substance)*
  bottes (fpl) **en caoutchouc** *rubber boots*

cap (m) *cape (eg Cape of Good Hope)*

cape (f) *cape (= cloak)*

capitaine (m) *captain*

capuche (f) *hood (of a garment)*

car (m) *coach -es*
  en car *by coach*

carafe (f) *carafe*
  une carafe de /vin/ *a carafe of /wine/*

carat (m) *carat*
  or à /neuf/ carat */nine/ carat gold*

caravane (f) *caravan*
  camping (m) **pour caravannes** *caravan site*
  caravanne pour /quatre/ personnes */four/ berth caravan*

cardiaque
  crise (f) **cardiaque** *heart attack*
  être cardiaque *have heart trouble*

cardigan (m) *cardigan*

cari (m) *curry -ies*
  cari en poudre *curry powder*

carnaval (m) *carnival*

carnet (m) *notebook*

carotte (f) *carrot*

carré (m) *square (= scarf)*
  un carré de /soie/ *a /silk/ square*

carré (adj) *square (shape)*

carrefour (ms) *crossroads /crossroads (pl)*

carrelet *plaice/plaice (pl)*

carte (f) *card (business card)*
  carte (f) **bancaire** *cheque card*
  carte d'anniversaire *birthday card*
  carte (f) **des vins** *wine list*
  carte (f) **de crédit** *credit card*
  carte (f) **d'identité** *identity card*
  carte (f) **grise** *logbook (car)*
  carte (f) **postale** *postcard*

carte (f) *(géographie) map*
  carte à grande échelle *large-scale map*
  carte de la /France/ *map of /France/*

carte (f) **marine** *chart (= sea map)*

carte (f) **routière** *road map*

carte (f) *(restaurant) menu*
  à la carte (f) *à la carte menu*
  carte (f) **des vins** *wine list*

carte (f) **grise** *logbook*

cartes (fpl) **à jouer** *cards (pl)*
  une partie de cartes *a game of cards*
  un jeu de cartes *a pack of cards*

carton *carton*
  un carton de /lait/ *a carton of /milk/*

cartouche (f) *cartridge*
  cartouche (f) **de /cigarettes/** *carton of /cigarettes/ (= 200)*

cas (m) *case*
  en cas d'/ incendie/ *in case of /fire/*

casier (m) *locker*

casino (m) *casino*

casque (m)
  un casque d'écoute *a pair of headphones*
  casque (m) **protecteur** *crash helmet*

casquette (f) *cap (= hat)*

cassé *broken*

casse-croûte (m) *snack*

casse-noisettes (ms) *nutcrackers (pl)*

casser *break (vb)*

casserole (f) *saucepan*

cassette (f) *cassette*
  cassette enregistrée *pre-recorded cassette*
  lecteur (m) **de cassettes** *cassette player*
  magnétophone (m) **à cassettes** *cassette recorder*

cassis (m) *blackcurrant*

catalogue (m) *catalogue*

cathédrale (f) *cathedral*

catholique *Catholic*

cause
  à cause /du temps/ *because of /the weather/*

cause (f) *cause (n)*

causerie (f) *talk (n) (discussion, chat)*

cave (f) *cellar*

caverne (f) *cave*

ce soir tonight
CEE EEC
ceinture (f) belt
ceinture (f) **de sauvetage** lifebelt
ceinture (f) **de sécurité** safety belt
célèbre famous
céléri (m) celery
  un pied de céléri a head of celery
célibataire single (=not married)
celui-ci (m) **celle-ci** (f) this one
celui-là (m) **celle-là** (f) that one
cendrier (m) ashtray
cent hundred
centaines
  des centaines de / / hundreds of
  / /
centigrade Centigrade
centimètre (m) centimetre
centre (m) centre
  au centre in the centre
  centre commercial shopping centre
  centre ville town centre
céramique (adj) ceramic
cercueil (m) coffin
céréale (f) cereal (=breakfast cereal)
cérémonie (f) ceremony -ies
  sans cérémonie informal
cerf-volant (m) **cerfs-volants** (pl) kite
cerise (f) cherry -ies
certain (m) **certaine** (f) certain, definite
  je suis certain I'm certain
certainement certainly, definitely
certificat (m) certificate
  certificat (m) **médical** health
  certificate
ces (ici) these
  ceux-ci (mpl) **celles-ci** (fpl) these
  ones
ces (là-bas) those
cette nuit tonight
  ceux-là (mpl) **celles-là** (fpl) those ones
chacun (m) **chacune** (f) each
chaîne (f) chain
chaîne (f) (montagnes) range
  (=mountain range)
chaîne (f) (de télévision) television
  channel

chaîne (f) **stéréo** stereo (n)
chaise (f) chair
  chaise haute high chair
châle (m) shawl
chalet (m) chalet
chaleur (f) heat (n)
  vague (f) **de chaleur** heat wave
chambre (f) room
  chambre à deux lits twin-bedded
  room
  chambre à un lit single room
  avec /douche/ /shower/
  chambre avec petit déjeuner bed
  and breakfast
  chambre pour deux personnes
  double room
  chambre qui donne sur /la mer/
  room with a view of/the sea/
  chambre tranquille quiet room
  sans /bain/ without /bath/
chambre (f) **à air** inner tube (tyre)
champ (m) field (n)
champagne (m) champagne
  une bouteille de champagne a bottle
  of champagne
champignon (m) mushroom
  /soupe/ (f) **aux champignons**
  mushroom /soup/
chance (f) luck
  avoir de la chance be lucky
  bonne chance! good luck
  il a de la chance he's lucky
  ne pas avoir de chance be unlucky
  il n'a pas de chance he's unlucky
changement (m) change (n) (=
  alteration)
changer change (vb)
  changer /le pneu/ change /the tyre/
  je voudrais changer /quelques
  chèques de voyage/ I'd like to
  change /some traveller's cheques/
  changer de vêtements change
  clothes
changer à / / change at / / (of train)
  faut-il changer? do I have to change?
chanson (f) song
  chanson folk folk song

chanson pop *pop song*
chanter *sing*
chanteur (m) **chanteuse** (f) *singer*
chapeau (m) **chapeaux** (pl) *hat*
chaque *every, each*
  chaque /enfant/ *each /of the children/*
  chaque jour *every day*
charbon (m) *coal*
  charbon (m) **de bois** *charcoal*
charcuterie *butcher*
charger *load (vb)*
chariot (m) *trolley (= luggage t.)*
charmant (m) **charmante** (f) *charming*
charter (m) *charter flight*
chasse (f) *hunting*
  aller à la chasse *go hunting*
chasser (sport) *shoot (vb) (sport)*
chat (m) *cat*
châtaigne (f)/**marron** (m) *chestnut*
château (m) **châteaux** (pl) *castle*
chaud *hot*
  c'est chaud *it's hot (of things/food)*
  il fait chaud *it's hot (of the weather)*
  j'ai chaud *I'm hot*
chaud (m) **chaude** (f) *warm (adj), hot*
chauffage (m) **central** *central heating*
chauffer *warm (vb)*
chauffeur (m) *chauffeur*
  chauffeur (m) **de taxi** *taxi driver*
chaumière (f) *cottage*
chaussettes (fpl) *socks (pl)*
  chaussettes courtes *short socks, ankle socks*
  chaussettes en /laine/ */woollen/ socks*
  chaussettes longues *long socks*
  une paire de chaussettes *a pair of socks*
chaussures (fpl) *shoes (pl)*
  chaussures à talon *high-heeled shoes*
  chaussures de marche *walking shoes*
  chaussures pour femmes *ladies shoes*

  chaussures pour fillettes *girls' shoes*
  chaussures pour garçonnets *boys' shoes*
  chaussures pour hommes *men's shoes*
  chaussures plates *flat-heeled shoes*
magasin (m) **de chaussures** *shoeshop*
une paire de chaussures *a pair of shoes*
chaussures (fpl) **de gymnastique** *plimsolls (pl)*
une paire de chaussures de gymnastique *a pair of plimsolls*
chaussures (fpl) **de ski** *ski-boots (pl)*
une paire de chaussures de ski *a pair of ski-boots*
chauve *bald*
  il est chauve *he's bald*
chemin (m) *lane (= small road)*
chemin (m) **de fer** *railway*
cheminée (f) *chimney -ies*
chemise (f) *shirt*
  chemise à manches courtes *short-sleeved shirt*
  chemise de /coton/ */cotton/ shirt*
  chemise de nuit *nightdress -es*
  chemise de sport *casual shirt*
  chemise habillée *formal shirt*
chemisier (m) *blouse*
chêne (m) *oak (wood)*
chèque (m) *cheque*
  chèque barré *crossed cheque*
  chèque de voyage *traveller's cheque*
  payer par chèque *pay by cheque*
  chèque postal *postal order*
chéquier (m) *cheque book*
cher (m) **chère** (f) *expensive*
chercher (= aller chercher) *fetch*
chercher *look for*
  chercher /mon passeport/ *look for /my passport/*
cheval (m) **chevaux** (pl) *horse*
  course (f) **de chevaux** *horse racing*
  faire une randonnée à cheval *go pony trekking*
  randonnée (f) **à cheval** *pony trekking*

cheveux (mpl) *hair*
  brosse (f) **à cheveux** *hairbrush*
  coupe (f) **de cheveux** *haircut*
  pince (f) **à cheveux** *hairgrip*
cheville (f) *ankle*
chèvre (f) *goat*
chewing gum (m) *chewing gum*
chien (m) *dog*
  collier (m) **de chien** *dog collar*
chiffon (m) *rag (for cleaning)*
chignon (m) *bun (hair)*
  en chignon *in a bun*
chips (f) *crisps (=potato c.)*
choc (m) *shock (n)*
  état (m) **de choc** *state of shock*
chocolat (m) *chocolate*
  une tablette de chocolat *a bar of chocolate*
  une boîte de chocolats *a box of chocolates*
choeur (m) *choir*
choisir *choose*
  choisir entre / / et / / *choose between / / and / /*
choix (m) (de marchandises) *range (=range of goods)*
choix (m) **choix** (pl) *choice*
  choix entre / / et / / *choice between / / and / /*
  de second choix *imperfect (goods)*
chômage (m) *unemployment*
chose (f) *thing*
chou (m) *cabbage*
chou (m) **de Bruxelles** *sprout (=Brussels s.)*
chou-fleur (m) *cauliflower*
chrétien (m) **chrétienne** (f) *Christian*
Christ *Christ*
chute (f) *fall (n)*
cible (f) *dartboard*
ciboule (f) *spring onion*
cicatrice (f) *scar*
cidre (m) *cider*
  une bouteille de cidre *a bottle of cider*
  un verre de cidre *a cider*
ciel (m) *sky -ies*

cigare (m) *cigar*
  une boîte de cigares *a box of cigars*
  un Havane *a Havana cigar*
cigarette (f) *cigarette*
  cigarette (f) **blonde** *cigarette (American type)*
  cigarette (f) **brune** *cigarette (French type)*
  fumer une cigarette *smoke a cigarette*
  une cartouche de cigarettes *a carton of cigarettes (=200)*
  un paquet de cigarettes *a packet of cigarettes*
  cigarettes (fpl) **à bout filtre** *filter-tipped cigarettes*
ci-joint
  veuillez trouver ci-joint *please find enclosed*
ciment (m) *cement (n)*
cimetière (m) *cemetery*
cinéma (m) *cinema*
cirage (m) *shoepolish*
circulation (f) *traffic*
cire (f) *polish (n), wax*
cirer *polish (vb)*
cirque (m) *circus -es*
ciseaux (mpl) *scissors (pl)*
  une paire de ciseaux *a pair of scissors*
citoyen (m) **citoyenne** (f) *citizen*
citron (m) *lemon*
  jus (m) **de citron** *lemon juice*
  une tranche de citron *a slice of lemon*
citron (m) **vert** *lime*
  jus (m) **de citron vert** *lime juice*
civilisation (f) *civilisation*
clair (adj) *light (adj) (=not dark)*
clarifier *clarify*
classe (f) *class -es*
  classe cabine *cabin class*
  classe touriste *tourist class*
  /première/ classe */first/ class*
classique (adj) *classical (eg music)*
  musique (f) **classique** *classical music*
clavicule (f) *collar bone*

clé (f) *key*
  fermer à clé *lock*
clé (f) (outil) *spanner*
  clé à molette *adjustable spanner*
client (m) cliente (f) *client*
climat (m) *climate*
clinique (f) *clinic*
  clinique privée *private clinic*
cloche (f) *bell (large)*
clou (m) *nail (metal)*
club (m) *club*
  club de golf *golf club*
  club de jeu *gambling club*
cochon (m) *pig*
cocktail (m) *cocktail*
coco
  noix (f) de coco *coconut*
cocotte (f) *casserole (container)*
  cocotte minute (f) *pressure cooker*
code (m) *code*
  code départemental *dialling code*
  code postal *postal code*
codéine (f) *codeine*
coeur (m) *heart*
coffre-fort (m) *safe (n)*
cognac (m) *brandy -ies*
  une bouteille de cognac *a bottle of brandy*
  un cognac *a brandy*
coiffeur (m) coiffeuse (f) *hairdresser*
coin (m) *corner*
coincé *stuck (eg a window)*
coincer *trap (vb)*
colis (m) *parcel*
  par colis postal *by parcel post*
collant (ms) *tights (pl)*
  un collant *a pair of tights*
collant (m) collante (f) *sticky*
colle (f) *glue*
collection (f) *collection (of objects)*
collège *college*
collègue (m&f) *colleague*
collier (m) (vêtements) *collar*
  collier de chien *dog collar*
collier (m) (bijou) *necklace*
colline (f) *hill*
colonne (f) vertébrale *spine (part of body)*

combien? *how many?*
  combien? (prix) *how much?*
  combien de temps? *how long? (time)*
comédie (f) musicale *musical (=an entertainment)*
commander /un steak/ *order /a steak/*
comme *like (prep)*
commencer *start (vb)*
  commencer /le voyage/ *start /the journey/*
  à quelle heure est-ce que ça commence? *when does it start?*
comment? *how?*
  comment ça va? *how are you?*
  c'est comment? *what's it like?*
comment? (= pardon?) *sorry? (= pardon?)*
commerce (m) *commerce*
commissariat (m) *police station*
commission (f) *commission (=payment)*
commode (f) *chest of drawers*
commun (m) commune (f) *common*
communication
  communication (f) interurbaine *long distance call*
  communication (f) urbaine *local call*
  communication (f) en P.C.V. *transferred charge call*
compagnon (m) compagne (f) *escort (n)*
compartiment (m) *compartment (in train)*
  compartiment fumeur *smoking compartment*
  compartiment non-fumeur *non-smoking compartment*
complet (m) complète (f) *complete (adj)*
compliqué *elaborate (adj)*
composer (un numéro de téléphone) *dial*
comprendre *understand*
  je ne comprends pas *I don't understand*

comprimé (m) pill
un flacon de comprimés a bottle of pills
compris
est-ce que /le service/ est compris? is /service/ included?
y compris including
comptant
payer comptant pay cash
prix (m) au comptant cash price
compte (m) bancaire bank account
compte (m) courant current account
compte (m) rendu report (n)
compter count (vb)
compteur (m) meter
compteur à gaz gas meter
compteur d'électricité electricity meter
concert (m) concert
concombre (m) cucumber
concours (m) competition
conditions (fpl) terms (pl)
conducteur (m) conductrice (f) driver
conducteur (m) d'autobus bus driver
conduire drive (vb)
conduite (f) behaviour
conférence (f) conference
confiance (f) trust (n), confidence
avoir confiance trust (vb)
j'ai confiance en /elle/ I trust /her/
confirmer /mon vol/ confirm /my flight/
confiture (f) jam
confiture d'oranges marmalade
un pot de confiture d'oranges a jar of marmalade
confortable comfortable
confus (m) confuse (f) sorry
je suis confus I'm terribly sorry
congélateur (m) deep freeze (=machine)
congelé
aliments (mpl) congelés frozen food
connaissance
sans connaissance unconscious
connaître know (a person)
je le connais I know him

conseil (m) advice
consigne (f) left-luggage office
consigne (f) automatique left-luggage locker
constipé constipated
consul (m) consul
consulat (m) consulate
le consulat /français/ the /French/ Consulate
consultation (f) doctor's surgery
contagieux (m) contagieuse (f) contagious
content (m) contente (f) glad, pleased
il est content he's glad
content de / / pleased with / /
contenu (ms) contents (pl) (eg of a parcel)
contester query (vb)
continental continental
continu continual
continuer /un voyage/ continue /a journey/
contraceptifs (mpl) contraceptives (pl)
la pilule the Pill
un paquet de préservatifs a packet of sheaths (=Durex)
contrat (m) contract (n)
contravention (f) parking offence
contre against
contusion (f) bruise (n)
contusionné bruised
convenable suitable
convenir suit (vb)
convenir de / / agree to / /
copie (f) copy (n) -ies
faire une copie make a copy
copier copy (vb)
coquillages (mpl) shellfish (s)/shellfish (pl)
coquille (f) shell (sea-s.)
coquille (f) St-Jacques scallop
cor (m) corn (eg on a toe)
pansements pour cors (mpl) corn pads (pl)
corail (m) coral
corbeille (f) basket
corbeille à papier waste paper basket

corde (f) *rope*
cordon (m) *cord*
cordonnerie (f) *shoe repairs (=shop)*
corps (m) *body -ies*
correct *correct (adj)*
correction (f) *correction*
correspondant (m) **correspondante** (f) *pen friend*
corriger *correct (vb)*
corset (m) *corset*
costume (m) *suit (n)*
côte (f) (littoral) *coast (n), shore*
côte (f) (corps) *rib (part of body)*
côté
  à côté de / / *next to / /*
  à côté /de la gare/ *next door /to the station/*
  la maison d'à côté *the house next door*
côté (m) *side (n) (of object)*
côtelette (f) *chop (n) cuttet*
  côtelette d'agneau *lamb chop*
  côtelette de porc *pork chop*
coton (m) *cotton*
  coton (m) **hydrophile** *cotton wool*
cou (m) *neck*
couche (f) *nappy -ies*
  couches (fpl) **à jeter** *disposable nappies*
coucher (m) **du soleil** *sunset*
couchette (f) *couchette, berth*
  cabine à/quatre/couchettes */four/-berth cabin*
  couchette inférieure *lower berth*
  couchette supérieure *upper berth*
coude (m) *elbow*
coudre *sew*
couette (f) *duvet*
  housse (f) **de couette** *duvet cover*
couler *sink (vb)*
couleur (f) *colour*
  c'est de quelle couleur? *what colour is it?*
couloir (m) *corridor*
coup *kick (n)*
  donner un coup de pied *kick (vb)*
coup (m) **de fusil** *shot (n)*

coup (m) **de soleil** *sunburn*
coupable *guilty*
coupe (f) *cut (n)*
  une coupe et un brushing *a cut and blow dry*
couper *cut (vb)*
couper (téléphone) *cut off (eg of telephone)*
  la communication a été coupée *I've been cut off*
couper en tranches *slice (vb)*
couple (m) *couple (married c.)*
cour (f) (de justice) *court (law)*
courant (m) (=c. électrique) *current (=electric c.)*
  courant alternatif *alternating current*
  courant continu *direct current*
  cent vingt/deux cents quarante/ volt *one hundred and twenty/ two hundred and forty volt*
courant (m) (d'eau) *current (of water)*
  fort courant *strong current*
courant (m) **d'air** *draught (of air)*
courbé *bent (adj)*
courber *bend (vb)*
courir *run (vb)*
couronne (pour dents) (f) *cap (n) (for tooth)*
couronne (f) (funéraire) *wreath -es (funeral w.)*
couronner (une dent) *cap (vb) (tooth)*
couronner (une dent) *crown (vb) (tooth)*
courrier (m) *mail*
  courrier /à tarif normal/ */first/ class mail*
  courrier /à tarif réduit/ */second/ class mail*
  courrier exprès *express mail*
  par avion *by air-mail*
  courrier par voie normale *surface mail*
courrier aérien (m) *airmail*
courroie (f) *strap*
course (f) *race (n) (=contest)*
  la course (f) *racing*
  course automobile *motor racing*
  course hippique *horse racing*

champ (m) **de courses** racecourse
cheval (m) **de course** racehorse
faire la course race (vb)
course (f) **automobile** motor racing
faire une course automobile go
motor racing
courses (fpl) (hippiques) races (pl)
(= the races)
courses (fpl) shopping
court (m) **courte** (f) short
court-circuit (m) short circuit
cousin (m) **cousine** (f) cousin
coussin (m) cushion
coût (m) cost (n)
couteau (m) knife -ves
couteau à découper carving knife
couteau de poche pocketknife -ves
couteau éplucheur potato peeler
coutellerie (f) cutlery
/coutellerie/ (f) **inoxydable** stainless
steel /cutlery/
coûter cost (vb)
coutume (f) custom
couture (f) sewing
faire de la couture do some sewing
couturière (f) dressmaker
couvercle (m) lid (of pot)
couvert (m) **couverte** (f) covered
/piscine (f)**/ couverte** indoor
/swimming pool/
couverture (f) blanket
crabe (m) crab
cracher spit (vb)
crampe (f) cramp (n)
cravate (f) tie (n)
épingle (f) **à cravate** tiepin
crayon (m) pencil
crayon (m) **feutre** felt-tip pen
crèche (f) nursery -ies (= day n. for
children)
crédit (m) credit
à crédit on credit
conditions (fpl) **de crédit** credit terms
crème (f) cream
café (m) **crème** white coffee
crème (f) **à raser** shaving cream
crème (f) **fraîche** cream

crème (f) **pour les mains** handcream
crépuscule (m) dusk
creuser dig (vb)
creux (m) **creuse** (f) hollow (adj)
crevaison (f) puncture
crevette (f) shrimp
cri (m) scream (n), shout (n)
cric (m) jack (car)
cricket (m) cricket
jouer au cricket play cricket
une partie de cricket a game of
cricket
crier shout (vb)
crime (m) crime
criminel (m) criminal
crise (f)
une crise de / / an attack of / /
crochet (m) hook
crocodile (m)**/croco** (infml)(cuir de
crocodile) crocodile (leather)
croire believe
croyez-/moi/ believe /me/
je ne le crois pas I don't believe it
croisière (f) cruise
faire une croisière go on a cruise
cru raw
cube (m) cube
cube flash (m) flash cube
cueillir pick (= gather flowers etc)
cuillère (f) spoon
cuillère à café teaspoon
cuillerée (f) spoonful
une cuillerée de / / a spoonful of
/ /
une cuillerée à café de / / a
teaspoonful of / /
cuillerée à soupe de / /
tablespoonful of / /
cuir (m) leather
cuire
cuire à la vapeur steam (vb)
faire cuire cook (vb)
faire cuire au four bake
cuisine (f) cooking
faire la cuisine do the cooking
cuisine (f) (pièce) kitchen
cuisinière (f) cooker

cuisinière à gaz *gas cooker*
cuisinière électrique *electric cooker*
cuisse (f) *thigh*
cuit (m) **cuite** (f) *cooked*
  pas assez cuit (m) **pas assez cuite** (f) *undercooked*
  trop cuit (m) **trop cuite** (f) *overcooked*
  bien cuit (m) **bien cuite** (f) *well-done (eg of steak)*
cuivre (m) *copper*
cultiver *grow* (=*cultivate*)
cure-dent (m) *toothpick*
cure-pipe (m) *pipe cleaner*
cyclisme (m) *cycling*

D

d'accord *OK*
dactylo (m&f) *typist*
daim (m) *suede (n)*
  /veste/ (f)/ en daim *suede /jacket/*
dames (fpl) (jeu) *draughts (pl)(game)*
  une partie de dames *a game of draughts*
Dames *Ladies'* (=*lavatory*)
dancing (m) *dance hall*
danger (m) *danger*
dangereux (m) **dangereuse** (f) *dangerous*
dans *in*
  dans la matinée *in the morning*
  dans /le parc/ *in /the park/*
danse (f) *dance (n)*
danser *dance (vb)*
  aller danser *go dancing*
danseur (m) **danseuse** (f) *dancer*
date (f) *date (calendar)*
  date de naissance *date of birth*
datte (f) *date* (=*fruit*)
dé (m) *dice/dice (pl)*
de *of*
  une bouteille de vin *a bottle of wine*
de
  de /huit heures/ à /dix heures/ *from /eight/ to /ten/*
  je viens de / / *I come from / /*

de /Londres/ à /Paris/ *from /London/ to /Paris/*
débarquer *disembark*
debout
  être debout *stand (vb)*
débrancher *disconnect*
début (m) *start (n)*
débutant
  (conducteur) débutant (m) *learner (driver)*
décaféiné *decaffeinated*
décembre (m) *December*
décharge (f) **électrique** *electric shock*
déchirer *tear (vb) (material)*
déchirure (f) *tear (n)* (= *hole in material*)
décider *decide*
  décider de / / *decide to / /*
  décider pour /un plan/ *decide on /a plan/*
déclarer /cette montre/ *declare /this watch/*
décolorant (m) *bleach (n)*
décoloré *faded (colour)*
décolorer *bleach (vb) (laundry)*
décrire *describe*
déçu *disappointed*
dedans *inside (adv)*
dédommagement (m) *compensation*
dédouaner des marchandises *clear goods through Customs*
déduire *deduct*
  déduire /dix livres/de l'addition *deduct /ten pounds/ from the bill*
défaire (bagage) *unpack*
défectueux (m) **défectueuse** (f) *faulty*
défilé (m) *procession*
dégâts (mpl) *damage (n) (s)*
dégivrant (m) *deicer*
dégoûtant (m) **dégoûtante** (f) *disgusting*
degré (ms) *degrees (pl)*
déguisement (m) *fancy dress (s)*
dehors *outside (adv)*
déjà *already*
déjeuner (m) *lunch -es*
  déjeuner (vb) *have lunch*

délicieux (m) **délicieuse** (f) *tasty*
délit (m) *offence*
delta plane (f) *hang gliding*
demain *tomorrow*
demande (f) *request (n)*
  faire une demande d'/emploi/ *apply for /a job/*
demander *ask*
  demandez combien ça coûte s'il vous plaît *please ask how much it is*
démangeaison (f) *itch*
démaquillant (m) *cleansing cream*
démarrer *start (vb) (eg a car)*
  ça ne démarre pas *it won't start*
démarreur (m) *starter motor (car)*
demi *half-ves*
  un demi-/litre/ *half a /litre/*
démodé *old-fashioned, out of date*
dent (f) *tooth/teeth (pl)*
  brosse (f) à dents *toothbrush -es (pl)*
  dent de sagesse *wisdom tooth*
  mal (m) de dents *toothache*
dentelle (f) *lace (= material)*
dentier (ms) *dentures (pl), false teeth (pl)*
dentifrice (m) *toothpaste*
  un tube de dentifrice *a tube of toothpaste*
dentiste (m) *dentist*
  il faut que j'aille chez le dentiste *I must go to the dentist's*
déodorant (m) *deodorant*
départ
  heure (f) de départ *departure time*
  salle (f) de départ *departure lounge*
dépêcher
  se dépêcher *hurry (vb)*
  dépêchez-vous, s'il vous plaît! *please hurry !*
dépendre *depend*
  ça dépend *it depends*
  ça dépend /du temps/ *it depends on /the weather/*
dépenser *spend (money)*
dépliant (m) *leaflet*
dépôt
  laisser /ces objets de valeur/ en

dépôt *deposit /these valuables/*
dépression (f) **nerveuse** *nervous breakdown*
déranger
  se déranger *bother (vb)*
  ne vous dérangez pas *don't bother*
  excusez-moi de vous déranger *I'm sorry to bother you*
dérapage (m) *skid (n)*
déraper *skid (vb) (car)*
dernier (m) **dernière** (f) *last*
  /mardi/ dernier *last /Tuesday/*
derrière (prep) *behind (prep)*
  /wagon (m)/ de derrière *rear /coach/*
  derrière /la maison/ *behind /the house/*
derrière (m) *(partie du corps) bottom (part of body)*
désagréable *nasty, unpleasant*
descendre à / / *get off at / /*
  descendez-vous? allez-vous en bas? *are you going down?*
description (f) *description*
désinfectant (m) *disinfectant*
  une bouteille de désinfectant *a bottle of disinfectant*
désordre (m) *mess -es*
dessert (m) *dessert, sweet (n)*
dessin (m) *drawing (n)*
dessiner *draw (a picture)*
dessous *below (adv)*
  au-dessous de /la chaise/ *below /the chair/*
dessus
  au-dessus *above (adv)*
  au-dessus de /ma tête/ *above /my head/*
destination (f) *destination*
détachant (m) *stain remover*
détacher *unfasten; untie*
détail (m) *detail*
déteindre *(couleur) run (vb) (colour)*
  est-ce que ça déteint? *does it run?*
détergent (m) *detergent*
détester *hate (vb)*
détour (m) *detour*

faire un détour *make a detour*
détournement (m) *hijack (n)*
deux
  tous les deux *both*
devant *ahead*
  **devant / / ** *in front of / /*
développer *develop*
  développer et tirer *develop and print (a film)*
déviation (f) *diversion*
deviner *guess (vb)*
devis (m) *estimate (n)*
devoir (m) *duty (=obligation) -ies*
devoir (vb) *must*
  est-ce que je dois /payer comptant/? *must I /pay by cash/?*
  /le train/ doit arriver à / quatorze heures/ */the train/'s due /at two o'clock/*
  je dois /rentrer/ maintenant *I must /go home/ now*
  vous ne devez pas /vous garer/ /ici/ *you mustn't /park/ /here/*
devoir (vb) *owe*
  je vous dois combien? *how much do I owe you?*
  vous me devez / / *you owe me / /*
diabète (m) *diabetes*
diabétique (m&f) *diabetic*
diamant (m) *diamond*
diapositives (fpl) *slides (pl)*
  diapositives en couleur *colour slides*
diarrhée (f) *diarrhoea*
dictionnaire (m) *dictionary -ies*
  dictionnaire français/anglais *French/English dictionary*
  dictionnaire anglais/ français *English/French dictionary*
  dictionnaire de poche *pocket dictionary*
diesel (m) *diesel oil*
Dieu/dieu (m) *God/god*
différence (f) *difference*
  différent de / / *different from / /*
difficile *difficult, hard*
difficulté (f) *difficulty -ies*
diffuser *broadcast (vb)*

dimanche (m) *Sunday*
  dimanche *on Sunday*
  le dimanche *on Sundays*
dinde (f) *turkey*
dîner (vb) *have dinner*
dîner (m)(n) *dinner (=evening meal)*
diplomate (m) *diplomat*
diplôme (m) (d'université) *degree (=university d.)*
  diplômé de / / *graduate of / /*
  diplômes (mpl) *qualifications (pl)*
dire
  dites-moi (quelque chose) **sur / /** *tell me (something) about / /*
  il /me/ l'a dit *he told /me/ about it*
dire (quelque chose) *say (something)*
direct *direct (adj)*
  itinéraire (m) **direct** *direct route*
  ligne (f) **directe** *direct line*
  train direct (m) *nonstop train*
directeur (m) **directrice** (f) *manager*
  directeur (m) **commercial** *sales manager*
direction (f) *direction*
direction (f) (voiture) *steering (n) (car)*
disco (m) *disco*
disponible *available*
dispute (f) *argument*
disputer
  se disputer *argue*
disque (m) (frein) *disc*
disque (m) *record (n)*
  trente-trois tours *thirty-three r.p.m. record/LP*
  quarante-cinq tours *forty-five r.p.m. record/single*
  disque de musique classique *classical record*
  disque de jazz *jazz record*
  disque de musique légère *light music record*
  disque de musique pop *pop record*
  magasin de disques *record shop*
distance (f) *distance*
  /Brighton/ est à quelle distance d'ici? *how far is it to /Brighton?/*
distributeur (m) **automatique** *slot machine*

diviser *divide (vb)*
divorcé *divorced*
docks (mpl) *docks (pl)*
docteur *doctor*
doigt (m) *finger*
dollar (m) *dollar*
dominos (mpl) *dominoes (pl)*
  jouer aux dominos *play dominoes*
  une partie de dominos *a game of dominoes*
dommages et intérêts (mpl) *damages (pl) (=compensation)*
donc *so (=therefore)*
donner *give*
  donnez-moi ça s'il vous plaît *give it to /me/ please*
dormir *sleep (vb)*
  il dort *he's asleep*
dos (m) *back*
  mal au dos (m) *backache*
dose (f) **de /médicament/** *dose of /medicine/*
dossier (m) *file (n) (for papers)*
douane (fs) *Customs (pl)*
  formulaire (m) **de déclaration en douane** *customs declaration form*
double *double*
  un double whisky *a double whisky*
  payer le double *pay double*
doubler *overtake*
doublure (f) *lining*
  doublure en /fourrure/ */fur/ lining*
douche (f) *shower (=s. bath)*
  bonnet (m) **de douche** *shower cap*
douleur (f) *pain*
douloureux (m) **douloureuse** (f) *painful, sore*
douter *doubt (vb)*
  je m'en doute *I doubt it*
doux (m) **douce** (f) *(temps) mild*
doux (m) **douce** (f) *(au toucher) soft (=not hard)*
douzaine (f) *dozen*
  une demi-douzaine *half a dozen*
  une douzaine /d'oeufs/ *a dozen /eggs/*
drap (m) *sheet (bed linen)*

drapeau (m) **drapeaux** (pl) *flag*
drogue (f) *drug*
droit
  avoir droit à /des bons d'essence/ *be entitled to /petrol coupons/*
droit (m) **droite** (f) *right (=not left)*
  à droite *right (direction)*
  tout droit *straight ahead*
droit (m) **droite** (f) *straight*
droitier (m) **droitière** (f) *right-handed*
dur *hard, tough*
durite (f) *hose (car)*
dysenterie (f) *dysentry*

E

eau (f) **eaux** (pl) *water*
  eau chaude *hot water*
  eau courante *running water*
  eau distillée *distilled water*
  eau douce *fresh water (ie not salt)*
  eau froide *cold water*
  eau potable *drinking water*
eau (f) **de Cologne** *eau-de-Cologne*
  une bouteille d'eau de Cologne *a bottle of eau-de-Cologne*
eau (f) **de Seltz** *soda (water)*
  un verre d'eau de Seltz *a glass of soda (water)*
  une bouteille d'eau de Seltz *a bottle of soda (water)*
eau (f) **de toilette** *toilet water*
eau (f) **minérale** *mineral water*
  eau minérale gazeuse *fizzy mineral water*
  eau minérale non-gazeuse *still mineral water*
  une bouteille d'eau minérale *a bottle of mineral water*
  un verre d'eau minérale *a glass of mineral water*
éboueur (m) *dustman/dustmen (pl)*
écaille
  d'écaille *tortoiseshell (adj)*
échanger *exchange*
  échanger /ce pull-over/ *exchange /this sweater/*

échapper
  s'échapper de / / *escape from / /*
écharpe (f) *scarf -ves*
  écharpe de /soie/ */silk/ scarf*
échecs (mpl) *chess (s)*
  jouer aux échecs *play chess*
  une partie d'échecs *a game of chess*
échelle (f) *ladder*
échelle (f) (carte) *scale (on a map)*
  à grande échelle *large scale*
  à petite échelle *small scale*
éclaté *burst (adj)*
  un tuyau éclaté *a burst pipe*
école (f) *school*
  école de langue *language school*
  école maternelle (f) *nursery -ies*
  (=school)
écolier (m) *schoolboy*
écolière (f) *schoolgirl*
écossais (tissu)
  jupe (f) **écossaise** *tartan skirt*
écouter *listen to*
  écouter /de la musique/ *listen to*
  /some music/
écouteurs (mpl) *headphones (pl)*
  un casque d'écoute *a pair of*
  headphones
écran (m) *screen (=film screen)*
écraser / / *run over / /*
écrire *write*
écrou (m) *nut (metal)*
  un écrou et un boulon *a nut and bolt*
écurie (f) *stable (for horses)*
éducatif (m) **éducative** (f) *educational*
efficace *efficient*
égal *equal*
église (f) *church -es*
  une église /prostestante/ *a*
  /Protestant/ church
égratignure (f) *scratch -es (n)*
élastique (m)(n) *rubber band*
élastique (m)(n) (tissu) *elastic (n)*
élections (fpl) *election (s)*
électricien (m) *electrician*
électricité (f) *electricity*
électrique *electric*
  décharge (f) **électrique** *electric shock*

électrophone (m) *record player*
élégant (m) **élégante** (f) *smart*
  (appearance)
élève (m&f) *pupil*
elle *she*
  c'est à elle *it's hers*
  pour elle *for her*
  c'est à elles *it's theirs*
  pour elles *for them*
emballage (ms) *packing materials (to*
  prevent breakages)
emballer *pack, wrap*
  faire un emballage-cadeau *gift-wrap*
  (vb)
embarquement (m) *embarkation*
  carte (f) **d'embarquement** *boarding*
  card
embarquer *board (vb) (eg a plane)*
embarquer (bateau) *embark*
embêtant *annoying*
embouteillage (m) *traffic jam*
embrasser *kiss (vb)*
embrayage (m) *clutch (n) (car)*
émission (f) *broadcast (n), television*
  programme
emmener
  pouvez-vous m'emmener jusqu'à
  / /? *could you give me a lift to /*
  /?
émotif (m) **émotive** (f) *emotional*
émoussé *blunt (eg knife)*
emplacement (m) *site*
employé (m) **de bureau** *office worker*
employé par / / *employed by / /*
empoisonnement (m) *poisoning*
emporter *take away (vb)*
  repas (m) **à emporter** *take-away meal*
emprunter *borrow*
  emprunter /un stylo/ *borrow /a pen/*
  est-ce que je peux emprunter /votre
  stylo/? *may I borrow /your pen/?*
en
  en /été/ *in /summer/*
  en /juillet/ *in /July/*
  en /bus/ *by /bus/*
en bas *downstairs*
en retard *late*
encadrer *frame (vb)*

encaisser cash (vb)
  encaisser /un chèque de voyage/ cash /a traveller's cheque/
enceinte pregnant
enchanté (m) **enchantée** (f) how do you do?
enchères
  vente (f) **aux enchères** auction (n)
encore (de nouveau) again
encore (un autre) another (=additional)
  encore /un verre de vin/ another /glass of wine/
encore (davantage)
  encore /du gâteau/, s'il vous plaît more /cake/ please
encre (f) ink
  une bouteille d'encre a bottle of ink
enfant (m) child /children (pl)
enfermer enclose
enfin at last
enflé swollen
enflure (f) swelling
engelure (f) chilblain
enlever remove
  enlever /un manteau/ take off /a coat/
ennuis (mpl) trouble
  j'ai des ennuis I'm in trouble
ennuyer
  s'ennuyer bored (to be bored)
  je m'ennuie I'm bored
ennuyeux (m) **ennuyeuse** (f) boring, dull
ennuyeux (m) **ennuyeuse** (f) (embêtant) annoying
enregistrer record (vb)
enseignement (m) education
ensemble together
ensoleillé sunny
entendre hear
enterrement (m) funeral
enterrer bury
enthousiaste (m&f) fan (n) (sports)
entier (m) **entière** (f) whole
  /le mois/ entier the whole /month/
  /un mois/ entier a whole /month/
entorse (f) sprain (n)

entracte (m) interval (in theatre)
entraînement (m) practice (= training)
entre /Londres /et/ Paris/ between /London /and /Paris/
entrée (f) (d'un repas) main course
entrée (f) entrance
  droit d'entrée entrance fee.
  entrée latérale side entrance
  entrée principale main entrance
entrepreneur (m) builder
entrer enter
  entrer dans /un pays/ enter /a country/
entrer come in
  entrez! come in! (command)
entrer en collision (avec) crash (into)
enveloppe (f) envelope
  enveloppe (f) **à vos nom et adresse** self-addressed envelope
  enveloppe par avion airmail envelope
  un paquet d'enveloppes a packet of envelopes
envers
  à l'envers upside-down
environ about (=approximately)
envoyer send
  envoyer ceci par avion post this airmail
  envoyer /un message/ send /a message/
  l'envoyer par / / send it by / / mail
  m'envoyer / / send / / to me
épais (m) **épaisse** (f) thick
épargner save (money)
épaule (f) shoulder
épeler spell
épice (f) spice
épicerie grocer's
épicerie (f) **fine** delicatessen (=food shop)
épidémie (f) epidemic
épileptique epileptic (adj)
épinards (mpl) spinach (s)
épingle (f) pin
  épingle (f) **de sûreté** safety pin
éplucher peel (vb)

éponge (f) *sponge (bath s.)*
épouvantable *dreadful*
épreuve (f) *examination (= school etc.)*
épuisé *sold out*
équipage (m) *crew*
  équipage au sol *ground crew*
  équipage d'un navire *ship's crew*
  équipage en vol *air crew*
équipe (f) *team, side*
équipement (m) *equipment*
  équipement de bureau *office equipment*
  équipement photographique *photographic equipment*
équipement (m) *gear*
  équipement d'alpinisme *climbing gear*
  équipement de plongée *diving gear*
équiper *equip*
équitation (f) *riding (= horse riding)*
  faire de l'équitation *go riding*
erreur (f) *mistake (n)*
  par erreur *by mistake*
éruption (f) *rash -es*
escalier (m) (cage) *staircase*
escalier (ms) *stairs (pl)*
espace (m) *space (room)*
espèces (fpl) *cash (n)*
  paiement (m) **en espèces** *cash payment*
espérer *hope (vb)*
  j'espère que non *I hope not*
  je l'espère *I hope so*
esquisse (f) *sketch -es (n)*
essayage
  cabine (f) **d'essayage** *fitting room (in shop)*
essayer *try (vb)*
  essayer /ce pull-over/ *try on /this sweater/*
essence (f) *petrol*
  bidon (m) **d'essence** *petrol can*
essoufflé *out of breath*
essuyer *wipe (vb)*
est (m) *east*
estomac (m) *stomach*
  j'ai mal à l'estomac *I've got a stomach ache*

et *and*
  et /Mary/? *what about /Mary/?*
étage (m) *floor (of building)*
  dernier étage *top floor*
  /premier/ étage */first/ floor*
  rez-de-chaussée (m) (R) *ground floor (G)*
  sous-sol (m) (S) *basement (B)*
étagère (f) *bookshelf*
étang (m) *pond*
état (m) *condition*
  en bon état *in good condition*
  en mauvais état *in bad condition*
état (m) (États-unis) *state (n)*
été (m) *summer*
  en été *in summer*
éteindre *switch off, turn off*
éteint / **éteinte** (f) *off (of light etc)*
éternuer *sneeze (vb)*
étiquette (f) *label (= luggage label)*
  étiquette autocollante *stick-on label*
étoile (f) *star*
étourdi *dizzy*
étranger
  à l'étranger *abroad*
  il est à l'étranger *he's abroad*
étranger (m) **étrangère** (f) (adj) *foreign (adj)*
étranger (m) **étrangère** (f) (inconnu) *stranger (n)*
étranger (m) **étrangère** (f)(d'une autre nationalité) *foreigner*
être *be*
  être là *be in (adv)*
étroit (m) **étroite** (f) *narrow*
étude (f) **de marché** *market research*
étudiant (m) **étudiante** (f) *student*
étudier *study.*
  étudier à / / *study at / /*
  étudier /l'anglais/ *study /English/*
étui (m) **à cigarettes** *cigarette case*
évaluer *value (vb)*
évanouir
  s'évanouir *faint (vb)*
évident (m) **évidente** (f) *clear (= obvious)*

évier (m) *sink (n)*
éviter *avoid*
exact *exact*
exactement *exactly*
examen médical *check up (n), medical examination*
examiner *examine (medically)*
excédent (m) **de bagages** *excess baggage*
excellent (m) **excellente** (f) *excellent*
excès (m) *excess*
excursion (f) *excursion*
  faire une excursion *go on an excursion*
  excursion en car *coach trip*
excuse (f) *excuse (n)*
  présenter ses excuses *make an excuse*
excuser
  s'excuser *apologise*
  je m'excuse *I apologise*
  excusez-moi! *excuse me! (to attract attention)*
exemple (m) *example*
  par exemple *for example*
s'exercer *practise (= train)*
expédier par bateau *ship (vb)*
expédition (f) *expedition*
expérimenté *experienced*
expert (m) *expert (n)*
expert (m) **experte** (f) *expert (adj)*
expirer *expire (= run out)*
  /mon visa/ est expiré */my visa/ has expired*
explication (f) *explanation*
expliquer *explain*
exportation (f) *export (n)*
exporter *export (vb)*
exposition (f) *exhibition*
exposition (f) **florale** *flower show*
exprès
  courier (m) **exprès** *express mail*
  lettre (f) **exprès** *express letter*
  service (m) **exprès** *express service*
express (m) *(café) espresso coffee*
express (m) *(train) express train*
expression (f) *phrase*

extérieur
  à l'extérieur de *outside (prep)*
  à l'extérieur de /la maison/ *outside /the house/*
extincteur (m) *fire extinguisher*

F

fabriqué en / / *made in / /*
face
  en face *opposite (adv)*
  en face /de la gare/ *opposite /the station/*
fâché *angry*
  je suis fâché contre /lui/ *I'm angry with/ him/*
facile *easy*
facilement *easily*
facilités (fpl) *amenities (pl)*
facture (f) *invoice (n)*
Fahrenheit *Fahrenheit*
faible *weak (physically)*
faim
  avoir faim *be hungry*
  j'ai faim *I'm hungry*
faire *do*
  faire /des achats/ *do /some shopping/*
  faire /un pique-nique/ *go /on a picnic/*
  se faire mal à *hurt (vb) (inflict pain)*
  je me suis fait mal /au bras/ *I've hurt /my arm/*
faire marche arrière *reverse (vb)*
faisan (m) *pheasant*
fait (m) *fact*
fait main *handmade*
fait maison *homemade*
falaise (f) *cliff*
falloir *need (vb)*
  il me faut /plus d'argent/ *I need /more money/*
famille (f) *family -ies*
farce (f) *stuffing (food)*
farine (f) *flour*
fatigant (m) **fatigante** (f) *tiring*

fatigué tired
faute (f) fault
  c'est ma faute it's my fault
fauteuil (m) **roulant** wheelchair
faux (m) **fausse** (f) (pas réel) false
faux (m) **fausse** (f) wrong
  faux numéro (m) wrong number
félicitations (fpl) congratulations (pl)
féliciter
  /vous/ féliciter de / / congratulate
  /you/ on / /
femelle (f) female (adj)
féminin (m) **féminine** (f) feminine
femme (f) (=dame) lady -ies
femme (f) (épouse) wife/wives (pl)
femme (f) woman/women (pl)
  femme (f) **au foyer** housewife -ves
  femme (f) **de chambre** chambermaid
  femme (f) **de ménage** domestic help
fendu cracked
  c'est fendu it's cracked
fenêtre (f) window
fente (f) crack (n)
fer (m) **à repasser** iron (n) (object)
  fer de voyage travelling iron
fermé closed, shut
ferme (f) farm, farmhouse
fermer close, shut
  fermer à clé lock (vb)
fermeture (f) **éclair** zip (n)
fermier (m) farmer
ferry (m) ferry -ies
  en ferry by ferry
  ferry car ferry
festival (m) festival
fête (f) **d'anniversaire** birthday party
feu (m) **d'artifice** firework display
feux (mpl) **d'artifice** fireworks (pl)
feu (m) **feux** (pl) fire (n)
  avez-vous du feu, s'il vous plaît?
  have you got a light?
  c'est en feu it's on fire
feuille (f) sheet (of paper)
feutre (m) felt (material)
feutre (m) (stylo) felt-nib pen
feux (mpl) (de signalisation) traffic lights
(pl)

fève (f) broad bean
février (m) February
fiancé (adj) engaged (to be married)
fiancé (n) (m) fiancé
fiancée (n) (f) fiancée
ficelle (f) string
  un bout de ficelle a piece of string
  une pelote de ficelle a ball of string
fièvre (f) fever
  j'ai la fièvre I've got a temperature
fiévreux (m) **fiévreuse** (f) feverish
figue (f) fig
fil (m) (à coudre) thread, cotton
  une bobine de fil a reel of thread
fil (m) wire
  un bout de fil a piece of wire
file (f) lane (=traffic lane)
filet (m) (à provisions) string bag
filet (m) (viande, poisson) fillet (n)
  découper en filets fillet (vb)
filet (m) (pêche) net (=fishing n.)
  filet (m) **à cheveux** hair net
fille (f) (relation) daughter
fille (f) girl
film (m) film (=entertainment)
  film d'épouvante horror film
  film policier thriller
  film porno pornographic film
  western (m) Western
fils (m) son
fin (f) end (n)
finir finish (vb)
  finir /mon petit déjeuner/ finish /my
  breakfast/
firme (f) firm (n) (=company)
flamme (f) flame (n)
flannelle (f) flannel (=cloth)
flash (m) flash -es
  ampoule (f) **de flash** flash bulb
flèche (f) arrow
fléchettes (fpl) darts (pl)
  jouer aux fléchettes play darts
  une partie de fléchettes a game of
  darts
fleur (f) flower
  un bouquet de fleurs a bunch of
  flowers

pot (m) **à fleurs** *flower pot*
fleuriste (m&f) *florist's*
fleuve (m) *river (large)*
flotter *float (vb)*
foie (m) *liver*
foire (f) *fair (=entertainment)*
fois
  une fois *once (=one time)*
  /six/ fois */six/ times*
  deux fois *twice*
  deux fois par semaine *twice weekly*
folklore (m) *folklore*
folklorique *folk (adj)*
  art (m) **folklorique** *folk art*
  danse (f) **folklorique** *folk dancing*
  musique (f) **folklorique** *folk music*
foncé *dark (of colour)*
  /vert/ foncé *dark /green/*
fonctionnaire (m&f) *civil servant*
fond
  fond (m) **de / /** *bottom of / /*
fontaine (f) *fountain*
football (m) *football (=game)*
  ballon (m) **de football** *football (=ball)*
  un match de football *a game of football*
  jouer au football *play football*
forêt (f) *forest*
formation (f) *training (of personnel)*
forme
  en pleine forme *fit (adj) (health)*
  il est en pleine forme *he's fit*
forme (f) *shape (n)*
formidable! *great!*
formulaire (m) *form (=document)*
fort (adv) (son) *loudly*
fort (m) **forte** (f) (son) *loud*
fort (m) **forte** (f) *strong*
  /café/ fort *strong /coffee/*
fou (m) **folle** (f) *mad*
fouille (f) *search -es (n)*
fouiller *search (vb)*
foule (f) *crowd*
foulé *sprained*
four (m) *oven*
fourchette (f) *fork (cutlery)*
fourgon (m) *luggage van (on train)*

fourmi (f) *ant*
fourrure (f) *fur*
  doublé de fourrure *lined with fur*
  manteau (m) **de fourrure** *fur coat*
foyer (m) *foyer (in hotels and theatres)*
fragile (=santé) *delicate (health)*
fragile *fragile*
  fragile attention *fragile with care (=on labels)*
frais (m) **fraîche** (f) (température) *cool (adj)*
frais (m) **fraîche** (f) *fresh*
  nourriture (f) **fraîche** *fresh food (not stale, not tinned)*
fraise (f) *strawberry -ies*
  un panier de fraises *a punnet of strawberries*
framboise (f) *raspberry -ies*
  un panier de framboises *a punnet of raspberries*
frange (f) *fringe (hair)*
frapper *hit (vb)*
freins (mpl) *brakes/braking system*
fréquent (m) **fréquente** (f) *frequent (adj)*
frère (m) *brother*
frigidaire (m)(tdmk)**/frigo** (m) (infml) *refrigerator/fridge (infml)*
frire *fry*
friser *curl (vb)*
frites (fpl) *chips (pl) (potato)*
froid (m) **froide** (f) *cold (adj)*
  c'est froid *it's cold (of things)*
  j'ai froid *I'm cold*
  il fait froid *it's cold (of weather)*
  il fait un froid de canard (infml) *it's freezing*
froid (m) **froide** (f) (personne) *unfriendly*
froisser *crease (vb)*
  est-ce que ça se froisse? *does it crease?*
fromage (m) *cheese*
  /omelette (f)**/ au fromage** *cheese /omelette/*
front (m) *forehead*
frontière (f) *border (=frontier)*
frotter *rub*

fruit (m) *fruit*
  fruits (mpl) **en conserve** *tinned fruit*
  fruits (mpl) **frais** *fresh fruit*
  jus (m) **de fruit** *fruit juice*
  une bouteille de jus de fruit *a bottle of fruit juice*
  un verre de jus de fruit *a glass of fruit juice*
  fruits (mpl) **de mer** *seafood*
fuir *leak (vb)*
  ça fuit *it's leaking*
fuite (f) *leak (n)*
fumé *smoked (of fish & meat etc)*
  /jambon (m)**/ fumé** *smoked /ham/*
fumée (f) *smoke (n)*
fumer /une cigarette/ *smoke /a cigarette/*
fumeur (m) *smoker*
  non-fumeur *non-smoker*
funiculaire (m) *cable car, funicular*
fusible (m) *fuse (n)*
  fil (m) **à fusible** *fuse wire*
  fusible de /trois/ ampères */three/ amp fuse*
fusil (m) *gun*
fusil-harpon (m) **fusils-harpon** (pl) *harpoon gun*
futur (adj) *future (adj)*

G

gabardine (f) *gabardine coat*
gadget (m) *gadget*
gagner *win (vb)*
gagner /de l'argent/ *earn /money/*
gaine culotte (f) *panty-girdle*
galerie (f) *gallery -ies*
galerie (f) **(voiture)** *roof rack*
galoper *gallop (vb)*
gant (m) **de toilette** *facecloth*
gants (mpl) *gloves (pl)*
  une paire de gants *a pair of gloves*
garage (m) *garage*
garanti *guarantee (n)*
garantir *guarantee (vb)*
garçon (m) *boy*
garçon (m) **(restaurant)** *waiter*

garde-côte (m) *coastguard*
garder (= retenir) *keep*
garder *mind (= look after/watch)*
  voudriez-vous (me) **garder /mon sac/ s'il vous plaît?** *could you mind /my bag/ please?*
garderie (f) *playgroup*
gardien (m) **gardienne** (f) *attendant*
  gardien (m) **de but** *goalkeeper*
gare (f) *station* (=railway s.)
  gare routière *bus station, coach station*
garnitures (fpl) **de freins** *brake linings/pads* (pl) *(car)*
gasoil (m) *derv*
gaspiller *waste (vb)*
gâteau (m) *cake*
  un morceau de gâteau *a piece of cake*
gâteau (m) **gâteaux** (pl) *pastry -ies* (=cake)
gâter *spoil (vb)*
gauche *left* (=not right)
  à gauche *left (direction)*
gaucher (m) **gauchère** (f) *left-handed*
gaz (m) *gas*
gazeux *fizzy*
gelé *frozen* (=deep frozen)
gelée (f) *frost*
gelée (f) **(nourriture)** *jelly*
geler *freeze*
gencive (f) *gum (of mouth)*
général (adj) *general (adj)*
générateur (m) *generator*
généreux (m) **généreuse** (f) *generous*
genou (m) *knee*
gens (mpl) *people (pl)*
gentil (m) **gentille** (f) *kind, friendly, nice*
  c'est très gentil à vous *it's very kind of you*
gentillesse (f) *kindness -es*
gibier (m) *game (animals)*
  caille (f) *quail*
  coq de bruyère (m) *grouse*
  faisan (m) *pheasant*
  lièvre (m) *hare*
  perdrix (f) *partridge*

pigeon (m) *pigeon*
sanglier (m) *wild boar*
gilet (m) *waistcoat*
gilet (m) **de sauvetage** *life jacket*
gin (m) *gin*
  une bouteille de gin *a bottle of gin*
  un gin-tonic *a gin and tonic*
  un verre de gin *a gin*
gingembre (m) *ginger*
glace (f) *ice*
glace (f) (dessert) *ice cream*
glacé (boisson, eau) *iced (drink/water)*
glacé *icy*
glacial *frosty*
glacier (m) *glacier*
glissant (m) **glissante** (f) *slippery*
gobelet (m) **/en plastique/** */plastic/ cup*
golf (m) *golf*
  balle (f) **de golf** *golf ball*
  club (m) **de golf** *golf club*
  terrain (m) **de golf** *golf course*
  une partie de golf *a round of golf*
gomme (f) *rubber (=eraser)*
gonflable *inflatable*
gonfler *inflate*
gorge (f) *throat*
  mal (m) **de gorge** *sore throat*
  pastille (f) **pour la gorge** *throat pastille*
goût (m) *taste (n)*
  avoir un goût *taste (vb) (=have a certain taste)*
goûter (vb) *taste (vb) (perceive with tongue)*
  goûter /cette glace/ *try /this ice-cream/*
goûter (m) *tea (meal)*
goûter (vb) *have tea*
goutte (f) **/d'eau/** *drop /of water/*
gouvernement (m) *government*
graisser *grease (vb)*
grammaire (f) *grammar (=language forms)*
  livre (m) **de grammaire** *grammar (=a grammar book)*
grammes (fpl) *grams (pl)*

grand (m) **grande** (f) *big, large*
grand (m) **grande** (f) (de taille) *tall*
grand magasin (m) *chain store, department store*
grandir *grow (of person)*
grand-mère (m) **grands-mères** (pl) *grandmother*
grand-père (m) **grands-pères** (pl) *grandfather*
gras *greasy*
gratter *scratch (vb)*
gratuit (m) **gratuite** (f) *free (=without payment)*
graver *engrave*
grève (f) *strike (n)*
  être en grève *be on strike*
griller *grill, toast*
grimper (vb) *climb (vb) (=c. mountains)*
grippe (f) *flu*
gris (temps) *dull (of the weather)*
gris (m) **grise** (f) *grey*
grisonnant (m) **grisonnante** (f) *grey (=grey-haired)*
gros (m) **grosse** (f) *fat (adj)*
gros (m) **grosse** (f) (obèse) *overweight (people)*
  être gros *be overweight*
  il est gros *he's overweight*
grosseur (f) *lump (body)*
grossier (m) **grossière**(f) *rude, coarse (of person)*
grossir
  qui fait grossir *fattening*
groupe (m) *group*
guêpe (f) *wasp*
  piqûre de guêpe *wasp sting*
guérir *cure (vb) (health)*
guerre (f) *war*
guichet (m) (de location) *box office*
guichet (m) *ticket office*
  guichet de location *booking office*
guide (m) (livre) *guide book*
guide (m&f)(personne) *guide (=person)*
guider *guide (vb)*
guitare (f) *guitar*
gymnase (m) *gymnasium*

H

habiller
  s' habiller *get dressed*
  habiller /le bébé/ *dress /the baby/*
habiter *live (= reside)*
  où habitez-vous? *where do you live?*
habits
  brosse (f) **à habits** *clothes brush*
habitude
  d'habitude *usually*
hacher *mince (vb)*
  viande (f) **hachée** *minced meat*
hanche (f) *hip*
hareng (m) *herring*
haricot (m) *bean*
  haricot vert (m) *French bean*
hâte (f) *hurry (n)*
haut (m) *top*
  le haut de / / *the top of / /*
haut
  en haut *upstairs*
haut (m) **haute** (f) *high*
  chaise (f) **haute** *high chair*
  marée (f) **haute** *high water*
hauteur (f) *height*
hebdomadaire *weekly (adj)*
hélicoptère (m) *helicopter*
hémorroïdes (fpl) *piles (illness)*
henné (m) *henna*
herbe (f) *grass*
héroïne (f) *heroine*
héros (m) *hero*
heure (f) *hour*
  l'heure (f) *the time (clock)*
  il est une heure *it's one o'clock*
  à l'heure *on time*
  il est trois heures *it's three o'clock*
  quelle heure est-il? *what time is it?*
heures (fpl) **de pointe** *rush hour*
heures (fpl) **d'ouverture** *opening times (pl)*
heureusement *fortunately*
heureux (m) **heureuse** (f) *happy*
hier *yesterday*
histoire (f) *history -ies*
histoire (f) (conte) *story -ies*

hiver (m) *winter*
  en hiver *in winter*
hochet (m) *rattle (baby's rattle)*
hockey (m) *hockey*
  jouer au hockey *play hockey*
  un match de hockey *a game of hockey*
hockey (m) **sur glace** *ice hockey*
  jouer un match de hockey sur glace *play ice-hockey*
  un match de hockey sur glace *a game of ice hockey*
homard (m) *lobster*
homme (m) *man/men (pl)*
  jeune homme *young man*
homme (m) **d'affaires** *businessman /businessmen (pl)*
honnête *honest*
honte
  avoir honte (de / /) *be ashamed (of / /)*
  j'ai honte de /lui/ *I'm ashamed of /him/*
hôpital (m) *hospital*
horaire (m) *timetable*
  horaire des bus *bus timetable*
  horaire des cars *coach timetable*
  horaire des trains *train timetable*
horlogerie (f) *watchmaker's*
horrible *horrific*
hors d'oeuvre (m) *first course, hors d'oeuvres*
hors-bord (m) *speedboat*
hors-taxe *tax free*
hospitalité (f) *hospitality*
hôte (m) *host*
hôtel (m) *hotel*
  hôtel bon marché *cheap hotel*
  hôtel de première classe *first class hotel*
  hôtel moyen *medium-priced hotel*
hôtel de ville *town hall*
hôtesse (f) *hostess -es*
hôtesse (f) (avion, bateau) *stewardess -es (plane or boat)*
huile (f) (lubrifiante) *oil (lubricating)*
  un bidon d'huile *a can of oil*

filtre (m) **à huile** oil filter
pompe (f) **à huile** oil pump
huile (f) **de table** oil (salad)
  huile d'olive olive oil
  huile végétale vegetable oil
huile (f) **gominée** hair oil
  une bouteille d'huile gominée a bottle of hair oil
huile (f) **solaire** suntan oil
huileux (m) **huileuse** (f) oily
huître (f) oyster
  une douzaine d'huîtres a dozen oysters
humeur (f) mood
  de bonne/mauvaise humeur in a good/bad mood
humide damp (adj)
  /**cette serviette**/ **est humide** /this towel/ is wet
humide (temps) humid
humour (m) humour
  sens (m) **de l'humour** sense of humour
hutte (f) hut
hydrofoil (m) hydrofoil
  en hydrofoil by hydrofoil
hypothèque (f) mortgage (n)

I

ici here
  par ici this way
idéal ideal (adj)
idée (f) idea
identification (f) identification
identifier identify
idiot (m) **idiote** (f) (n) fool (n)
idiot (m) **idiote** (f) (adj) foolish
il he
  c'est à lui it's his
  pour lui for him
  c'est à eux it's theirs
  pour eux for them
il y a there is (s) there are (pl)
  est-ce qu'il y a /**des restaurants**/ **par ici?** are there /any restaurants/ near here?

il y a /**de la bière**/ there's /some beer/
il n'y a pas /**d'hôtels**/ **par ici** there aren't /any hotels/ near here
il y a /**trois ans**/ /three years/ ago
île (f) island
illégal illegal
illustration (f) illustration (in book)
illustré (ms) (n) comic (=funny paper) (s)
image (f) picture (drawing or painting)
imbécile (m&f) fool (n)
immatriculation
  numéro (m) **d'immatriculation** registration number
immédiat (m) **immédiate** (f) immediate
immeuble (m) block of flats
immigration (f) immigration
immunisation (f) immunisation
immunisé immune
immuniser immunise
immunité (f) immunity
  immunité diplomatique diplomatic immunity
impatient (m) **impatiente** (f) impatient
imperméable (m) raincoat
imperméable (adj) waterproof (adj)
important (m) **importante** (f) important
importation (f) import (n)
importer (marchandises) import (vb)
importer
  peu importe it doesn't matter
impossible impossible
impôt (m) tax -es
  les impôts (mpl) (sur le revenu) income tax
imprimer print (vb)
imprimeur (m) printer
imprudent (m) **imprudente** (f) careless
inclure include
inconfortable uncomfortable
incroyable incredible
indémaillable run-resistant (tights etc)
indépendant (m) **indépendante** (f) independent
indications (fpl) instructions (pl)
indigestion (f) indigestion

comprimé (m) **pour l'indigestion**
indigestion tablet
indiquer *point (vb)* (=*indicate*)
individuel *individual (adj)*
industrie (f) *industry -ies*
inefficace *inefficient, ineffective*
inexpérimenté *inexperienced*
infecté *infected*
infectieux (m) **infectieuse** (f) *infectious*
infirme (m&f) *invalid (n)*
infirmière (f) *nurse*
ingénieur (m) *engineer*
initiales (fpl) *initials (pl)*
injection (f) *injection*
  je voudrais une injection
  /antitétanique/ *I'd like a /tetanus/
  injection*
innocent (m) **innocente** (f) *innocent*
  (=*not guilty*)
inondation (f) *flood (n)*
inondé *flooded*
inscrire
  s'inscrire *enroll*
  s'inscrire (à) *register (at) (eg a club)*
insecte (m) *insect*
  piqûre (f) **d'insecte** *insect bite*
insecticide (m) *insect repellent,
  insecticide*
  insecticide (m) **en bombe** *fly spray*
insolation (f) *sunstroke*
insomnie (f) *insomnia*
inspecteur (m) *inspector, surveyor*
institut (m)**/collège** (m) *college*
instrument (m) *instrument*
  instrument de musique *musical
  instrument*
insuline (f) *insulin*
intelligent (m) **intelligente** (f) *clever,
  intelligent*
intensif (m) **intensive** (f) *intensive*
intercontinental *intercontinental (flight)*
intéressant (m) **intéressante** (f)
  interesting
intéressé par / / *interested in / /*
intérieur *internal*
  à l'intérieur *indoors*
  à l'intérieur de *inside (prep)*

à l'intérieur de /la maison/ *inside
  /the house/*
international *international*
interprète (m&f) *interpreter*
interpréter *interpret*
interroger *question (vb)*
interrupteur (m) *switch -es* (=*light
  switch*)
interview (f) *interview (n)*
  j'ai une interview *I've got an interview*
interviewer *interview (vb)*
intoxication (f) **alimentaire** *food
  poisoning*
investissement (m) *investment*
invitation (f) *invitation*
invité (m) *guest*
inviter *invite*
iode (m) *iodine*
  un flacon d'iode *a bottle of iodine*
irrégulier (m) **irrégulière** (f) *irregular*
irritation (f) *irritation (medical)*
itinéraire (m) *route*
ivre *drunk (adj)* (=*not sober*)

J

jaloux (m) **jalouse** (f) *jealous*
  il est jaloux de /moi/ *he's jealous of
  /me/*
jamais *never*
jambe (f) *leg*
jambon (m) *ham*
  /sandwich/ au jambon *ham
  /sandwich/*
  /six/ tranches de jambon */six/
  slices of ham*
janvier (m) *January*
jardin (m) *garden*
jauge (f) **d'huile** *dipstick*
jaune *yellow*
jazz (m) *jazz*
je /
  je suis pressé *I'm in a hurry*
  je vous en prie *you're welcome (in
  reply to 'thank you')*
jean (ms) *jeans (pl)*
  un jean *a pair of jeans*

toile (f) **de jean** denim (=material)
jeter throw (away)
  à jeter disposable
  briquet à jeter disposable lighter
  couches (fpl) **à jeter** disposable
    nappies
jeudi (m) Thursday
  jeudi on Thursday
  le jeudi on Thursdays
jeu (m) **jeux** (pl) (d'argent) gambling
jeu (m) **jeux** (pl) game
jeune young
  jeune femme (f) young woman/young
    women (pl)
  jeune homme (m) young man/young
    men (pl)
jockey (m) jockey
joli pretty
joue (f) cheek (of face)
jouer (pour de l'argent) gamble (vb)
jouer play (vb)
  jouer /au tennis/ play /tennis/
jouet (m) toy
  magasin (m) **de jouets** toy shop
jour (m) day
  tous les jours every day
jour (m) **férié** public holiday
journal (m) **du matin** morning paper
journal (m) **journaux** (pl) newspaper
  journal /anglais/ /English/
    newspaper
  journal du matin morning paper
  journal du soir evening paper
  journal régional local newspaper
  marchand (m) **de journaux**
    newsagent's
judo (m) judo
  faire du judo do some judo
juif (m) **juive** (f) Jew
juillet (m) July
juin (m) June
jumeau (m) **jumelle** (f) twin
  lits (mpl) **jumeaux** twin beds
jumelles (fpl) binoculars (pl)
  une paire de jumelles a pair of
    binoculars
jupe (f) skirt

jupe courte short skirt
jupe longue long skirt
jupon (m) petticoat
jus (m) juice
  jus d'ananas pineapple juice
  jus de citron lemon juice
  jus de pamplemousse grapefruit juice
  jus de tomate tomato juice
  jus d'orange orange juice
jusqu'à until, till
  jusqu'à /vendredi/ until /Friday/
juste fair (adj) (=just)
  ce n'est pas juste that's not fair
juteux (m) **juteuse** (f) juicy

K

kaki khaki (colour)
kart (m) go-kart
kasher (m&f) Kosher
kilogramme/kilo (m) kilogramme/kilo
kilomètre (m) kilometre
kiosque (m) **à journaux** newsstand

L

là there
  là-bas over there
  par là that way
lac (m) lake
lacets (mpl) (shoe) laces (pl)
  une paire de lacets a pair of
    shoelaces
laid (m) **laide** (f) ugly
laine (f) wool
  en laine woollen
laisser leave
  laisser /mes bagages/ leave /my
    luggage/
  laissez-moi tranquille leave me alone
  laissez-/moi/ essayer let /me/ try
laissez-passer (m) **laissez-passer**
  (mpl) pass -es (n) (=p. to enter
    building)
lait (m) milk
  lait en poudre powdered milk
  lait concentré tinned milk

une bouteille de lait *a bottle of milk*
un verre de lait *a glass of milk*
lampe (f) *lamp*
lampe (f) **de phare** *headlamp bulb*
lampe (f) **de poche** *torch -es*
landau (m) *pram*
langue (f) (langage) *language*
langue (f) *tongue*
lapin (m) *rabbit*
large *wide*
largeur (f) *width*
lavabo (m) *washbasin*
lave-auto (m) *car wash*
laver *wash (vb)*
  machine (f) **à laver** *washing machine*
  se laver *have a wash*
laverie (f) **automatique** *launderette*
lave-vaisselle (m) *dishwasher*
laxatif (m) *laxative*
  laxatif fort *strong laxative*
  laxatif léger *mild laxative*
  suppositoire (m) **contre la constipation** *suppository*
le (m) **la** (f) **les** (pl) *the*
  le /**six juillet**/ *on* /*July 6th*/
leçon (f) *lesson*
  leçon de conduite *driving lesson*
  leçon d'/**anglais**/ /*English*/ *lesson*
légal *legal*
léger (m) **légère** (f) *light (adj) (=not heavy)*
léger (m) **légère** (f) (faible) *mild*
léger (m) **légère** (f) (manteau, etc) *thin (coat etc)*
légumes (mpl) *vegetables (pl)*
  légumes frais *fresh vegetables*
  légumes variés *mixed vegetables*
lent (m) **lente** (f) *slow*
lentement *slowly*
  plus lentement *slower*
lequel? (m) **laquelle?** (f) **lesquels?** (mpl) **lesquelles?** (fpl) *which one?/which ones?*
lessive (f) (washing) *laundry (washing)*
lessive (f) (poudre à laver) *washing powder*
lettre (f) *letter*

boîte (f) **à lettres** *letter box -es*
lettre /**à tarif réduit**/ /*second class*/ *letter*
lettre exprès *express letter*
lettre recommandée (f) *registered letter*
leur (m&f) **leurs** (pl) *their*
  leur passeport (m) *their passport*
  leurs billets (mpl) *their tickets*
levée (du courrier)
  dernière levée (f) *last collection (of post)*
lever
  être levé *be up (=out of bed)*
lever (m) **du soleil** *sunrise*
lèvre (f) *lip*
  lèvre inférieure *lower lip*
  lèvre supérieure *upper lip*
librairie (f) *bookshop*
libre *free (=unconstrained)*
libre (inoccupé) *vacant*
lieu
  au lieu de /**café**/ *instead of* /*coffee*/
lieu (m) **lieux** (pl) *place (exact location)*
  lieu (m) **de naissance** *place of birth*
  lieu (m) **de travail** *place of work*
lièvre (m) *hare*
ligne (f) *line*
  ligne aérienne *airline*
  ligne directe *outside line*
  ligne extérieure *external phone*
  ligne téléphonique *telephone line*
  ligne intérieure *internal phone*
limitation (f) *limit (n)*
  limitation de hauteur *height limit*
  limitation de poids *weight limit*
  limitation de vitesse *speed limit*
limonade (f) *lemonade*
  une boîte de limonade *a can of lemonade*
  une bouteille de limonade *a bottle of lemonade*
  un verre de limonade *a glass of lemonade*
linge
  corde (f) **à linge** *clothes line*
  pince (f) **à linge** *clothes peg*

linge (m) *linen*
lingerie (f) *lingerie*
lingerie (f) (rayon de lingerie) *lingerie department*
liqueur (f) *liqueur*
liquide (m) *liquid*
liquide (m) **de freins** *brake fluid*
lire *read*
  lire /une revue/ *read /a magazine/*
lisse *smooth*
liste (f) *list*
  liste des courses *shopping list*
lit (m) *bed*
  aller au lit *go to bed*
  au lit *in bed*
  faire le lit *make the bed*
  lit à deux personnes *double bed*
  lit à une personne *single bed*
  lit d'enfant *cot*
  lit superposé *bunk bed*
litre (m) *litre*
littoral (m) **littoraux** (pl) *coastline*
livraison (f) *delivery (goods)*
livre (m) *book*
  livre (m) **de poche** *paperback*
livre (f) (poids) *pound (weight)*
livre (f) (argent) *pound (money)*
livrer *deliver to*
local (adj) *local (adj)*
location (f) *booking*
location (f) **de voitures** *car hire*
logement (m) *accommodation*
loger *stay (somewhere)*
  où logez-vous? *where are you staying?*
loi (f) *law*
loin *far*
  c'est loin? *is it far?*
  plus loin *further*
  pas loin de / / *not far from / /*
long (m) **longue** (f) *long*
longueur (f) *length*
  jusqu'aux chevilles *full length*
  jusqu'aux genoux *knee length*
lotion (f) **après-rasage** *aftershave lotion*
louer *hire (vb)*
  chambre (f) **à louer** *vacancy*

-ies(room)
  louer /une villa/ *rent /a villa/*
loupe (f) *magnifying glass -es*
lourd (m) **lourde** (f) *heavy*
loyer (m) *rent (n) (payment)*
lumière (f) *light (n) (electric light)*
  lumière (f) **de bicyclette** *bicycle lamp*
lundi (m) *Monday*
  lundi *on Monday*
  le lundi *on Mondays*
lune (f) *moon*
lune (f) **de miel** *honeymoon*
lunettes (fpl) *glasses (pl)*
  lunettes de plongée *underwater goggles*
  lunettes de soleil *sunglasses (pl)*
  lunettes polaroïd *polaroid sunglasses*
  lunettes protectrices *goggles (pl)*
  une paire de lunettes *a pair of glasses*
luxe (m) *luxury -ies*

M

machine (f) *machine*
  machine (f) **à écrire** *typewriter*
mâchoire (f) *jaw*
Madame / / *Mrs / /*
Mademoiselle / / *Miss / /*
magasin (m) *shop*
  grand magasin (m) *department store*
  magasin (m) **d'appareils électriques** *electrical appliance shop*
  magasin (m) **de confection pour dames** *dress shop*
  magasin (m) **de confection pour hommes** *men's outfitter's*
  magasin (m) **de fruits et de légumes** *greengrocer's*
  magasin (m) **de souvenirs** *souvenir shop*
  magasin (m) **hors-taxe** *duty-free shop*
magnétophone (m) *tape recorder*
  magnétophone (m) **à bobine** *open reel recorder*
  magnétophone (m) **à cassette** *cassette recorder*

mai (m) *May*
maillet (m) *mallet*
maillot de bain (femmes) (m) *bathing costume (one piece)*
maillot de bain (hommes) (m) *bathing trunks (pl)*
main (f) *hand*
maintenant *now*
mairie (f)/**hôtel** (m) **de ville** *town hall*
maïs (m) *sweet corn*
mais *but*
maison (f) (foyer) *home*
  à la maison *at home*
  rentrer à la maison *go home*
maison (f) *house*
maison (f) **de jeu** *gambling club*
maître (m) **d'hôtel** *headwaiter*
majorité
  la majorité des /gens/ *most /people/*
mal (adv) *badly*
  c'est mal écrit *it's badly written*
mal
  plus mal *worse (in health)*
  il va plus mal *he's worse*
mal (n) **maux** (pl) *ache*
  avoir mal *to be in pain*
  j'ai le mal de mer *I feel seasick*
  j'ai mal à l'estomac *I've got stomachache*
  j'ai mal au coeur *I feel sick*
  j'ai mal au dos *I've got backache*
  j'ai mal aux oreilles *I've got earache*
  je me trouve mal *I feel faint*
  faire mal *hurt*
  /mon bras/ me fait mal */my arm/ hurts*
  mal de dents *toothache (s)*
  mal de gorge *sore throat*
malade *ill (not well)*
  il est malade *he's ill*
malade (m&f) (patient (m) patiente (f)) *patient (n)*
  malade en consultation externe *outpatient (n)*
maladie (f) *disease*
  maladie (f) **vénérienne** *venereal disease (VD)*
mâle *male*
malheureusement *unfortunately*
malhonnête *dishonest*
malle (f) *trunk (for luggage)*
manches (fpl) *sleeves (pl)*
  manches courtes *short sleeves*
  manches longues *long sleeves*
  sans manches *sleeveless*
manger *eat*
mannequin (m) *model (profession)*
manquer /le train/ *miss /the train/*
manteau (m) **manteaux** (pl) *coat*
manucure (f) *manicure*
manuel (m) *textbook*
  manuel (m) **de conversation** *phrase book*
maquillage (m) *make-up (= face make-up)*
  maquillage pour les yeux *eye make-up*
marbre (m) *marble (material)*
marchand (m) **de vins** *wine merchant's*
marchander *bargain (vb)*
  marchander avec / / *bargain with / /*
marchandise (fs) **hors-taxe** *duty-free goods (pl)*
marchandises (fpl) *goods (= merchandise) (pl)*
  train (m) **de marchandises** *goods train*
marche (f) (d'escalier) *step (n) (part of staircase)*
marche (f) *walking*
  faire de la marche *do some walking*
marche (f) **arrière** *reverse (n) (gear)*
marché (m) *market*
  marché à la viande *meat market*
  marché aux fruits et aux légumes *fruit and vegetable market*
  marché aux poissons *fish market*
  place (f) **du marché** *market place*
marché (m) **aux puces** *flea market*
marcher *walk (vb)*
marcher (= fonctionner) *work (vb) (of machines)*

ca ne marche pas *it doesn't work*
mardi (m) *Tuesday*
  mardi *on Tuesday*
  le mardi *on Tuesdays*
marée (f) *tide*
  marée (f) basse *low tide*
  marée (f) haute *high tide*
margarine (f) *margarine*
mari (m) *husband*
mariage (m) *wedding*
marié (adj) *married*
marié (n) (m) *bridegroom*
mariée (n) (f) *bride*
marin (m) *sailor*
marine (f) *navy -ies*
maroquinerie (f) *leather goods shop*
marque (f) *brand, make*
  marque de fabrique *brand name*
marquer /un but/ *score /a goal/*
marraine (f) *godmother*
marron *chestnut*
marron/brun (m) brune (f) *brown*
  cheveux (mpl) bruns *brown hair*
mars (m) *March*
marteau (m) marteaux (pl) *hammer*
mascara (m) *mascara*
masculin (m) masculine (f) *masculine*
masque (m) *mask*
  masque (m) sous-marin *snorkel mask*
massage (m) *massage (n)*
mât (m) *mast*
match (m) *match -es (=competition)*
  match de football *football match*
matelas (m) *mattress -es*
matin
  du matin (m) *a.m.*
  /quatre/ heures du matin */four/ a.m.*
matin (m) *morning*
  ce matin *this morning*
  demain matin *tomorrow morning*
  hier matin *yesterday morning*
mauvais (m) mauvaise (f) *bad*
  le plus mauvais /hôtel/ *the worst /hotel/*
mauve *mauve*
maximum *maximum (adj)*
mayonnaise (f) *mayonnaise*

mécanicien (m) *mechanic*
mécanisme (m) *mechanism*
mèche (f) (cheveux) *streak (n) (of hair)*
  je voudrais me faire faire des mèches *I'd like my hair streaked*
mèche (f) (lampe) *wick (lamp, lighter)*
médecin (m) *doctor*
  il faut que j'aille chez le médecin *I must go to the doctor's*
médical *medical*
médicament (m) *medicine*
  un flacon de médicament *a bottle of medicine*
médiocre *poor, mediocre*
méduse (f) *jellyfish/jellyfish (pl)*
meeting (m) *rally -ies*
meilleur *best*
  le meilleur /hôtel/ *the best /hotel/*
mélange (m) *mixture*
mélanger *mix (vb)*
melon (m) *melon*
  un demi-melon *half a melon*
  une tranche de melon *a slice of melon*
membre (m) *member (of a group)*
même *same*
  le/la même que / / *the same as / /*
memo (m) *memo*
mémoire (f)
  une bonne/mauvaise mémoire *a good/bad memory*
mensonge (m) *lie (n) (=untruth)*
mensuel *monthly*
menthe (f) *peppermint (=flavour/drink)*
  pastille (f) à la menthe *peppermint (sweet)*
mentir *lie (vb) (=tell an untruth)*
menton (m) *chin*
menu (m) à prix fixe *set menu*
mer (f) *sea*
merci *thank you*
  non merci *no thank you*
  oui, merci *yes please (acceptance of offer)*
mercredi *Wednesday*
mercredi (m) *on Wednesday*

le mercredi *on Wednesdays*
mère (f) *mother*
merveilleux (m) **merveilleuse** (f)
 wonderful
message (m) *message*
 **est-ce que je peux laisser un
 message s'il vous plaît?** *can I leave
 a message please?*
 **est-ce que je peux prendre un
 message?** *can I take a message?*
messe (f) *mass* (*= Catholic service*)
Messieurs *Gents' (lavatory)*
mesurer *measure* (vb)
métal (m) **métaux** (pl) *metal*
météorologique
 conditions (fpl) **météorologiques**
 weather conditions (pl)
 prévisions (fpl) **météorologiques**
 weather forecast (s)
méthode (f) *method*
mètre (m) *metre* (*= length*)
mètre-ruban (m) *tape measure*
métro (m) *underground* (u. railway train)
 en métro *by underground*
mettre *put*
 mettre /mon manteau/ *put on /my
 coat/*
meublé *furnished*
 /appartement/ meublé *furnished
 /flat/*
meubler *furnish*
meubles (mpl) *furniture*
 magasin (m) **de meubles** *furniture
 shop*
meurtre (m) *murder* (n)
micro (m) *microphone*
midi *midday*
miel (m) *honey*
 un pot de miel *a jar of honey*
mieux *better*
 c'est mieux *it's better (things)*
 il va mieux *he's better (health)*
migraine (f) *migraine*
milieu (m) *middle*
 au milieu de / / *in the middle of
 / /*
milk shake (m) *milk shake*

mille (anglais) *mile*
mille *thousand*
 des milliers de / / *thousands of
 / /*
million (m) *million*
 des millions de / / *millions of / /*
mince *thin (of person)*
mine (f) *mine (n)*
 mine de charbon *coal mine*
mineur (m) (ouvrier) *miner*
minibus (m) *minibus -es*
minimum *minimum (adj)*
minuit *midnight*
minute (f) *minute (time)*
miroir (m) *mirror*
 miroir de poche *hand-mirror*
mise
 faire une mise en plis *set (vb)(hair)*
mixer (m) *mixer (of food)*
mode
 à la mode *fashionable*
 mode (m) **d'emploi** *instructions for use*
modèle (m) *model (object)*
 le dernier modèle *the latest model*
 modèle réduit /d'avion/ *model
 /aeroplane/*
moderne *modern*
moi *me*
 pour moi *for me*
 c'est à moi *it's mine*
moins *fewer*
 moins /de gens/ *fewer /people/*
moins *less*
 moins /de sucre/ *less /sugar/*
moins *minus*
 5 moins 3 = 2 *5 minus 3 = 2*
mois (m) *month*
 ce mois-ci *this month*
 le mois dernier *last month*
 le mois prochain *next month*
moisi *mouldy*
moisson (f) *harvest*
moitié (f)/**demi** (m) *half -ves*
 la moitié d'une /tranche/ *half a
 /slice/*
moment (m) *moment*
 un moment! *just a minute!*

mon (m) **ma** (f) **mes** (pl) *my*
  mon passeport (m) *my passport*
  ma soeur (f) *my sister*
  mes clés (fpl) *my keys*
monde (m) *world (the world)*
monnaie (f) *change (n) (=money)*
  petite monnaie *small change*
monnaie (f) *(de différents pays)*
  currency - ies
mono (m) *mono (adj)*
Monsieur / / *Mr / /*
montagne (f) *mountain*
montagneux (m) **montagneuse** (f)
  mountainous
monter *ride (vb)*
  monter à bicyclette *ride a bicycle*
  monter à cheval *ride a horse*
monter
  vous montez? *are you going up?*
montre *watch -es (n)*
montrer *show (vb)*
monument (m) *monument*
monuments (mpl) *sights (pl)(of a town)*
moquette (f) *fitted carpet*
morceau (m) *piece*
  un morceau de / / *a piece of / /*
  un morceau de sucre *a lump of*
  sugar
mort (m) **morte** (f) *dead*
morue (f) *cod*
mosquée (f) *mosque*
mot (m) *(laisser un mot) note (written)*
mot (m) *word*
  mots croisés (mpl) *crossword puzzle*
motel (m) *motel*
moteur (m) *motor*
  moteur hors-bord *outboard motor*
moteur (m) *(eq voiture) engine (eg for a*
  car)
moto (f) *motorbike*
mouche (f) *fly (=insect)*
mouchoir (m) *handkerchief -ves*
mouchoirs (mpl) **en papier/Kleenex**
  (tdmk) *Kleenex (tissues) (tdmk)*
  une boîte de mouchoirs en papier *a*
  box of Kleenex
mouillé *wet*

je suis mouillé *I'm wet*
moule (f) *mussel*
mourir *die (vb)*
moustache (f) *moustache*
moustiquaire (m) *mosquito net*
moustique (m) *mosquito*
moutarde (f) *mustard*
mouton (m) *sheep/sheep (pl)*
mouvement (m) *movement*
moyen
  (taille) **moyenne** *medium (size)*
moyenne (f) *average (n)*
mur (m) *wall*
mûr (adj) *ripe*
mûre (n) (f) *blackberry -ies*
muscle (m) *muscle*
musée (m) *museum*
  musée (m) **d'art** *art gallery -ies*
musicien (m) **musicienne** (f) *musician*
musique (f) *music*
  musique classique *classical music*
  musique folk *folk music*
  musique légère *light music*
  musique pop *pop music*
musulman (m) **musulmane** (f) *Muslim*

N

nage (f) *swim (n)*
nager *have a swim, swim (vb), go*
  swimming
naissance (f) *birth*
  date (f) **de naissance** *date of birth*
  extrait (m) **de naissance** *birth*
  certificate
  lieu (m) **de naissance** *place of birth*
nappe (f) *tablecloth*
natation (f) *swimming*
nation (f) *nation*
national *national*
nationalité (f) *nationality -ies*
nature (n) (f) *nature*
nature (adj) *plain (adj) (=not flavoured)*
naturel *natural*
naufrage (m) *wreck (n)*
nausée (f) *nausea*
navet (m) *turnip*

navigation (f) **à voile** *sailing*
naviguer *navigate*
naviguer à la voile *sail (vb)*
nécessaire *necessary*
nécessité (f) *necessity -ies*
née *née*
négatif (m) (film) *negative (=film n.)*
neige (f) *snow (n)*
neiger *snow (vb)*
  il neige *it's snowing*
nerveux (m) **nerveuse** (f) *nervous (=apprehensive)*
Nescafé (m) (tdmk) *Nescafe (tdmk)*
nettoyer *clean (vb)*
neveu (m) *nephew*
nez (m) **nez** (pl) *nose*
nièce (f) *niece*
niveau (m) **niveaux** (pl) *grade, level*
Noël (m) *Christmas*
  carte (f) **de Noël** *Christmas card*
  jour (m) **de Noël** *Christmas Day*
noeud (m) **papillon** *bow tie*
noir *black*
  café noir (m) *black coffee*
noix (f) **noix** (pl) *nut*
  amande (f) *almond*
  cacahuète (f) *peanut*
nom (m) *name*
  nom (m) **de famille** *surname*
non *no (opposite of 'yes')*
nord (m) *north*
  nord-est (m) *northeast*
  nord-ouest (m) *northwest*
normal *normal*
notre (s) **nos** (pl) *our*
  notre soeur (f) *our sister*
  nos billets (mpl) *our tickets*
nourriture (fs) *food*
  où est-ce que je peux acheter de la nourriture? *where can I buy some food?*
nous (objet) *us*
  pour nous *for us*
  c'est à nous *it's ours*
nous (sujet) *we*
nouveau (m) **nouvelle** (f) *new (of things)*

nouvelles (fpl) *news (s)*
novembre (m) *November*
noyau (m) **noyaux** (pl) *stone (of fruit)*
noyer (m) *walnut (wood)*
nu *bare*
nuage (m) *cloud*
nuageux (m) **nuageuse** (f) *cloudy*
nuit (f) *night*
  bonne nuit *good night*
  cette nuit *tonight*
  la nuit dernière *last night*
  la nuit prochaine *tomorrow night*
  il fait nuit *it's dark*
nulle part *nowhere*
numéro (m) *number*
  faux numéro *wrong number*
  numéro de téléphone *telephone number*
  numéro /sept/ *number /seven/*
nylon (m) *nylon*
  une paire de bas de nylon *a pair of nylons (stockings)*

O

objectif (m) (photo) *lens -es (of camera)*
  objectif (m) **grand angulaire** *wide-angle lens*
obligatoire *compulsory*
occasion
  d'occasion *second-hand*
  une voiture d'occasion *a second-hand car*
occupé *busy*
occupé (téléphone, w.c.) *engaged*
s'occuper de *look after*
  s'occuper du /bébé/ *look after /the baby/, baby-sit*
octobre (m) *October*
odeur (f) *smell (n)*
oeil (m) **yeux** (pl) *eye*
oeillet (m) *carnation*
oeuf (m) *egg*
  oeuf à la coque *boiled egg*
  oeuf dur *hardboiled egg*
  oeuf mollet *softboiled egg*
  oeuf poché *poached egg*

oeuf sur le plat *fried egg*
oeufs brouillés *scrambled eggs*
officiel *official (adj)*
offre (f) *offer (n)*
  faire une offre *make an offer*
oie (f) *goose/geese (pl)*
  oies sauvages *wild geese*
oignon (m) *onion*
oiseau (m) **oiseaux** (pl) *bird*
olive (f) *olive*
  olive noire *black olive*
  olive verte *green olive*
ombre (f) *shade*
  à l'ombre *in the shade*
omelette (f) *omelette*
omnibus (m) *slow train*
oncle (m) *uncle*
onde (f) *wave (radio)*
  grandes ondes *long wave*
  ondes courtes *short wave*
  ondes moyennes *medium wave*
  ondes ultra-courtes *VHF*
ongle (m) *nail (finger/toe)*
  brosse (f) **à ongles** *nailbrush -es*
  ciseaux (mpl) **à ongles** *nail scissors*
  lime (f) **à ongles** *nail file*
  vernis (m) **à ongles** *nail varnish*
ONU *UN*
OPEP *OPEC*
opéra (m) *opera house*
  l'opéra (m) *opera house*
opération (f) *operation (surgical)*
opérer *operate (surgically)*
opticien (m) *optician*
or (m) *gold (n)*
  d'or *gold (adj)*
orage (m) *storm, thunderstorm*
orageux (m) **orageuse** (f) *stormy*
orange (couleur) *orange (colour)*
orange (f) *orange (fruit)*
  jus (m) **d'orange** *orange juice*
  une bouteille de jus d'orange *a bottle of orange juice*
  un verre de jus d'orange *a glass of orange juice*
Orangina (m) (tdmk) *orangeade*
orchestre (m) *band, orchestra*

ordinaire *ordinary*
ordinateur (m) *computer*
ordonnance (f) *prescription*
ordonné (=propre, soigneux) *tidy (adj) (of people)*
ordures (fpl) *rubbish, litter*
oreille (f) *ear*
  mal (m) **à l'oreille** *earache*
oreiller (m) *pillow*
  taie (f) **d'oreiller** *pillow case*
oreillons (mpl) *mumps*
organisation (f) *organisation*
organiser *arrange, organise*
  organiser /une réunion/ *arrange /a meeting/*
original *original*
orteil (m) *toe*
  ongle (m) **d'orteil** *toenail*
os (m) *bone*
ou *or*
où? *where?*
  d'où êtes-vous? *where are you from?*
  par où? *which way?*
oublier *forget*
  j'ai oublié /ma valise/ *I've left /my suitcase/ behind*
ouest (m) *west*
oui *yes*
outil (m) *tool*
outre-mer (m) *overseas*
ouvert (m) **ouverte** (f) *open (adj)*
  ouvert vingt-quatre heures sur vingt-quatre *twenty-four hour service*
ouvre-boîte (m) *tin opener*
ouvre-bouteille (m) *bottle-opener*
ouvrier d'usine (m) *factory worker*
ouvrir *open (vb)*
oxygène (m) *oxygen*

P

pagaie (f) *paddle (for canoe)*
page (f) *page (of a book)*
paillasson (m) *door mat*
paille (f) *straw (=drinking s.)*
pain (m) *bread*
  pain de campagne *brown bread*

pain de mie *white bread*
pain en tranches *sliced bread*
  petit pain *bread roll*
  tartine (f) **beurrée** *bread and butter*
  une tranche de pain *a slice of bread*
pain (m) (un pain) *loaf -ves (of bread)*
  un grand pain *a large loaf*
pain (m) **grillé** *toast(n)*
  une tranche de pain grillé *a slice of toast*
paire (f) *pair*
  une paire de / / *a pair of / /*
palais (m) *palace*
pâle *pale*
palmes (fpl) *flippers (pl)*
  une paire de palmes *a pair of flippers*
pamplemousse (f) *grapefruit (fresh)*
  pamplemousse en boîte *tinned grapefruit*
panier (m) *basket*
  un panier de / / *a basket of / /*
  panier à provisions *shopping basket*
panne (f) *breakdown (car)*
  en panne *out of order*
panneau (m) **d'affichage** *notice board*
pansement (m) *bandage, dressing (medical)*
panser *dress (vb) (a wound)*
pantalon (ms) *trousers (pl)*
  un pantalon *a pair of trousers*
pantoufles (fpl) *slippers (pl)*
  une paire de pantoufles *a pair of slippers*
papeterie (f) *stationery*
papier (m) *paper*
  papier à dessin *drawing paper*
  papier à lettres *writing paper*
  papier avec lignes *lined paper*
  papier carbone *carbon paper*
  papier d'emballage *wrapping paper*
  papier machine *typing paper*
  papier par avion *airmail paper*
  papier sans lignes *unlined paper*
  une feuille de papier *a sheet of paper*
papier (m) **hygiénique** *toilet paper*
  un rouleau de papier hygiénique *a roll of toilet paper*

papiers (mpl) (identité) *documents (pl)*
  papiers de voiture *car documents*
papillon (m) *butterfly -ies*
paquebot (m) *liner*
Pâques (fpl) *Easter*
paquet (m) *packet*
  un paquet de /cigarettes/ *a packet of /cigarettes/(=20)*
par *via*
  passer par /Rome/ *travel via /Rome/*
par
  par /les rues/ *through /the streets/*
par an *per annum*
par avion *by air*
par avion (courier) *by airmail*
paraître /élégant/ *look /smart/*
parapluie (m) *umbrella*
parasol (m) *beach umbrella, sunshade*
paravent (m) *screen (=movable partition)*
parc (m) *park (n)*
parc (m) **d'attractions** *amusement arcade*
parce que *because*
parcomètre *parking meter*
par-dessus *over (=above)*
  voler par-dessus /les montagnes/ *fly over /the mountains/*
pardessus (m) *overcoat*
pardon! (=excusez-moi) *excuse me! (to pass in front of someone)*
pardon! (=désolé) *sorry! (apology)*
pardonner *forgive*
pareil *similar*
parent
  le plus proche parent *next of kin*
parent (m) (mère ou père) *parent*
parent (m) *relative, relation*
parents (mpl) *relations (pl)*
paresseux (m) **paresseuse** (f) *lazy*
parfait (m) **parfaite** (f) *perfect (adj)*
parfum (m) *flavour*
  à la banane *banana*
  à la fraise *strawberry*
  à la vanille *vanilla*
  au cassis *blackcurrant*
  au chocolat *chocolate*

parfum (m) *perfume*
  un flacon de parfum *a bottle of perfume*
pari (m) *bet (n)*
parier *bet (vb)*
parking (m) *car park*
parlement (m) *parliament*
parler *talk (vb)*
  parlez-moi de / / *talk to me about / /*
parler *speak*
  parler /anglais/ *speak /English/*
  parlez-vous /français/? *do you speak /French/?*
  je ne parle pas /arabe/ *I don't speak /Arabic/*
  parler /au directeur/ *speak /to the manager/*
  est-ce que je peux parler /au directeur/ s'il vous plaît? *may I speak /to the manager/ please? (on phone)*
parmi *among*
  parmi /mes amis/ *among /my friends/*
parrain (m) *godfather*
part
  de la part de / / *on behalf of / /*
partager *share (vb)*
parti *away, gone*
  il est parti *he's away /he's gone*
partie
  une partie de /tennis/ *a game of /tennis/*
  faire une partie de / / *play a game of / /*
partie (f) *part*
  une partie de / / *a part of / /*
partir *leave (=depart)*
  partir à /seize heures trente/ *leave /at four-thirty p.m./*
  partir en /juillet/ *leave in /July/*
  partir /lundi/ *leave on /Monday/*
partout *everywhere*
pas *not*
  pas d'argent/ *no /money/*
  pas encore *not yet*

pas (m) *step (n) (movement)*
pas fermé à clé *unlocked*
passage (m) **à niveau** *level crossing*
passage (m) **souterrain** *subway*
passager (m) *passenger (in boat)*
passeport (m) *passport*
passer (son temps à) *spend (time)*
  passer par /la gare/ *go past /the station/*
passe-temps (m) *hobby -ies*
passionnant (m) **passionnante** (f) *exciting*
pasteur (m) *vicar*
pastille (f) *pastille*
  pastille pour la gorge *throat pastille*
pâté (m) *pâté*
  pâté de foie *liver pâté*
patient (n) *patient*
patient (m) **patiente** (f) *patient (adj)*
patinage (m) *skating*
  faire du patinage *go skating*
  patinage à roulettes *roller-skating*
  patinage sur glace *ice-skating*
pâtisserie (f) *cake shop*
patron (m) *pattern*
  patron de robe *dress pattern*
  patron de tricot *knitting pattern*
patron (m) **patronne** (f) *boss (n)*
paupière (f) *eyelid*
pause (f) *interval (=break)*
pauvre *poor (=not rich)*
pavillon (m) *bungalow*
payer *pay*
  à l'avance *in advance*
  en espèces *in cash*
  en /livres/ *in /pounds/ (pl)*
  faire payer *charge (vb) (=payment)*
  l'addition (f) *the bill*
  par /carte de crédit/ *by /credit card/*
pays (m) *country (=nation) -ies*
paysage (m) *scenery*
peau (f) **peaux** (pl) *skin*
  peau /de mouton *sheepskin*
  /tapis (m)**/ en peau de mouton** *sheepskin /rug/*
pêche (f) *fishing*

aller à la pêche go fishing
 canne (f) **à pêche** fishing rod
 fil (m) **de pêche** fishing line
pêche (f) (fruit) peach -es
pédicure (m&f) chiropodist
peigne (m) comb (n)
peinture (f) paint
 un bidon de peinture a tin of paint
peinture (f) **à l'huile** oil painting
pelle (f) spade
pellicule (f) film (for camera)
 ASA ASA (tdmk)
 DIN (tdmk) DIN (tdmk)
 Super-8 Super 8
 16mm 16mm
 pellicule cartouche cartridge film
 pellicule en couleur colour film
 pellicule en noir et blanc black and
 white film
 pellicule polaroïd Polaroid film (tdmk)
 35mm 20/36 poses 35mm 20/36
 exposures
pellicules (fpl) dandruff (s)
pelote (f)
 une pelote de /ficelle/ a ball of
 /string/
pendant /la nuit/ during /the night/
penderie (f) wardrobe
pendule (f) clock
pénicilline (f) penicillin
 je suis allergique à la pénicilline I'm
 allergic to penicillin
penser à /quelque chose/ think about
 /something/
pension (f) board (n) (=cost of meals)
 demi-pension half board
 pension complète full board
pente (f) slope
pépin (m) pip (=seed of citrus fruit)
percolateur (m) percolator
perdre lose
 j'ai perdu /mon portefeuille/ I've lost
 /my wallet/
perdrix (f) **perdrix** (pl) partridge
perdu lost
 je me suis perdu I'm lost
père (m) father
périmé out of date (eg passport)

période (f) period (of time)
perle (f) pearl
perles (fpl) (de verroterie) beads (pl)
 collier (m) **de perles** string of beads
permanent (m) **permanente** (f)
 permanent
permanente (f) perm (=permanent
 wave)
permettre let (=allow), permit
permis (m) licence
 permis de conduire driving licence
 permis de conduire international
 international driving licence
permission (f) permission
 permission d'/entrer/ permission to
 /enter/
perruque (f) wig
personne no one
personne (f) person
personnel (m) staff (=employees)
personnel (m) **personelle** (f) personal
peser weigh
 peser trop be overweight (things)
petit déjeuner (m) breakfast
 chambre avec petit déjeuner bed
 and breakfast
 petit déjeuner continental breakfast
 petit déjeuner à l'anglaise English
 breakfast
 petit déjeuner dans ma chambre
 breakfast in my room
 **petit déjeuner pour /deux/
 personnes** breakfast for /two/
 prendre le petit déjeuner have
 breakfast
 servir le petit déjeuner serve
 breakfast
petit pain (m) bun, roll
petit (m) **petite** (f) little (adj)
 le plus petit smallest
 plus petit smaller
 un petit garçon a little boy
petit (m) **petite** (f) (personne) short
 (people)
petit (m) **petite** (f) (taille) small (size)
petit pois (m) pea
petite-fille (f) **petites-filles** (pl)
 granddaughter

petit-enfant (m) **petits-enfants** (mpl) *grandchild/grandchildren (pl)*
petit-fils (m) **petits-fils** (pl) *grandson*
peu *few*
  peu de /gens/ *few /people/*
peu (m) *little (n)*
  un peu d'/argent/ *a little /money/*
peu
  à peu près *roughly (=approximately)*
peu à peu *gradually*
peur
  avoir peur (de/ /) *be afraid (of / /)*
  j'ai peur de / / *I'm afraid of / /*
peut-être *perhaps*
pharmacie (f) *chemist's*
photo
  magasin (m) **de photo** *camera shop*
photocopie (f) *photocopy (n) -ies*
photocopier (vb) *photocopy (vb)*
photocopieuse (f) *photocopier*
photographe (m&f) *photographer*
  studio (m) **de photographe** *photographer's studio*
photographie (f)/**photo** (f) *photograph (photo)*
  photographie en couleur *colour photograph*
  photographie en noir et blanc *black and white photograph*
  prendre une photographie *take a photograph*
photographique *photographic*
piano (m) *piano*
pichet (m) *jug*
  un pichet de / / *a jug of / /*
pièce (f) (de monnaie) *coin*
pièce (f) (pour raccommoder) *patch (n)*
pièce (f) (théâtre) *play (n) (at theatre)*
pièce (f) (voiture) *part (car)*
  pièces détachées (fpl) *spare parts*
pièce
  /40p/ la pièce */40p/ each (on price-tag)*
pied (m) *foot /feet (pl) (=part of body)*
  à pied *on foot*
piège (m) *trap (n)*

pierre (f) *stone*
  pierre précieuse *precious stone*
piéton (m) *pedestrian*
  passage (m) **pour piétons** *pedestrian crossing*
pigeon (m) *pigeon*
pile (f) *battery -ies (radio)*
pilote (m) *pilot*
pilule (f) *pill*
  la pilule *the Pill*
pin (m) *pine (wood)*
pince (fs) *pliers (pl)*
  une pince *a pair of pliers*
pince (fs) **à épiler** *tweezers (pl)*
  une pince à épiler *a pair of tweezers*
pince (f) **à linge** *peg (=clothes p.)*
pinceau (m) *paintbrush -es*
ping-pong (m) *table tennis*
  jouer au ping-pong *play table tennis*
  un match de ping-pong *a game of table tennis*
pipe (f) *pipe (smoker's)*
  cure-pipe (m) *pipe cleaner*
piquant (m) **piquante** (f) *spicy*
pique-nique (m) *picnic*
  faire un pique-nique *go on a picnic*
piquer *sting (vb)*
piqûre (f) *sting (n), bite*
  piqûre d'abeille/ */bee/ sting*
pire *worse (things)*
  pire que / / *worse than / /*
  c'est pire *it's worse*
  le pire *worst*
piscine (f) *swimming pool*
  piscine chauffée *heated swimming pool*
  piscine (f) **couverte** *indoor swimming pool*
  piscine (f) **de plein air** *open-air swimming pool*
  piscine publique *public swimming pool*
  piscine (f) **découverte** *open-air swimming pool*
piste (f) *track (of animal)*
  piste (f) **de bande magnétique** *track (of tape)*

piste (f) **de course** track (= race track)
placard (m) cupboard
place
  à la place (de) instead (of)
place (f) seat
  au fond at the back
  au milieu in the middle
  au théâtre at the theatre
  dans un compartiment non-fumeur in a non-smoker (train)
  dans la partie fumeur in the smoking section (aeroplane)
  dans la partie non-fumeur in the non-smoking section (aeroplane)
  dans un car on a coach
  dans un compartiment fumeur in a smoker (train)
  dans un train on a train
  devant at the front
  près de la fenêtre by the window
  près de la sortie by the exit
place (f) square (place)
place principale main square
plafond (m) ceiling
plage (f) beach -es.
  cabine de plage (f) beach hut
se plaindre de complain
  se plaindre /au directeur/ complain /to the manager/
  se plaindre /du bruit/ complain /about the noise/
plaire
  s'il vous plaît please
plaisanterie (f) joke
plaisir (m) fun
plan (m) plan (n)
  plan de la ville street map
planche (f) **à surf** surfboard
plancher (m) floor (of room)
plante (f) plant (n)
planter plant (vb)
plastique plastic (adj)
plat (m) (n) dish -es (food)
  plat principal main course
plat (m) **plate** (f) flat, even
plateau (m) **plateaux** (pl) tray

platine (f) platinum
platine (f) (électrophone) turntable (on record player)
plâtre (m) plaster (for walls)
plein (m) **pleine** (f) full
  faire le plein fill up (with petrol)
  le plein, s'il vous plaît! fill it up please!
  plein de monde crowded
pleurer cry (vb)
  le bébé pleure the baby's crying
pleuvoir rain (vb)
  il pleut it's raining
pliant folding
  /chaise/ (f) **pliante** folding /chair/ **/lit/ pliant** (m) folding /bed/
plier fold (vb)
plombage (m) filling (tooth)
plomber (dent) fill (tooth)
plombier (m) plumber
plombs
  les plombs ont sauté the lights have fused
plongée (f) diving
  faire de la plongée go diving
  plongée avec bouteilles scuba-diving
  plongée sous-marine skin-diving
  bouteille (f) **de plongée sous-marine** aqualung
plonger dans / / dive into / /
  plonger dans /l'eau/ dive into /the water/
pluie (f) rain (n)
plume (f) feather
plume (f) (de stylo) nib
plupart
  la plupart de most
plus more
  le plus d'/argent/ most /money/
  plus (5 plus 3 = 8) plus
plusieurs several
pneu (m) tyre
  pneu à plat flat tyre
pneumonie (f) pneumonia
poche (f) pocket
pocher poach
poêle (f) frying pan

poids (m) *weight*
  limitation (f) **de poids** *weight limit*
  poids (m) **net** *net weight*
poignée (f) *handle (eg of a case)*
poignet (m) *wrist*
point
  à point *medium-rare (eg of steak)*
point (m) *spot (=dot)*
pointe (f) *point (n) (=a sharpened point)*
pointu *pointed*
pointure (f) *size (shoes)*
poire (f) *pear*
poison (m) *poison*
poisson (m) *fish*
poissonnerie (f) *fishmonger's*
poitrine (f) *chest (part of body)*
poivre (m) *pepper*
poivron (m) *pepper (=vegetable)*
  poivron rouge *red pepper*
  poivron vert *green pepper*
poker (m) *poker (=game)*
  jouer au poker *play poker*
  une partie de poker *a game of poker*
poli *polite*
police (fs) *police (pl)*
politique (adj) *political*
  homme (m) **politique** *politician*
politique (fs) *politics (pl)*
pommade (f) *ointment*
  un pot de pommade *a jar of ointment*
  un tube de pommade *a tube of ointment*
pomme (f) *apple*
  jus de pomme (m) *apple juice -es*
pomme (f) **de terre** *potato -es*
pompe (f) *pump*
  pompe à bicyclette *bicycle pump*
  pompe à eau *water pump*
  pompe à pied *foot pump*
pompier (m) *fireman /firemen (pl)*
pompiers (mpl) *fire brigade*
  voiture (f) **des pompiers** *fire engine*
poney (m) *pony -ies*
  cheval (m) **de course** *racehorse*
pont (m) *bridge*
  pont à péage *toll bridge*

pont (m) (d'un navire) *deck*
  pont inférieur *lower deck*
  pont supérieur *upper deck*
pop (m) *pop (music)*
pop-corn (m) *popcorn*
populaire *popular*
population (f) *population*
porc (m) *pork*
porcelaine (f) *china*
pornographique *pornographic*
port (m) *harbour, port*
  commandant (m) **du port** *harbour master*
portatif (m) **portative** (f) *portable*
porte (f) (aéroport) *gate (=airport exit)*
porte (f) *door*
  porte d'entrée *front door*
  porte de derrière *back door*
porte-bébé (m) *carrycot*
porte-clé (m) *key ring*
porte-fenêtre (f) *French window*
portefeuille (m) *wallet*
porte-jarretelles (m) *suspender belt*
porte-manteau (m) **porte-manteaux** (pl) *coat hanger*
porte-monnaie (m) *purse*
porter *carry*
porter (vêtements) *wear (vb) (clothes)*
porteur (m) *porter (railway)*
portier (m) *doorman /doormen (pl)*
portion (f) *portion*
  une portion de / / *a portion of / /*
portrait (m) *portrait*
posemètre (m) *exposure meter*
position (f) *position*
possible *possible*
postal
  tarifs (mpl) **postaux pour /la France/** *postal rate for /France/*
poste (m) *post office*
poste /sept/ (m) (téléphone) *extension /seven/ (telephone)*
poste (m) **/boulot/** (infml) *job*
  poste (m) **vacant** *vacancy -ies/job)*
poste portatif *portable television*
poster (vb) *post (vb)*

à tarif normal *first class*
à tarif réduit *second class*
en exprès *express*
en imprimé *as printed matter*
en recommandé *registered*
par colis postal *parcel post*
par voie de terre *surface mail*
pot (m) *jar, pot*
  un pot de /confiture/ *a jar of /jam/*
poteau (m) **indicateur** *signpost*
poterie (f) *pottery (substance)*
poubelle (f) *dustbin*
pouce (m) (mesure) *inch -es*
pouce (m) *thumb*
poudre (f) *powder (face powder)*
poulet (m) *chicken*
poupe (f) *stern (of boat)*
poupée (f) *doll*
pour (prep)
  pour /moi/ *for /me/*
pour cent *per cent*
pourboire (m) *tip (n) (money)*
  donner un pourboire /au garçon/ *tip
  /the waiter/*
  laisser un pourboire *tip (vb) (money)*
pourquoi? *why?*
pourri *rotten*
pousser *push (vb)*
poussette (f) *pushchair*
poussière (f) *dust*
pouvoir (vb) *can (vb)*
  je peux /le faire/ *I can /do it/*
  je ne peux pas /le faire/ *I can't /do
  it/*
  **pouvez-vous /changer/ /le pneu/
  s'il vous plaît?** *could you /change/
  /the tyre/ please?*
pratique *convenient (of time and
  distance)*
pratiquer *practise (=put into practice)*
précieux (m) **précieuse** (f) *valuable,
  precious*
préféré *favourite (adj)*
préférer *prefer*
premier (m) **première** (f) *first*
  de première classe *first class (adj)*
  première classe *first class (n)*

premièrement *first of all*
prendre *take, catch*
  je prends ça *I'll take it (in shop)*
  prendre l'avion pour / / *fly to / /*
  prendre /le train/ *catch /the train/*
  prendre /un taxi/ *get /a taxi/*
  **où est-ce que je peux prendre /un
  taxi/?** *where can I get /a taxi/?*
prénom (m) *first name*
préoccupé *worried*
préparer *prepare*
près (adv) *near (adv)*
près de (prep) **/la gare/** *near (prep)
  /the station/*
prescrire *prescribe*
présent (m) (n) *present (n) (time)*
présent (m) **présente** (f) *present (adj)*
présentation (f) *introduction*
présenter
  se présenter à l'enregistrement
  check in (vb) (=of hotel/plane)
présenter *introduce*
préservatif (m) *sheath (=Durex)*
  un paquet de préservatifs *a packet
  of sheaths*
président (m) *chairman /chairmen (pl)*
président (m) (P.D.G.) *president (of
  company)*
presque *almost*
pressé
  je suis pressé *I'm in a hurry*
pression (f) *pressure*
  pression /des pneus/ *tyre pressure*
prêt (m) **prête** (f) *ready*
  quand est-ce que ça sera prêt?
  when will it be ready?
prêter *lend*
  **pouvez-vous me prêter de
  /l'argent/?** *could you lend me some
  /money/?*
prêtre (m) *priest*
preuve (f) *proof*
prévu *planned (=already decided)*
prier
  je vous en prie *you're welcome (in
  reply to 'thank you')*
prince (m) *prince*

princesse (f) *princess -es*

principal *main*
  route (f) **principale** *main road*

printemps (m) *spring (= season)*
  au printemps *in spring*

prise (f) (mâle) *plug (electric)*
  prise à /trois/ fiches /three/-pin plug
  prise multiple *adaptor plug*

prise (f) (femelle) *socket*
  prise à /trois/ fiches /three/-pin
  socket
  prise de rasoir électrique *electric
  razor socket*
  prise douille *light socket*

prison (f) *gaol, prison*
  en prison *in gaol*

privé *private*
  /salle/ (f) **de bain/ privée** *private
  /bath/*

prix (m) *prix* (pl) *price (n)*
  liste (f) **des prix** *price list*

prix (m) *prix* (pl) (eg Nobel) *prize*

prix (m) *prix* (pl) (du billet) *fare*
  prix du billet d'avion *air fare*
  prix du billet de bus *bus fare*
  prix du billet de train *train fare*

probable *likely, probable*

problème (m) *problem*

prochain (m) **prochaine** (f) *next*

produire *produce (vb)*

produit (m) *product*

professeur (m&f) *teacher*

profond (m) **profonde** (f) *deep*

profondeur (f) *depth*

programme (m) *programme (of events),
  schedule*

projeter *plan (vb)*

promenade (f) *walk (n)*
  faire une promenade *go for a walk*

promenade
  faire une promenade en voiture *go
  for a drive*

promener
  se promener en voiture *go for a ride
  (in a car)*

promesse (f) *promise (n)*

promettre *promise (vb)*

promotion (f) *promotion*

prononcer *pronounce*

propos
  à propos *about (= concerning)*
  à propos de /votre problème/ *about
  /your problem/*

propre *clean (adj)*

propriétaire (f) (qu: loue une maison)
  landlady -ies

propriétaire (m) (qui loue une maison)
  landlord

propriétaire (m&f) *owner*

prospectus (m) *prospectus -es*

prostituée (f) *prostitute*

protecteur (m) **protectrice** (f)
  protective

protection (f) *protection*

protéger *protect*
  me protéger de / / *protect me from
  / /*

protestant (m) **protestante** (f)
  Protestant (adj)

proue (fs) *bows (pl) (of ship)*

prouver *prove*

provisions (fpl) (ravitaillement)
  groceries (pl)

provisions (fpl) *provisions (pl)*

prudent (m) **prudente** (f) *careful*

prune (f) *plum*

pruneau (m) **pruneaux** (pl) *prune*

public (m) *audience*

public (m) **publique** (f) *public*
  bâtiments (mpl) **publics** *public
  buildings (pl)*
  /jardin/ (m) **public** *public /garden/*

puce (f) *flea*
  piqûre (f) **de puce** *fleabite*

puis *then*

puits (m) *well (n)*

pull-over (m)/**pull** (infml) *sweater*
  pull-over (m) **à col roulé** *polo neck
  sweater*
  pull-over à manches courtes
  short-sleeved sweater
  pull-over à manches longues
  long-sleeved sweater
  pull-over /en cachemire/

/cashmere/ *sweater*
pull-over en V V *-necked sweater*
pull-over sans manches *sleeveless sweater*
punaise (f) *drawing pin*
punir *punish*
punition (f) *punishment*
pur *pure*
pus (m) *pus*
puzzle (m) *jigsaw puzzle*
pyjama (ms) *pyjamas (pl)*
  un pyjama *a pair of pyjamas*

Q

quai (m) **numéro /huit/** *platform /eight/*
qualifié *qualified*
qualité (f) *quality -ies*
quand? *when?*
quart (m) *quarter*
  un quart d'/heure/ *a quarter of /an hour/*
quartier (m) *area (of town)*
  les nouveaux quartiers (mpl) *the new part of the town*
quel (m) **quelle** (f) **quels** (mpl) **quelles** (fpl)? *which?*
  à quelle heure? *at what time?*
  quel /avion/? *which /plane/?*
  quelle est /votre adresse/? *what's /your address/?*
quelque chose *something*
  quelque chose à boire *something to drink*
  quelque chose à manger *something to eat*
quelque part *somewhere*
quelquefois *sometimes*
quelques *a few*
quelqu'un *someone, somebody*
querelle (f) *quarrel (n)*
question (f) *question (n)*
quête (f) (dans une église) *collection (in a church)*
queue (f) *queue (n)*
  faire la queue *queue (vb)*

qui? *who?*
  à qui? *whose?*
  c'est à qui? *whose is it?*
Quiès *earplugs (pl)*
quincaillerie (f) *ironmonger's*
quinine (f) *quinine*
quotidien (m) **quotidienne** (f) *daily*

R

rabbin (m) **rabbine** (f) *rabbi*
raccomoder *patch (vb)*
raccourcir *shorten*
radeau (m) **radeaux** (pl) *raft*
radiateur (m) *heater, radiator*
radiateur (m) (voiture) *radiator (car)*
radio (f) *radio*
  autoradio (m) *car radio*
  radio (f) **portative** *portable radio*
  transistor (m) *transistor radio*
radiographie (f) *x-ray*
radis (m) **radis** (mpl) *radish -es*
rafraîchir *cool (vb)*
rage (f) *rabies*
ragoût (m) *casserole (meal)*
raide *steep*
raide (eg cheveux) *straight*
raisin (m) *grape*
  une grappe de raisins *a bunch of grapes*
  raisin (m) **de Corinthe** *currant*
  raisin sec (m) *raisin*
raison (f) *reason (n)*
raisonnable *reasonable*
rallonger *lengthen*
rallye (m) **automobile** *motor rally*
ramer *row (a boat)*
rang (m) *row (of seats)*
  le /premier/ rang *the /first/ row*
rangé
  bien rangé *tidy (adj) (things)*
ranger *tidy (vb)*
rapide (adj) *fast, quick*
rapide (m) (n) *fast train, express train*
rappeler plus tard *call again later*
raquette (f) *racquet*
  raquette de squash *squash racquet*

raquette de tennis *tennis racquet*
rare *rare, unusual*
rasage (m) *shave (n)*
raser
  se raser *shave (vb)*
  crème (f) **à raser** *shaving cream*
  un tube de crème à raser *a tube of shaving cream*
rasoir (m) *razor*
  lame (f) **de rasoir** *razor blade*
  rasoir électrique *electric razor*
  un paquet de lames de rasoir *a packet of razor blades*
rassis *stale (bread, cheese etc)*
rat (m) *rat*
rayé *striped*
rayon (m) *department*
  rayon pour enfants *children's department*
  rayon pour femmes *women's department*
  rayon pour hommes *men's department*
rayon (m) (étagère) *shelf -ves*
récent (m) **récente** (f) *recent*
réception (f) *party -ies*
réception (f) (hôtel) *Reception (eg in a hotel)*
recette (f) *recipe*
recevoir *receive*
rechange
  de rechange *spare (adj)*
  pièces (fpl) **de rechange** *spare parts (pl)*
recharge (f) *refill*
recharger *recharge (battery)*
recherche (f) *research (n)*
recipient (m) *dish (container for food) -es*
réclamation (f) *complaint*
réclamer *claim (vb)*
  réclamer à /l'assurance/ *claim on /the insurance/*
  réclamer /des dommages et intérêts/ *claim /damages/*
recommandation
  lettre (f) **de recommandation** *letter of introduction*
recommandé (poste) *registered (mail)*
recommander *recommend*
récompense (f) *reward (n)*
récompenser *reward (vb)*
reconnaissant (m) **reconnaissante** (f) *grateful*
reconnaître *recognise*
rectangulaire *rectangular*
reçu (m) *receipt*
réduction (f) *reduction*
réduire *reduce (price)*
regarder *watch, look at*
  regardez! *look!*
  je regarde simplement *I'm just looking*
  regarder /ceci/ *look at /this/*
  regarder /la télévision/ *watch /T.V./*
régime (m) *diet (=slimming d.)*
  être au régime *be on a diet*
région (f) *area (of country)*
règle (f) (mesure) *ruler (for measuring)*
règlements (mpl) *regulations (pl)*
régler la note *pay the bill*
règles (fpl) *rules (pl)*
règles (fpl) **menstrues** *period (=menstrual period)*
regretter *regret (vb)*
régulier (m) **régulière** (f) *regular*
  /service/ régulier *regular /service/*
reine (f) *queen*
reins (mpl) *kidneys (pl)*
relier *connect*
religieux (m) **religieuse** (f) *religious*
religion (f) *religion*
remboursement (m) *refund (n)*
rembourser *repay, refund, reimburse*
  me rembourser *repay me*
  rembourser l'argent *repay the money*
remède (m) *remedy -ies*
remercier
  vous remercier de / / *thank you for / /(vb)*
remise (f) *discount (n)*
remonter *wind (vb) (clock)*
remorque (f) *trailer*
remorquer *tow (vb)*

remplacer *replace*
remplir *fill (vessel)*
remplir *fill in (form)*
  remplir /un formulaire/ *fill in /a form/*
remuer *stir (vb)*
rencontrer *meet (= get to know)*
  rencontrer /votre famille/ *meet /your family/*
rendez-vous (m) *appointment*
  j'ai un rendez-vous *I've got an appointment*
  fixer un rendez-vous *make an appointment*
rendre
  /me/ rendre un service *do /me/ a favour*
  pouvez-vous /me/ rendre un service? *could you do /me/ a favour?*
rendre *return (= give back)*
  rendre /ce pull-over/ *return /this sweater/*
renouveler *renew*
renseignements (mpl) *information (s)*
  bureau (m) de renseignements *information office*
  guichet (m) de renseignements *information desk*
  je voudrais des renseignements sur /les hôtels/s'il vous plaît *I'd like some information about /hotels/ please*
  demande (f) de renseignements *inquiry -ies*
  renseignements téléphoniques *Directory Enquiries*
renseigner *inform*
  se renseigner sur / / *make an inquiry about / /, find out about / /*
rentrer *return (= go back)*
  rentrer /à la maison/ *go /home/*
  rentrer à /seize heures trente/ *return at / four-thirty/*
  rentrer en /juillet/ *return in /July/*
  rentrer /lundi/ *return on /Monday/*
renversé *spilt*
réparation (f) *repair (n)*
  faire des réparations *do repairs*

réparer *fix, mend, repair*
repas (m) *meal*
  repas léger *light meal*
repasser *iron (vb)*
  ne pas repasser *drip-dry*
  une chemise qui ne se repasse pas *a drip-dry shirt*
répéter *repeat*
répondre *answer (vb)*
réponse (f) *reply -ies, answer (n)*
  réponse payée *reply-paid*
repos (m) *rest (n)*
  conseiller du repos *advise a rest*
  se reposer *have a rest, rest (vb)*
représentant (m) de commerce *sales representative*
représenter *represent*
repriser *darn (vb)*
reproduction (f) *reproduction (= painting)*
réservation (f) *reservation (hotel, restaurant, theatre)*
réserver *make a reservation, reserve*
  réservé *reserved*
  place réservée (f) *reserved seat*
réserves (fpl) *supply -ies (n)*
réservoir (m) *tank*
  réservoir d'eau *water tank*
respirer *breathe*
responsable *responsible*
  responsable de / / *responsible for / /*
ressort (m) *spring (= wire coil)*
restaurant (m) *restaurant*
  restaurant (m) libre-service *self-service restaurant*
  restaurant (m) en plein air *open-air restaurant*
rester à / / *stay at / /*
  de / / jusqu'à / / *from / / till / /*
  jusqu'à / / *till / /*
  une nuit *for a night*
  /deux/ nuits *for /two/ nights*
  une semaine *for a week*
  /deux/ semaines *for /two/ weeks*
restrictions (fpl) *restrictions (pl)*

résultat (m) result
retard (m) delay (n)
retard
　en retard late
　il est en retard he's late
　je suis désolé(e) d'être en retard I'm sorry I'm late
retardé delayed
retoucher alter (=clothes)
retour (m) return
　aller et retour (m) return (ticket)
　aller et retour dans la journée day return
retraite
　en retraite retired (adj)
　je suis retraité I'm retired
réunion (f) meeting (business)
réussir succeed, make a success of
　ça ne /me/ réussit pas it disagrees with /me/ (food)
réveil (m) **par téléphone** early morning call
réveillé awake
　il est réveillé he's awake
réveille-matin (m) alarm clock
réveiller
　reveillez /-moi/ wake /me/ up
réviser (voiture) service (vb) (car)
révision (f) (voiture) service (n) (car)
revue (f) magazine
rhum (m) rum
rhumatisme (m) rheumatism
rhume (m) cold (n)
　je suis enrhumé I've got a cold
　rhume (m) **des foins** hay fever
riche rich
rideau (m) **rideaux** (pl) curtain
rien nothing
　de rien/je vous en prie not at all (replying to 'thank you')
rinçage (m) rinse (n) (clothes)
rinçage (m) (coiffure) colour rinse (hair)
rincer rinse (vb)
rire laugh (vb)
rivière (f) river (small)
riz (m) rice
robe (f) dress (n) -es

robe (f) **de chambre** dressing gown
robe (f) **de soir** evening dress - evening dresses (for women)
robinet (m) tap
　robinet d'eau chaude hot tap
　robinet d'eau froide cold tap
rocher (m) rock (n)
roi (m) king
rond (m) **ronde** (f) round (adj)
rond-point (m) roundabout (n)
rosbif (m) roast beef
　sandwich au rosbif beef sandwich
rose pink
rose (f) rose
　un bouquet de roses a bunch of roses
rôtir roast (vb)
　poulet (m) **rôti** roast chicken
roue (f) wheel
rouge red
rouge (m) **à lèvres** lipstick
rougeole (f) measles
rouleau (m) **de /papier hygiénique/** roll of /toilet paper/
route (f) road
　route à quatre voies dual carriageway
　route de traverse side road
　route périphérique ring road
　route principale main road
ruban (m) ribbon
　ruban de machine à écrire typewriter ribbon
　un bout de ruban a piece of ribbon
rubéole (f) German measles
rude (=rugueux) rough (= not smooth)
rue (f) street
　rue principale main street
rugby (m) rugby
　jouer au rugby play rugby
　un match de rugby a game of rugby
ruisseau (m) stream (n)

S

sable (m) sand
sablonneux (m) **sablonneuse** (f) sandy

sabots (mpl) *clogs (pl)*
  une paire de sabots *a pair of clogs*
sac (m) *bag*
  sac à dos *rucksack*
  sac à main *handbag*
  sac à provisions *carrier bag*
  sac de couchage *sleeping bag*
  sac en papier *paper bag*
  sac en plastique *plastic bag*
saccharine (f) *saccharine*
  comprimé (m) **de saccharine**
    saccharine tablet
sachet (m) **de thé** *teabag*
saignant (m) **saignante** (f) *rare (eg of steak)*
saignement (m) **de nez** *nosebleed,*
  arrêter le saignement *stop the bleeding*
saigner *bleed*
  je saigne du nez *my nose is bleeding*
saint (m) **sainte** (f) *saint*
saison (f) *season*
salade (f) *salad*
  salade variée *mixed salad*
  salade verte *green salad*
salaire (m) *salary -ies*
sale *dirty*
salé *salted*
salle (f) *room (in public building)*
salle (f) (commune) *ward (in hospital)*
salle (f) **à manger** *dining room*
salle (f) **d'attente** *waiting room*
salle (f) **de bain** *bathroom*
salle (f) **de concert** *concert hall*
salle (f) **de départ** *departure lounge*
salle (f) **de télévision** *TV lounge*
salon (m) *lounge (in hotel)*
  salon de beauté *beauty salon*
  salon de mode *fashion show*
salut! (=bonjour!) *hi!*
salut! (=au revoir!) *see you!*
samedi (m) *Saturday*
  samedi *on Saturday*
  le samedi *on Saturdays*
sandales (fpl) *sandals (pl)*
  une paire de sandales *a pair of sandals*

sandwich (m) *sandwich -es*
  un sandwich /au fromage/ *a /cheese/ sandwich*
sang (m) *blood*
sanguin
  groupe (m) **sanguin** *blood group*
sans *without*
santé (f) *health*
  à votre santé! *cheers! (toast)*
  en bonne santé *healthy*
sardine (f) *sardine*
satin (m) *satin (n)*
satiné *satin (adj)*
satisfaisant (m) **satisfaisante** (f)
    satisfactory
sauce (f) (viande) *gravy*
sauce (f) *sauce*
saucisse (f)/**saucisson** (m) *sausage*
sauf (prep) *except*
sauf (m) **sauve** (f) *safe (adj)*
saumon (m) *salmon/salmon (pl)*
  saumon fumé *smoked salmon*
sauna (m) *sauna*
sauter *jump (vb)*
sauvage *wild (=not tame)*
  animal (m) **sauvage** *wild animal*
sauver *save (=rescue)*
sauvetage
  canot (m) **de sauvetage** *lifeboat*
  ceinture (f) **de sauvetage** *lifebelt*
  gilet (m) **de sauvetage** *life jacket*
savoir *know (a fact)*
  je le sais *I know*
  je ne sais pas *I don't know*
savon (m) *soap*
  paillettes (fpl) **de savon** *soap flakes*
  pain (m) **de savon** *a bar of soap*
  savon à barbe *shaving soap*
  un bâton de savon à barbe *a stick of shaving soap*
savonneux (m) **savonneuse** (f) *soapy*
scène (f) (théâtre) *stage (in a theatre)*
science (f) *science*
scooter (m) *motor scooter*
scotch (m) (tdmk) *sticky tape (eg. Sellotape (tdmk))*
sculpture (f) *sculpture*

séance (f) *performance*
seau (m) *bucket*
  un seau et une pelle *a bucket and spade*
sec (eg whisky sec) *neat (of a drink)*
sec (m) **sèche** (f) *dry (adj)*
  demi-sec *medium-dry*
sécher *dry (vb)*
séchoir (m) **à cheveux** *hair dryer*
seconde (f) *second (of time)*
secouer *shake (vb)*
secours (m)
  les premiers secours (mpl) *first aid*
  sortie (f) **de secours** *emergency exit*
  trousse (f) **de premiers secours** *first aid kit*
secret (m) *secret (n)*
secret (m) **secrète** (f) *secret (adj)*
secrétaire (m&f) *secretary -ies*
sécurité *security*
  contrôle (m) **de sécurité** *security check, security control*
sédatif (m) *sedative*
sein (m) *breast*
sel (m) *salt (n)*
  sels (mpl) **de bain** *bath salts (pl)*
selle (f) *saddle*
semaine (f) *week*
  cette semaine *this week*
  la semaine dernière *last week*
  la semaine prochaine *next week*
semelle (f) *sole (of shoe)*
sens (m) **unique** *one-way street*
sensible
  elle est très sensible *she's very sensitive*
sentier (m) *footpath, path*
sentir *feel*
  je ne me sens pas bien *I feel ill*
sentir *smell (vb)*
  ça sent /bon/ *it smells /good/*
séparé *separate (adj)*
septembre (m) *September*
septique *septic*
serpent (m) *snake*
  morsure (f) **de serpent** *snakebite*
serré *tight*

serrer *squeeze (vb)*
  se serrer la main *shake hands*
serrure (f) *lock (n)*
serveuse (f) *waitress -es*
service (m) *favour*
  me rendre un service *do me a favour*
  pouvez-vous me rendre un service? *could you do me a favour?*
service (m) *service*
  service (m) **dans les chambres** *room service*
service (m) *set (n)*
  service (m) **à thé** *tea service*
  service (m) **de table** *dinner set*
service (m) (d'une société) *department (of company)*
  service comptable *accounts department*
serviette (f) (porte-documents) *briefcase*
serviette (f) **de bain** *towel (= bath towel)*
serviette (f) **de table** *napkin, serviette*
  serviette en papier *paper napkin*
serviettes (fpl) **hygiéniques** *sanitary towels (pl)*
servir *serve*
  ça sert à quoi? *what's it for?*
set (m) **de table** *tablemat*
seul *alone*
seul (se sentir seul) *lonely*
seulement *only*
sexe (m) *sex -es*
shampooing (m) *shampoo (n)*
  une bouteille de shampooing *a bottle of shampoo*
  un sachet de shampooing *a sachet of shampoo*
  shampooing colorant (m) *tint (n) (= hair t.)*
  shampooing (m) **et mise en plis** *shampoo and set*
  shampooing (m) **et un brushing** *shampoo and blow dry*
sherry (m) *sherry*
  une bouteille de sherry *a bottle of sherry*

un **sherry** *a sherry*
short (ms) *shorts (pl)*
  un **short** *a pair of shorts*
si *if*
  si possible *if possible*
  si vous pouvez *if you can*
siècle (m) *century -ies*
sifflet (m) *whistle (n)*
signal (m) *signal (n)*
signaler /une perte/ *report /a loss/*
signature (f) *signature*
signe (m) *sign (n)*
  faire signe *signal (vb)*
signer /un chèque/ *sign /a cheque/*
  signez ici *sign here*
signifier *mean (vb) (of a word)*
silence (m) *silence*
  silence, s'il vous plaît! *quiet please!*
silencieux (m) **silencieuse** (f) *silent*
silhouette (f) *figure (body)*
simple *plain, simple*
sincère *sincere*
ski (m) *skiing*
  faire du ski *go skiing*
  ski nautique *water-skiing*
skis (mpl) *skis (pl)*
  skis nautiques *water skis*
  une paire de skis *a pair of skis*
slip (m) *pants (pl)*
  un **slip** *a pair of pants*
smoking (m) *dinner jacket*
snack (m) *snack-bar*
sobre *sober*
société (f) (société commerciale)
  company (= firm) -ies
soeur (f) *sister*
soie (f) *silk (n)*
  en soie *silk (adj)*
soif
  avoir soif *be thirsty*
  j'ai soif *I'm thirsty*
soigner *treat (medically)*
soir (m) *evening*
  ce soir *this evening*
  demain soir *tomorrow evening*
  hier soir *yesterday evening*

sol (m) *ground (= the ground)*
soldat (m) *soldier*
soldes (mpl) *sale*
sole (f) *sole (= fish)*
soleil (m) *sun*
  au soleil *in the sun*
  prendre un bain de soleil *sunbathe*
solide *solid*
sommeil (m) *sleep (n)*
  avoir sommeil *be sleepy*
  j'ai sommeil *I'm sleepy*
somnifère (m) *sleeping pill*
son (m) **sa** (f) **ses** (pl) (à elle) *her (adj)*
  son passeport (m) *her passport*
  sa soeur (f) *her sister*
  ses billets (mpl) *her tickets*
son (m) **sa** (f) **ses** (pl) (à lui) *his*
  son passeport (m) *his passport*
  sa soeur (f) *his sister*
  ses billets (mpl) *his tickets*
sonner *strike (vb) (of clock)*
  sonner à la porte *ring (vb) at the door*
sonnette (f) *bell (small), doorbell*
sorte (f) *kind (n) (= type)*
  une sorte de /bière/ *a kind of /beer/*
sortie (f) *exit*
  sortie de secours *emergency exit*
sortir
  il est sorti *he's out*
  sortir avec / / *go out with / /*
soucoupe (f) *saucer*
  une tasse et une soucoupe *a cup
  and saucer*
souffle (m) *breath*
souffrir *suffer*
  souffrir de /maux de tête/ *suffer
  from /headaches/*
soulever *lift (vb)*
soupçonner *suspect (vb)*
soupe (f) *soup*
  soupe (f) **au /poulet/** */chicken/ soup*
souper (m) *supper*
souper (vb) *have supper*
sourcil (m) *eyebrow*
sourd (m) **sourde** (f) *deaf*
souricière (f) *mousetrap*
souris (f) *mouse/mice (pl)*

sous *under*
sous-sol (m) *basement*
sous-vêtements (mpl) *underwear*
  sous-vêtements pour enfants
  children's underwear
  sous-vêtements pour femmes
  women's underwear
  sous-vêtements pour hommes
  men's underwear
soutien-gorge (m) *bra*
souvenir (m) *memory -ies*
  de bons souvenirs (mpl) *happy memories* (pl)
souvenir (m) (objet) *souvenir*
se souvenir (de) *remember*
  je me souviens /du nom/
  I remember /the name/
  je ne m'en souviens pas *I don't remember*
souvent *often*
sparadrap (m) *Elastoplast (tdmk), sticking plaster*
spécial *special*
spectacle (m) **de variétées** *variety show*
spiritueux (mpl) *spirits* (pl) (= alcohol)
splendide *splendid*
sport (m) *sport*
squash (m) *squash*
  une partie de squash *a game of squash*
  jouer au squash *play squash*
stade (m) *stadium*
standard (m&f) *standard (adj)*
standard (m) *switchboard (company)*
station (f) (de métro) *underground station*
stationnement (m) *parking*
  aire (f) **de stationnement** *lay-by*
  stationnement interdit *no parking*
stationner *park (vb)*
station-service (f) *filling-station, petrol station*
statue (f) *statue*
steak (m) *steak*
  à point *medium*
  bien cuit *well-done*

saignant *rare*
stéréo *stereo (adj)*
  équipement (m) **stéréo** *stereo equipment*
steward (m) *steward (plane or boat)*
stock (m) *stock (n) (of things)*
stores (mpl) *blinds* (= Venetian-type)
studio (m) *studio*
stupide *stupid*
style (m) *style*
stylo (m) *pen* (= fountain p.)
  stylo à bille *ballpoint pen*
  stylo à encre *fountain pen*
substance (f) *substance*
succursale (f) *branch (of company) -es*
sucette (f) (pour bébés) *dummy (baby's d.)*
sucre (m) *sugar*
  morceau (m) **de sucre** *sugar lump*
  une cuillerée de sucre *a spoonful of sugar*
sucré *sweet* (= not savoury) *(adj)*
  pas trop sucré *medium-sweet*
sud (m) *south*
  sud-est (m) *southeast*
  sud-ouest (m) *southwest*
sueur (f) *sweat (n)*
suggérer *suggest*
suite (f) *suite*
suivre *follow*
  faire suivre à *forward to*
  prière de faire suivre *please forward*
supermarché (m) *supermarket*
supplément (m) *supplement*
supplémentaire *extra*
suppositoire (m) *suppository -ies*
sur *on*
  sur /la table/ *on /the table/*
  sur /le lit/ *on /the bed /*
sûr (adj) *sure, certain*
  bien sûr! *of course!*
surchauffé *overheated (of engine)*
surf (m) *surfing*
  faire du surf *go surfing*
surface (f) *surface (n)*
surnom (m) *nickname*
surplus (m) *surplus -es*

surpris (m) **surprise** (f) *surprised*
  surpris par /le résultat/ *surprised at /the result/*
surprise (f) *surprise (n)*
surveillant (m) **de plage** *lifeguard*
survivre *survive*
suspension (f) *suspension*
symptôme (m) *symptom*
synagogue (f) *synagogue*
syndicat (m) **d'initiative** *tourist office*
synthétique *man-made, synthetic*
  fibres (fpl) **synthétiques** *man-made fibre*
système (m) **d'allumage** *ignition system*
système (m) **électrique** *electrical system (car)*

T

tabac (m) *tobacco*
  (bureau (m) **de) tabac** *tobacconist's*
table (f) *table*
tableau (m) **tableaux** (pl) *painting (n)*
tabouret (m) *stool*
tache (f) *mark, stain*
taché *stained*
taille (f) (habillement) *size*
  ce n'est pas à ma taille *it doesn't fit me*
  grande taille *large size*
  petite taille *small size*
  taille moyenne *medium size*
  quelle taille? *what size?*
taille (f) *waist*
taille-crayon (m) *pencil sharpener*
tailleur (m) *tailor*
talc (m) *talcum powder*
  talc (m) **pour bébé** *baby powder*
talon (m) *heel*
  à hauts talons *high heeled*
  à talons plats *low heeled*
tamponner *endorse*
  tamponner mon billet à / / *endorse my ticket to / /*
  tamponner /mon passeport/ *endorse /my passport/*
tampons (mpl) *tampons (pl)*

  une boîte de tampons (Tampax (tdmk)) *a box of tampons (eg Tampax (tdmk))*
tante (f) *aunt*
taper (à la machine) *type (vb)*
tapis (m) *mat, rug*
  tapis de bain *bath mat*
tard
  il est tard *it's late (= time of day)*
  plus tard *later*
tarif (billet)
  demi-tarif (m) *half fare*
  plein tarif (m) *full fare*
tarif (m) *rate, tariff*
  tarif postal *postal rate*
  tarif quotidien *rate per day*
  tarif réduit *cheap rate*
tasse (f) *cup*
  une tasse de / *a cup of /* /
  grande tasse (f) *mug*
taux (m) **de change** *exchange rate*
taxe (f) *duty (= tax) -ies*
taxi (m) *taxi*
  en taxi *by taxi*
  station (f) **de taxis** *taxi rank*
Tefal (tdmk) *nonstick*
  /poêle / **Tefal** *nonstick /frying-pan/*
teindre *dye (vb)*
  teindre /ce pull-over/ en /noir/ *dye /this sweater/ /black/*
teinte (f) (couleur) *shade (colour)*
teinturerie (f) *dry cleaner's*
télégramme (m) *telegram*
  envoyer un télégramme *send a telegram*
  formulaire (m) **de télégramme** *telegram form*
téléphone (m) *telephone/phone (n)*
  au téléphone *on the phone*
téléphoner *telephone, make a call*
  est-ce que je peux téléphoner s'il vous plaît? *may I use your phone please?*
  téléphoner à ce numéro *telephone this number*
  téléphoner à la Réception *telephone Reception*

téléphoner au standard *telephone the exchange*
téléphoner au téléphoniste *telephone the operator*
téléphoner en P.C.V. *reverse the charges*
je voudrais téléphoner en P.C.V. *I'd like to reverse the charges*
télésiège (m) *ski lift*
télévision (f) /**télé** (infml) (f) *television/TV* (infml)
à la télé (infml) *on television/on T.V.*
antenne (f) *television aerial*
chaîne (f) *television channel*
émission (f) *television programme*
poste (m) **de télévision** *television set*
poste (m) **portatif** *portable television*
télex (m) *telex* (n)
envoyer par télex *telex* (vb)
témoin (m) *witness -es* (n)
température (f) *temperature*
temple (m) *temple*
temporaire *temporary*
temps (m) *time*
à temps *in time*
temps libre *spare time*
temps (m) *weather*
quel temps fait-il? *what's the weather like?*
tendre *tender* (eg of meat)
tennis (m) *tennis*
court (m) **de tennis** *tennis court*
jouer au tennis *play tennis*
tension (f) (d'électricité) *voltage*
basse tension *low voltage*
haute tension *high voltage*
tension (f) **artérielle** *blood pressure*
tente (f) *tent*
tenue (f) **de soirée** *evening dress (for men)* (s)
térébentine (f) *turpentine*
terme (m) *term* (= expression)
terminer *end* (vb)
terminus (m) *terminus*
terminus (m) **du bus** *bus terminus*
terminus (m) **du train** *railway terminus*

terminus (m) **du tram** *tram terminus*
terrain (m) **de jeu** *playground*
terrasse (f) *terrace*
terre (f) (planète) *earth* (= the earth)
terre (f) *land*
par voie de terre *overland*
terrible (affreux) *terrible*
test (m) *test* (n)
tester *test* (vb)
tête (f) *head (part of body)*
mal (m) **à la tête** *headache*
tête (f) **de lecture** *stylus*
céramique (f) *ceramic*
diamant *diamond (adj)*
saphir *sapphire*
tétine (f) *teat*
thé (m) *tea*
thé de Chine *China tea*
thé indien *Indian tea*
une tasse de thé *a cup of tea*
une théière pleine de thé *a pot of tea*
théâtre (m) *theatre*
théière (f) *teapot*
thermomètre (m) *thermometer*
thermomètre centigrade *Centigrade thermometer*
thermomètre Fahrenheit *Fahrenheit thermometer*
thermomètre médical *clinical thermometer*
Thermos
bouteille (f) **Thermos** *flask (vacuum flask)*
timbre (m) *stamp* (n)
carnet (m) **de timbres** *book of stamps*
un timbre à /deux/ francs *a /two/ franc stamp*
timide *shy*
tirage (m) *print* (n) (photographic)
tire-bouchon (m) *corkscrew*
tirer *pull*
tiroir (m) *drawer*
tissu (m) *material* (= cloth)
tissu à carreaux *checked material*
tissu épais *heavy material*
tissu éponge *towelling (material)*

tissu léger *lightweight material*
tissu uni *plain material (unpatterned)*
titre (m) *title*
toile (f) *canvas (=material)*
  sac (m) **en toile** *canvas bag*
toilettes (fpl) *lavatory -ies, toilets (pl)*
  Dames *Ladies'*
  Messieurs *Gents'*
toit (m) *roof*
tomate (f) *tomato -es*
  sauce (f) **tomate** *tomato sauce*
  jus (m) **de tomate** *tomato juice*
  une boîte de jus de tomate *a can of tomato juice*
  une bouteille de jus de tomate *a bottle of tomato juice*
  un verre de jus de tomate *a glass of tomato juice*
tomber *fall (vb)*
  je suis tombé d'en haut de l'escalier *I fell downstairs*
tonic (m) *tonic (water)*
tonne (f) *ton*
tonneau (m) *barrel*
  un tonneau de / / *a barrel of / /*
torchon (m) *dishcloth, tea towel*
tort
  avoir tort *be wrong*
  j'ai tort *I'm wrong*
tôt *early*
  partir tôt *leave early*
total (adj) *total (adj)*
total (m) *total (n)*
toucher (m)
  être / / au toucher *feel / /*
  c'est /rude/ au toucher *it feels /rough/*
toucher (vb) *touch (vb)*
toujours *always*
tour (f) *tower*
tourisme (m) *sightseeing*
  faire du tourisme *go sightseeing*
touriste (m&f) *tourist*
  en classe touriste *tourist class*
tourner
  j'ai la tête qui tourne *I feel dizzy*
tournevis (m) *screwdriver*

tous les deux *both*
tousser *cough (vb)*
  je tousse *I've got a cough*
tout *everything*
tout à fait *quite*
tout de suite *immediately*
tout le monde *everyone*
tout (m) **tous** (mpl) **toute** (f) **toutes** (fpl) *all*
  c'est tout? *anything else?*
  tous /les enfants/ *all /the children/*
  tout /le temps/ *all /the time/*
toux (f) **toux** (pl) *cough (n)*
  pastilles (fpl) **pour la toux** *cough pastilles (pl)*
  sirop (m) **pour la toux** *cough mixture*
  une bouteille de sirop pour la toux *a bottle of cough mixture*
toxique *poisonous, toxic*
traditionnel *traditional*
traduction (f) *translation*
traduire *translate*
train (m) *train*
  train du matin *early train*
  express (m) *express train*
  omnibus *slow train*
  rapide (m) *fast train*
  train-auto (m) *motorail (ie car on a train)*
  train-bateau *boat train*
traitement (m) *treatment*
tramway (m)/**tram** (infml) *tram*
  arrêt (m) **de tram** *tram stop*
  en tram *by tram*
  le tram pour / / *the tram for / /*
  terminus (m) **de tram** *tram terminus*
tranchant (m) **tranchante** (f) *sharp (of things)*
tranche (f) *slice (n)*
  tranche (f) **de bacon** *rasher of bacon*
  une tranche de / / *a slice of / /*
tranquille *quiet*
tranquillisant (m) *tranquilliser*
transat (m) (infml) *deckchair*
transférer *transfer (vb)*
transformateur (m) *transformer*
transistor (m) *transistor (transistor radio)*

transit
  en transit in transit
  voyageur (m) **en transit** transit passenger
transmission (f) transmission
transparent (m) **transparente** (f) clear, transparent
transpirer sweat (vb)
transport (m) transport (n)
  transport (m) **public** public transport
travail (m) **travaux** (pl) work (n)
  travail (m) **à mi-temps** part-time work
travailler work (vb) (of people)
travers
  à travers /la campagne/ through /the countryside/
traversée (f) passage (on a boat)
traverser /la rue/ cross /the road/
tremper soak (vb)
trépied (m) tripod
très very
triangulaire triangular
tricher cheat (vb)
tricot (m) jumper
tricot (m) **de corps** vest
  tricot de corps en coton cotton vest
  tricot de corps en laine woollen vest
tricoter knit
  aiguilles (fpl) **à tricoter** knitting needles
  patron (m) **de tricot** knitting pattern
tricots (mpl) knitwear
trimestre (m) term (= period of time)
triste sad
trombone (m) (agrafe) paper clip
tronc (m) trunk (of tree)
trop too
  trop /grand/ too /big/
trop (de) too many
  trop de /gens/ too many /people/
trop (de) too much
  trop de /vin/ too much /wine/
tropical tropical
trotter trot
trottinette (f) scooter (= child's s.)
trottoir (m) pavement
trou (m) hole

trousse (f) **à ongles** manicure set
trousse (f) **de premier secours** first aid kit
trouver find (vb)
  trouver /cette adresse/ find /this address/
truite (f) trout/trout (pl)
T-shirt (m) T-shirt
tube (m) tube
  un tube de / / a tube of / /
tubeless (m) (pneu) tubeless (tyre)
tuer kill (vb)
tulipe (f) tulip
  un bouquet de tulipes a bunch of tulips
tunnel (m) tunnel (n)
tuyau
  le tuyau d'écoulement est bouché the drain's blocked
tuyauterie (f) **d'échappement** exhaust system (car)
tuyau (m) **tuyaux** (pl) (souple) hose (= tube)
T.V.A. (f) VAT
tweed (m) tweed
typhoïde (f) typhoid
typique typical

U

ulcère (m) ulcer
un tube de dentifrice a tube of toothpaste
un (m) **une** (f) (article) a (an)
un (m) **une** (f) (nombre) one (adj) (number)
une baguette a loaf of bread
uni plain (adj) (= unpatterned)
uniforme (m) uniform (n)
  en uniforme in uniform
unique unique
université (f) university -ies
urgence (f) emergency -ies
  urgences (fpl) (hôpital) casualty department (hospital)
urgent (m) **urgente** (f) urgent
urine (f) urine

uriner urinate
usé worn-out
usine (f) factory -ies
ustensile (m) utensil
utile helpful, useful
utiliser use (vb)
  utiliser /votre téléphone/ use /your phone/

V

vacances (fpl) holiday
  camp (m) **de vacances** holiday camp
  en vacances on holiday
  vacances organisées package holiday
vaccin (m) vaccine
vaccination (f) inoculation, vaccination
vacciner inoculate, vaccinate
vache (f) cow
vague (f) wave (sea)
vaisselle
  faire la vaisselle wash up
valeur (f) value (n)
  objets (mpl) **de valeur** valuables (pl)
valide valid
  /passeport/ (m)**/ valide** valid /passport/
valise (f) case, suitcase
  faire /ma valise/ pack /my suitcase/
vallée (f) valley -ies
vallonné hilly
valoir be worth
  ça vaut /cinq/ livres it's worth /five/ pounds
vanille (f) vanilla
varicelle (f) chicken pox
varié various
variété (f) variety -ies
vase (m) vase (= flower v.)
vaseline (f) vaseline
  un tube de vaseline a tube of vaseline
veau (m) veal
vedette (f) **de cinéma** film star
végétarien (m) **végétarienne** (f) vegetarian

véhicule (m) vehicle
veine (f) vein
vélomoteur (m) moped
velours (m) velvet
  velours (m) **côtelé** corduroy
venaison (f) venison
vendeur (m) **vendeuse** (f) shop assistant
vendre sell
  vendre aux enchères auction (vb)
vendredi (m) Friday
  vendredi on Friday
  le vendredi on Fridays
vendu sold
venir (de) come (from)
vent (m) wind (n)
  grand vent gale
  il fait du vent it's windy
vente (f) **aux enchères** auction (n)
ventes (fpl) sales (of a company)
venteux (m) **venteuse**(f) windy
ventilateur (m) ventilator
ventre stomach
  j'ai mal au ventre I've got a stomach upset
vérifier check (vb)
  je voudrais vérifier /l'addition/ I would like to query /the bill/
  pouvez-vous vérifier /l'huile et l'eau/ s'il vous plaît? could you check /the oil and water/ please?
vérité (f) truth
  dire la vérité tell the truth
vernir varnish (vb) (eg boat)
vernis (m) varnish -es(n)
  vernis à ongles nail varnish
verre (m) glass -es
  un service de verres a set of glasses
  un verre à vin a wine glass
  un verre d'/eau/ a glass of /water/
verrerie
  magasin (m) **de verrerie** glassware shop
verres (mpl) **de contact** contact lenses (pl)
verser pour
verser (banque) deposit (vb) (money)

verser /de l'argent/ *deposit /some money/*
vert (m) **verte** (f) *green*
vert (m) **verte** (f) (=pas mûr) *unripe*
vertèbre (f) *vertebra*
  une vertèbre déplacée *a slipped disc*
veste (f) *jacket*
  veste en / tweed/ /tweed/ *jacket*
vestiaire (m) (sport) *changing room*
vestiaire (m) *cloakroom*
vêtements (mpl) *clothes (pl)*
veuf (m) *widower*
veuve (f) *widow*
vexé *upset (adj)*
viande (f) *meat*
  viande d'agneau *lamb*
  viande de bœuf *beef*
  viande de mouton *mutton*
  viande de porc *pork*
  viande froide *cold meat*
vide *empty (adj)*
vider *empty (vb)*
vie (f) **nocturne** *night life*
vieux (m) **vieille** (f) *old (of people and things)*
vignoble (m) *vineyard*
vilain (m) **vilaine** (f) (enfant) *naughty (usually of young children)*
vilain (m) **vilaine** (f) (laid) *ugly*
villa (f) *villa (=holiday villa)*
village (m) *village*
ville (f) (grande ville) *city -ies*
  la vieille ville *the old part of the city*
ville (f) *town*
  centre (m) **ville** *town centre*
vin (m) *wine*
  une bouteille de vin *a bottle of wine*
  une carafe de vin *a carafe of wine*
  une demi-bouteille de vin *a half bottle of wine*
  un verre de vin *a glass of wine*
  vin blanc *white wine*
  vin doux *sweet wine*
  vin mousseux *sparkling wine*
  vin rosé *rosé*
  vin rouge *red wine*
  vin sec *dry wine*

vinaigre (m) *vinegar*
  huile et vinaigre *oil and vinegar*
  une bouteille de vinaigre *a bottle of vinegar*
vinaigrette (f) *dressing (salad dressing)*
violet (m) **violette** (f) *purple*
violon (m) *violin*
virage (m) *bend (in a road)*
vis (f) *screw*
visa (m) *visa*
visage (m) *face*
  soin (m) **du visage** *facial (=face massage)*
viseur (m) *viewfinder*
visibilité (f) *visibility*
visionneuse (f) *slide viewer*
visite (f)
  rendre visite à / / *call on / / (=visit)*
visite (f) **guidée** *conducted tour*
  faire une visite guidée *go on a conducted tour*
visiter /un musée/ *visit /a museum/*
visiteur (m) **visiteuse** (f) *visitor*
vison (m) *mink*
  manteau (m) **de vison** *mink coat*
vitamines (fpl) **en comprimés** *vitamin pills (pl)*
  un flacon de v. en c. *a bottle of v. p.*
vite *quickly*
  vite! *quick!*
vitesse (f) *speed*
vitesses (fpl) (voiture) *gears (pl) (car)*
  première (f) *first gear*
  seconde (f) *second gear*
  troisième (f) *third gear*
  quatrième (f) *fourth gear*
  cinquième (f) *fifth gear*
  marche arrière (f) *reverse*
vitre (f) *window (car)*
vitrine (f) *shop window*
vivant (m) **vivante** (f) *alive*
  il est vivant *he's alive*
vivre *live (=be alive)*
vodka (f) *vodka*
  un vodka *a vodka*
  une bouteille de vodka *a bottle of vodka*

voile (f) *sail (n)*
 faire de la voile *go sailing*
voir *see*
 je vois *I see (= understand)*
 voir /la carte/ *see /the menu/*
 voir /le directeur/ *see /the manager/*
se voir *meet (at a given time)*
 on se voit /à neuf heures/ *let's meet /at nine/*
voiture (f) *car*
 en voiture *by car*
voiture (f) **de sport** *sports car*
voix (f) *voice*
vol (m) *flight*
 charter (m) *charter flight*
 vol à tarif étudiant *student flight*
 vol avec correspondance *connecting flight*
 vol régulier *scheduled flight*
vol (m) (crime) *theft*
vol (m) **plané** *gliding*
 faire du vol plané *go gliding*
volaille (f) *poultry*
 canard (m) *duck*
 dinde (f) *turkey*
 poulet (m) *chicken*
volant (m) *flywheel*
volé *stolen*
voler *go flying*
voler (crime) *steal*
volets (mpl) *shutters (pl)*
voleur *thief*
volt (m) *volt*
 / cent dix/ volt / *a hundred and ten/ volts*
volume (m) *volume*
vomir *vomit (vb)*
vomissement (m) *vomit (n)*
votre (m&f) **vos** (pl) *your (polite form)*
 votre passeport (m) *your passport*
 vos clés (fpl) *your keys*
vouloir *want*
 voulez-vous/boire quelque chose/? *would you like /a drink/?*
 vouloir l'/acheter/ *want to /buy/ it*
 vouloir /une chambre/ *want /a room/*
 je voudrais /aller nager/ *I'd like to /go swimming/*
vouloir dire
 qu'est-ce que /ça/ veut dire? *what does it mean?*
vous *you*
 pour vous *for you*
 c'est à vous *it's yours*
voyage (m) *trip (n), journey -ies*
 agence (f) **de voyage** *travel agent's*
 bon voyage! *have a good trip!*
 chèque (m) **de voyage** *traveller's cheque*
 voyage (m) **par mer** *voyage (n)*
voyager *travel (vb)*
 à / / *to / /*
 à pied *on foot*
 en aéroglisseur *by hovercraft*
 en autocar, en voiture *by coach, by car*
 en bateau, en bus *by boat, by bus*
 en ferry *on the ferry*
 en train, en tram, en métro *by train, by tram, by underground*
 par avion *by air*
 par mer *by sea*
 par voie de terre *overland*
voyageur (m) *passenger (in train)*
 voyageur en transit *transit passenger*
vrai (réel) *real*
vrai *true*
vraiment *really*
vue (f) *view (n)*

W

wagon (m) *carriage, coach (on a train)*
wagon-lit (m) **wagons-lit** (pl) *sleeping car*
wagon-restaurant (m) *buffet car*
watt (m) *watt*
 /cent/ watt /*a hundred/ watts*
w.c. (m) *toilet*
weekend (m) *weekend*
western (m) *Western (= film)*
whisky (m) *whisky -ies*

une bouteille de whisky *a bottle of whisky*
un whisky *a whisky*

Y

yacht (m) *yacht*
yacht de croisière (m) *cabin cruiser*
yaourt (m) *yoghurt*
  un pot de yaourt *a carton of yoghurt*
  yaourt aux fruits *fruit yoghurt*
  yaourt naturel *plain yoghurt*

Z

zéro (m) *zero*
  au-dessous de zéro *below zero*
  au-dessus de zéro *above zero*
zoo (m) *zoo*
zoom (m) *zoom lens -es*
zut! *damn!*

Nourriture française

French foods

Façons de cuisiner

Cooking methods

à la crème	creamed
à la vapeur	steamed
à point	medium
assaisonné	dressed
au four	baked
au vinaigre	in vinegar
bien cuit (m) bien cuite (f)	well done
bouilli	boiled
braisé	braised
brouillé	scrambled
cru	raw
en civet	jugged
en compote	stewed (fruit)
en purée	mashed
en ragoût	stewed

farci	stuffed
frais	fresh
frit (m) frite (f)	fried
fumé	smoked
grillé	grilled
poché	poached
rôti	roast
saignant (m) saignante (f)	rare
très saignant (m) très saignante (f)	very rare

Plats et boissons

Food and drink

abricot (m)	apricot
agneau (m)	lamb
côtelettes d'agneau (fpl)	lamb chops
côtes d'agneau (fpl)	lamb chops
gigot d'agneau (m)	leg of lamb
aiglefin (m)	haddock
ail (m)	garlic
aioli (m)	mayonnaise and garlic
amande (f)	almond
ananas (m)	pineapple
anchois (mpl)	anchovies
anguille (f)	eel
artichaut (m)	artichoke
asperge (f)	asparagus
assaisonnement (m)	dressing
assortiment (m)	assortment
aubergine (f)	aubergine
avocat (m)	avocado pear
baguette (f)	long French loaf
banane (f)	banana

bar (m)	bass
beignet (m)	fritter
beignet aux pommes	apple fritter
beurre (m)	butter
beurre doux	unsalted butter
beurre salé	salted butter
bière (f)	beer
bière blonde	pale ale
bière brune	brown ale
pression (f)	draught beer
biscuit (m)	biscuit
biscuit salé	salted biscuit
biscuit sucré	sweet biscuit
blanquette (f)	white sauce
blanquette de veau	veal stew cooked in white sauce
boeuf (m)	beef
aloyau de boeuf (m)	sirloin steak
côte de boeuf (f)	rib of beef
rôti de boeuf (m)	roast beef/joint of beef
boissons (fpl)	drinks
bonbons (mpl)	sweets
boudin (m)	black pudding
bouillabaisse (f)	fish soup
bouillon (m)	broth, clear soup
bouillon de légumes	vegetable soup
bouquet (m)	prawn
bouquet garni (m)	herbs
laurier (m)	sweet bay
persil (m)	parsley
thym (m)	thyme
cabillaud (m)	cod
café (m)	coffee
café crème/café au lait	white coffee
café noir	black coffee

express (m)	strong, Italian style coffee
canard (m)	duck
canard à l'orange	duck in orange sauce
carotte (f)	carrot
carrelet (m)	plaice
céleri (m)	celery
céleri rémoulade	chopped celeriac in a mayonnaise sauce
champignon (m)	mushroom
potage aux champignons (m)	mushroom soup
charcuterie (f)/assiette de charcuterie (f)	assortment of sausages, pâtés, pork
châtaigne (f)	chestnut
chocolat (m)	chocolate
chocolat au lait	milk chocolate
chocolat aux noisettes	hazelnut chocolate
chocolat chaud	hot chocolate
chocolat froid	cold chocolate
chou (m)	cabbage
chou farci	stuffed cabbage
chou rouge	red cabbage
choucroute (f)	sauerkraut
chou-fleur (m)	cauliflower
choux de Bruxelles (mpl)	brussels sprouts
cidre (m)	cider
cidre doux	sweet cider
cidre sec	dry cider
citron (m)	lemon
clémentine (f)	tangarine
compote (f)	stewed fruit
compote de pommes	stewed apple
concombre (m)	cucumber
confiture (f)	jam
confiture d'abricots	apricot jam
confiture de cassis	blackcurrant jam

confiture de cerises	cherry jam
confiture de fraises	strawberry jam
confiture de framboises	raspberry jam
confiture de mûres	blackberry jam
coquillages (mpl)	shellfish
crevettes (fpl)	shrimps
huîtres (fpl)	oysters
moules (fpl)	mussels
coquilles Saint-Jacques (fpl)	scallops
côte/côtelette (f)	cutlet/chop/rib
côte d'agneau	lamb chop
côte de boeuf	rib of beef
côte de porc	pork chop
crabe (m)	crab
crème (f)	cream
crème caramel	caramel cream
crème fouettée	whipped cream
crème fraîche	fresh cream
crêpe (f)	pancake
crêpe à la confiture	pancake with jam
crêpe au fromage	pancake with cheese
crêpe au jambon	pancake with ham
crêpe au sucre	pancake with sugar
crêpe de blé noir	buckwheat pancake
crêpe de froment	wheat pancake
crêpe flambée	pancake with alcohol, 'flambée'
crêpe fourrée	stuffed pancake
crêperie (f)	restaurant serving pancakes only
cresson (m)	watercress
crevettes (f)	shrimps
croissant (m)	crescent-shaped pastry usually eaten at breakfast
croque-monsieur (m)	toasted sandwich with ham and cheese

croûtons (mpl)	'croutons'
déjeuner (m)	lunch
petit déjeuner (m)	breakfast
petit déjeuner à l'anglaise (m)	English breakfast
dessert (m)	sweet (pudding)
dinde (f)	turkey
dinde aux marrons	turkey with chestnuts
dîner (m)	dinner
eau (f)	water
eau de seltz	soda water
eau gazeuse	fizzy, mineral water
eau minérale	mineral water
eau plate	'flat' water (not fizzy)
une carafe d'eau	a carafe of water
échine de porc (f)	loin of pork
écrevisse (f)	crayfish
endive (f)	chicory
entrecôte (f)	entrecôte
épaule (f)	shoulder
épaule d'agneau	shoulder of lamb
épaule de mouton	shoulder of mutton
épinard (m)	spinach
épinard en branche	leaf spinach
épinard en purée	finely chopped spinach/ spinach purée
escargot (m)	snail
faisan (m)	pheasant
farce (f)	stuffing
fèves (fpl)	broad beans
figue (f)	fig
filet (m)	fillet
filet de boeuf	beef fillet
filet (de poisson)	fillet (of fish)
filet de porc	pork fillet

flageolets (mpl)	haricot beans
flan (m)	egg custard
foie (m)	liver
foie de porc	pig's liver
foie de veau	calf's liver
foie de volaille	chicken liver
fraise (f)	strawberry
framboise (f)	raspberry
frites (fpl)	chips
fromage (m)	cheese
brie (m)	soft cheese
camembert (m)	soft strong cheese
fromage de chèvre	goat's cheese
gruyère (m)	Swiss type cheese
plateau de fromages (m)	cheeseboard
roquefort (m)	French blue cheese
fruit(s) (m)	fruit
fruits confits (mpl)	crystallised fruit
fruits en compote	stewed fruit
fruits frais	fresh fruit
fruits de mer (mpl)	seafood
gâteau	cake
gâteau à la crème	cream cake
gâteau de riz	rice pudding
gauffre/gauffrette (f)	waffle
gibier (m)	game
gigot d'agneau (m)	leg of lamb
gingembre (m)	ginger
glace (f)	ice cream
glace à la fraise	strawberry ice cream
glace à la vanille	vanilla ice cream
glace au chocolat	chocolate ice cream
glace au citron	lemon ice cream
glacé	iced
gratiné/au gratin	toasted cheese topping

grenade (f)	pomegranate
grenouille (f)	frog
cuisses de grenouille (fpl)	frogs' legs
grillades (fpl)	grills (meat or fish)
groseille (f)	gooseberry
groseille (rouge)	redcurrant
haché	minced
steak haché	minced beef
viande hachée	minced meat
hachis parmentier (m)	kind of shepherd's pie
hareng (m)	herring
haricots (mpl)	beans
haricots verts	French beans
homard (m)	lobster
huile (f)	oil
huile d'arachide	groundnut oil
huile d'olive	olive oil
huîtres (fpl)	oysters
jambon (m)	ham
jambon blanc/de Paris/ d'York	cooked ham
jambon de Bayonne	raw ham
jambon fumé	smoked ham
jardinière de légumes (f)	vegetable stew
jus de fruit (m)	fruit juice
jus d'ananas	pineapple juice
jus de citron	lemon juice
jus de pamplemousse	grapefruit juice
jus de tomate	tomato juice
jus d'orange	orange juice
lait (m)	milk
lait homogénéïsé	homogenised milk
lait pasteurisé	pasteurised milk
un verre de lait	a glass of milk

laitue (f)	lettuce
langue (f)	tongue
langue de boeuf	ox tongue
langue sauce madère	tongue cooked in a Madeira wine sauce
lapin (m)	rabbit
lapin à la moutarde	rabbit cooked with mustard
lapin sauté	rabbit casserole
lardons (mpl)	cubes of salted pork
légumes (mpl)	vegetables
légumes assortis	selection of vegetables
lentille (f)	lentil
lièvre (m)	hare
limande (f)	lemon sole
loup (m)	bass
macédoine de légumes (f)	diced vegetables
maison	of the house (ie restaurant)
mandarine (f)	satsuma
maquereau (m)	mackerel
marmelade (f)	marmalade
marron (m)	chestnut
marrons glacés	crystallised chestnuts
melon (m)	melon
menthe (f)	mint
thé (m) à la menthe	mint tea
menu (m)	menu
menu du jour	today's menu
menu gastronomique	set menu (expensive)
menu touristique	set menu (cheaper)
merlan (m)	whiting
merluche (f)	hake
miel (m)	honey
morue (f)	cod
moules (fpl)	mussels
moutarde (f)	mustard

mouton (m)	mutton
mulet (m)	mullet
navet (m)	turnip
noisette (f)	hazelnut
noix (m)	walnut
noix de coco (f)	coconut
oeuf (m)	egg
oeufs brouillés	scrambled eggs
oeuf dur	hard-boiled egg
oeuf mollet	soft-boiled egg
oeuf poché	poached egg
oie (f)	goose
oignon (m)	onion
omelette (f)	omelette
omelette au fromage	cheese omelette
omelette au jambon	ham omelette
omelette aux fines herbes	herb omelette
orange (f)	orange
oursin (m)	sea-urchin
pain (m)	bread
pain au chocolat	type of croissant with chocolate
pain aux raisins	Danish pastry with currants
pain complet	brown bread
pain en tranches	sliced bread
palourde (f)	clam
pamplemousse (m)	grapefruit
parfum (m)	flavour
pastèque (f)	watermelon
pastis (m)	aniseed-based drink, like Pernod
pâté (m) de campagne	pâté (strong and coarse)
pâtes fraîches (fpl)	homemade pasta
pâtisseries (fpl)	pastries
pêche (f)	peach

pêches au sirop	peaches in syrup
persil (m)	parsley
petits pois (mpl)	peas
petits pois fins	garden peas
petits pois très fins	'petits pois' (very small peas)
plat du jour (m)	today's special
plie (f)	plaice
poire (f)	pear
poire Belle-Hélène	pears with vanilla ice cream, hot chocolate sauce and whipped cream
poireau (m)	leek
poireaux vinaigrette	leeks with oil and vinegar
poisson(s) (m)	fish
pot-au-feu (m)	stew of beef and vegetables
poivre (m)	pepper (condiment)
poivron (m)	pepper (vegetable)
poivron farci	stuffed pepper
poivron rouge	red pepper
poivron vert	green pepper
pomme (f)	apple
pommes de terre (fpl)	potatoes
frites	chips
pommes de terre anglaises	boiled potatoes
pommes de terre en purée	mashed potatoes
pommes de terre en robe des champs	potatoes in their jackets
pommes de terre sautées	sauté potatoes
porc (m)	pork
côte de porc (f)	pork chop
potage (m)	soup
potage de légumes	vegatable soup
poulet (m)	chicken
poulet froid	cold chicken

poulet rôti	roast chicken
prune (f)	plum
pruneau (m)	prune
purée de pommes de terre (f)	mashed potatoes
radis (m)	radish
râgout (m)	stew
raie (f)	skate
raisin (m)	grape
raisins secs (mpl)	currants
repas (m)	meal
rhubarbe (f)	rhubarb
rhum (m)	rum
rhum blanc	white rum
rhum brun	dark rum
ris de veau (m)	sweetbread
riz (m)	rice
riz complet	brown rice
rognon (m)	kidney
romsteak (m)	rump steak
rôti (m)	roast
rôti de boeuf	roast beef
rôti de veau	roast veal
sablé (m)	shortbread
salade (f)	salad
salade de tomates	tomato salad
salade niçoise	salad with olives, tuna, anchovies, tomatoes
salade verte	green salad (generally lettuce)
sandwichs (mpl)	sandwiches
sandwich au fromage	cheese sandwich
sandwich au jambon	ham sandwich
sandwich au pâté	pâté sandwich
sandwich au saucisson	sliced sausage sandwich

sandwich avec/sans beurre	sandwich with/without butter
sandwichs variés	assorted sandwiches
sardine (f)	sardine
sauce (f)	gravy/sauce
sauce de soja	soya sauce
saucisse (f)	sausage
saucisse de foie	liver sausage
saucisse de porc	pork sausage
saucisson (m)	large slicing sausage
saucisson à l'ail	garlic sausage
saucisson sec	smoked garlic sausage
sauge (f)	sage
saumon (m)	salmon
saumon fumé	smoked salmon
saumon mayonnaise	salmon and mayonnaise
sel (m)	salt
semoule (f)	semolina
service compris (m)	service included
service en sus	service extra
service non compris	service not included
sole (f)	sole
sorbet (m)	water ice
soupe (f)	soup
soupe à l'oignon	onion soup
spécialités (fpl)	specialities
spécialités de la maison	speciality of the house
spécialités de la région	local specialities
spécialités du chef	chef's special
steak (m)	steak
steak au poivre	steak with a black pepper and cream sauce
steak-frites	steak and chips
sucre (m)	sugar
sucre brun	brown sugar
sucre en morceaux	sugar cubes

sucre en poudre	granulated sugar
sucre glace	icing sugar
tarif des consommations (m)	price list (drinks and food)
tarte/tartelette (f)	tart/pie
tarte aux oignons	onion tart
tarte aux pommes	apple tart
tartine (f)	slice of bread
tartine beurrée	slice of bread and butter
thé (m)	tea
thé au citron	lemon tea
thé au jasmin	jasmine tea
thé au lait	tea with milk
thé nature	black tea
thon (m)	tuna/tunny fish
thym (m)	thyme
tomate (f)	tomato
tomates farcies	stuffed tomatoes
truite (f)	trout
truite aux amandes	trout with almonds
truite meunière	trout with butter and lemon
turbot (m)	turbot
vanille (f)	vanilla
veau (m)	veal
côte de veau/côtelette de veau (f)	veal chop
escalope de veau (f)	veal cutlet
escalope de veau panée (f)	veal cutlet in breadcrumbs
venaison (f)	venison
viande (f)	meat
vin (m)	wine
vin blanc	white wine

vin doux/sucré	sweet wine
vin mousseux/pétillant	sparkling wine
vin rosé	rosé
vin rouge	red wine
vin sec	dry wine
vinaigre (m)	vinegar
vinaigre de vin	wine vinegar
vinaigrette (f)	French dressing
volaille (f)	poultry
yaourt (m)	yoghurt
yaourt naturel	natural yoghurt
yaourt parfumé	flavoured yoghurt

Panneaux et indications français

French signs

ABRI TÉLÉPHONIQUE	Telephone box
ACCÈS AUX AVIONS	To the planes
ACCÈS INTERDIT AUX PERSONNES ÉTRANGÈRES/SAUF AUX RIVERAINS	Residents only/No admittance
ACCÈS RÉSERVÉ AU PERSONNEL	Staff only
ACCÈS RÉSERVÉ AUX VOYAGEURS MUNIS DE BILLETS	Ticket holders only
ACCESSOIRES AUTO	Car accessories
ACCUEIL	Reception
ADRESSE PERSONNELLE	Private address

ADRESSE PROFESSIONNELLE	Business address
ADULTES EXCLUSIVEMENT	Adults only
AGENCE DE VOYAGE	Travel agency
AIRE DE PIQUE-NIQUE	Picnic area
AIRE DE REPOS	Layby
ALIMENTATION	Grocery shop
ALIMENTS CONGELÉS/ SURGELÉS	Frozen food
ALLUMEZ VOS LANTERNES ALLUMEZ VOS VEILLEUSES	Switch on your side lights
AMENDE	Penalty
ANNUAIRE TÉLÉPHONIQUE	Telephone directory
ANNULÉ(E)	Cancelled
ANTIQUITÉS	Antiques
APPUYEZ ICI	Press here
ARRÊT FACULTATIF	Request stop
ARRÊT OBLIGATOIRE	Bus stop (compulsory)
ARRÊTEZ VOTRE MOTEUR	Switch off your engine
ARRIVÉE(S)	Arrival(s)
ASCENSEUR	Lift
ATTACHEZ VOS CEINTURES	Fasten your seatbelts
ATTENDEZ	Wait
ATTENTE LIMITÉE À ...	Waiting limited to ...
ATTENTION	Danger
ATTENTION À LA FERMETURE DES PORTES	Mind the doors
ATTENTION À LA MARCHE	Mind the step
ATTENTION CHIEN MÉCHANT	Beware of the dog

ATTENTION ENFANTS	Children crossing
AUTOROUTE À /500/ MÈTRES	Motorway /500/ metres
AUTOROUTE DU NORD/DU SUD	Northbound/Southbound motorway
AVIS (AU PUBLIC)	Public Notice
BAGAGES ACCOMPAGNÉS	Accompanied luggage
BAGAGES ENREGISTRÉS	Registered luggage
BAGAGES NON-ACCOMPAGNÉS	Unaccompanied luggage
BAIGNADE DANGEREUSE	Swimming dangerous
BAIGNADE INTERDITE	No swimming
BAINS PUBLICS	Public baths
BALCON	Balcony
BANLIEUE	Suburb
BANQUE	Bank
BAR (TABAC JOURNAUX)	Bar (Tobacconist Newsagent)
BARRIÈRES AUTOMATIQUES	Automatic gates
BARRIÈRE DE DÉGEL	Icy road closed to heavy vehicles
BEURRE OEUFS FROMAGE	Butter eggs cheese
BIBLIOTHÈQUE	Library
BIÈRE PRESSION	Draught beer
BIJOUTERIE	Jewellery
BILLET	Ticket
BILLETS PÉRIMÉS	Used tickets
BLANCHISSERIE	Laundry
BOISSONS PILOTES	Drinks on special offer
BOÎTE À LETTRES	Letter box
BOUCHERIE	Butcher's
BOULANGERIE	Baker's
BROCANTE	Antique/second-hand/junk shop
BUFFET	Snack bar

BUREAU D'ACCUEIL AUX ÉTRANGERS	Information centre for foreigners
BUREAU DE POSTE	Post office
BUREAU DE TABAC	Tobacconist
CABINE TÉLÉPHONIQUE	Telephone box (post office)
CABINE TÉLÉPHONIQUE AUTOMATIQUE	Telephone box for local calls
CABINE TÉLÉPHONIQUE INTERURBAINE AUTOMATIQUE	Telephone box for long distance calls
CABINET MÉDICAL	Medical surgery
CAFÉ	Café/bar
CAISSE	Cash desk
CAMPING INTERDIT	No camping
CARNET DE TICKETS	Booklet of tickets for tube, bus
CARTE HEBDOMADAIRE	Weekly bus/tube pass
CARTE ORANGE	Monthly train/coach/bus/ underground pass (Paris)
CARTES POSTALES – SOUVENIRS	Postcards – souvenirs
CEINTURES DE SÉCURITÉ	Safety belts
CENTRE COMMERCIAL	Shopping centre/precinct
CENTRE-VILLE	Town centre
C.E.S. (COLLEGE D'ENSEIGNEMENT SECONDAIRE)	Comprehensive lower secondary school
CHAMBRES À LOUER	Rooms to let
CHANGEUR DE MONNAIE (PIÈCES, BILLETS)	Change (money) (coins, notes)
CHARCUTERIE	Pork butcher's
CHARIOT(S)	Trolley(s)
CHÂTEAU	Castle
CHAUDE (C)	Hot (water)
CHAUFFAGE ÉLECTRIQUE/ CENTRAL/AU GAZ	Electric/central/gas heating

CHAUSSÉE DÉFORMÉE	Bad road surface
CHAUSSÉE GLISSANTE	Slippery road surface
CHAUSSURES	Shoes
CHÈQUES DE VOYAGE	Traveller's cheques
CHIEN MÉCHANT	Beware of the dog
CHIRURGIEN DENTISTE	Dentist's
CIRCUITS TOURISTIQUES	Scenic route
CIRCULEZ SUR UNE FILE/2 FILES	Single/2 lane traffic
CITÉ ADMINISTRATIVE	Administrative centre
CITÉ UNIVERSITAIRE	Halls of residence (university)
CLASSE (1ÈRE, 2ÈME, TOURISTE)	Class (1st, 2nd, tourist)
CLÉ-MINUTE	Key cutting
CLÔTURE ÉLECTRIQUE	Electric fence
COL OUVERT/FERMÉ	(Mountain) pass open/closed
COMMISSARIAT (DE POLICE)	Police station
COMPLET	Full
COMPOSTEZ VOS BILLETS ICI	'Stamp' your tickets here
AVANT VOTRE DÉPART	before getting on train
DÈS VOTRE MONTÉE	when you get on the bus
CONCESSIONNAIRE ...	Agent for ... (cars)
CONCIERGE	Porter, caretaker
CONFECTION H/F/E	Men's/women's/children's wear
CONFISERIE	Sweet shop
CONGÉS ANNUELS	(Closed for the) holiday period
CONSERVEZ VOTRE TITRE DE TRANSPORT JUSQU'À LA SORTIE	Keep your ticket until past the exit
CONSIGNE	Left luggage
CONSIGNE AUTOMATIQUE	Left luggage lockers
(À) CONSOMMER AVANT LE ...	Eat by ...

(À) CONSULTER SUR PLACE	Not to be taken away
CONVOI EXCEPTIONNEL	Long vehicle/wide load ahead
CORDONNERIE	Heel bar
CORRESPONDANCE	Connecting flights/services
CÔTE(S) NON STABILISÉE(S)	Soft verges
COURANT ÉLECTRIQUE	Electric current
COUVERTS	Cutlery
CRÈMERIE	Cheese and milk shop
D /90/ (D = DÉPARTEMENTALE)	'B' road
DAMES	Women
DANCING	Discotheque
DANGEREUX	Dangerous
DÉCONSEILLÉ AUX PERSONNES SENSIBLES	Unsuitable for people of a sensitive nature
DÉCOUPEZ SUIVANT LE POINTILLÉ	Cut along dots
DÉFENSE D'AFFICHER	Billposters will be prosecuted
DÉFENSE DE DÉPOSER DES ORDURES	No litter/no dumping
DÉFENSE D'ENTRER	No entry/no admission
DÉFENSE DE FUMER	No smoking
DÉFENSE DE LAISSER DES BAGAGES DANS LE COULOIR	Do not leave your luggage in the corridor
DÉFENSE DE PARLER AU CONDUCTEUR/ CHAUFFEUR	Do not speak to the driver
DÉFENSE DE TRAVERSER LES VOIES	Do not cross the railway lines
DENTISTE	Dentist
DÉPANNAGE	Emergency repairs
DÉPART(S)	Departures

(LES) DÉPARTS DOIVENT S'EFFECTUER AVANT MIDI	Guests are requested to leave the room before midday
DERNIER BUS/TRAIN À ...	Last bus/train at ...
DERNIÈRE SÉANCE À ...	Last performance/show at ...
DESCENTE	Down (lift)/way out (bus)
DÉVIATION	Diversion
DIÉTÉTIQUE-RÉGIME	Health food shop
DIRECTION /LYON/	To /Lyons/
DISQUES ET CASSETTES	Records and cassettes
DISTRIBUTEUR DE BOISSONS CHAUDES	Vending machine serving hot drinks
DISTRIBUTEUR DE BOISSONS FROIDES	Vending machine serving cold drinks
DOUANE	Customs
DOUCHES	Showers
EAU CHAUDE (C)	Hot water
EAU FROIDE (F)	Cold water
EAU POTABLE/NON-POTABLE	Drinking water/water not suitable for drinking
ÉCOLE	School
ÉGLISE (ROMANE)	Catholic church (Romanesque)
EMBARQUEMENT IMMÉDIAT	Boarding now
(À) EMPORTER	To take away
EMPRUNTEZ LE SOUTERRAIN	Take the subway
EN CAS D'URGENCE/DE DANGER (TIRER ...)	In case of emergency (pull ...)
EN CAS D'INCENDIE (APPELER ...)	In case of fire (call ...)
EN DIRECT DE	Direct from
EN PANNE	Out of order
EN VENTE ICI	Sold here

LES ENFANTS DE MOINS DE 3 ANS DOIVENT ÊTRE PORTÉS	Children under 3 must be carried
ENREGISTREMENT	Check in (airport)
ENTR'ACTE	Intermission
ENTRÉE	Entrance/way in
ENTRÉE INTERDITE	No admittance
ENTRÉE LIBRE	Admission free/no obligation to buy
ENTREZ	Come in
ENTRESOL	Mezzanine floor
ENVOI RECOMMANDÉ	Registered parcel/letter
ÉPICERIE	Grocery
ÉPUISÉ	Out of stock/sold out
ESCALIER	Stairs
ESSENCE	Petrol
ESTHÉTIQUE	Beauty salon
ÉTAGE (1ER, 2ÈME, 3ÈME)	Floor (1st, 2nd, 3rd)
ÉTEIGNEZ VOS LANTERNES ÉTEIGNEZ VOS VEILLEUSES	Switch off your side lights
ÉTRANGER	Foreign (bank)/abroad (post office)
EXCURSION(S)	Tour(s)
EXCURSION(S) D'UNE JOURNÉE	One day tour(s)
EXIGEZ VOTRE REÇU	Ask for your receipt
EXPRESS	Express (service)/fast train
FACULTATIF	Request stop
FAITES SIGNE AU CHAUFFEUR	Signal driver to stop (bus stop)
FEMMES	Women
FEMME DE CHAMBRE	Chambermaid
FERMÉ POUR LE DÉJEUNER/LE DIMANCHE	Closed for lunch/on Sundays

FERMETURE ANNUELLE/ HEBDOMADAIRE	Annual/weekly closing
FERMETURE DES PORTES AUTOMATIQUE	Doors close automatically
FERMEZ LA PORTE	Please close the door
FEUX DE CIRCULATION	Traffic lights
FEUX TRICOLORES À /200/M	Traffic lights /200/ metres ahead
(AVEC) FILTRE/(SANS) FILTRE	(Cigarettes with) filters/(cigarettes without) filters
FIN	End
FLEURISTE	Florist's
FORÊT (DOMANIALE)	Forest (Government property)
FROIDE (F)	Cold (water)
FRUITS ET LÉGUMES	Fruit and vegetable shop
FUMEUR/NON-FUMEUR	Smoker/non-smoker
GALERIE D'ART	Art gallery
GARDIEN	Caretaker
GARDIEN DE NUIT	Night watchman
GARE ROUTIÈRE	Coach station
GARE S.N.C.F.	Railway station
GENDARMERIE	Police station
GRANDES LIGNES	Inter-city trains
GRANDS MAGASINS	Department stores
GRATUIT	Free/no charge
GRILLADES	Grills
GRILLADES SUR FEU DE BOIS	Grills on wood fire
GUICHET	Booking office (station)/counter (post office)/till (bank)/box office (theatre)
GYMNASE	Sports centre
HALL D'ARRIVÉE	Arrival lounge
HALL DE DÉPART	Departure lounge

HAUTE SAISON	High season
HAUTE TENSION	High voltage
HAUTEUR LIMITE	Height limit
HAUTEUR LIMITÉE À /3/M	Height limit /3/ metres
HEURES DE CONSULTATION	Consulting hours
HEURES D'OUVERTURE	Opening hours
HOMMES	Men
HÔPITAL	Hospital
HORAIRE	Timetable
HORLOGER	Watch-maker's
HÔTEL DE VILLE	Town Hall
HYPERMARCHÉ	Hypermarket
IL EST INTERDIT DE DÉPOSER DES ORDURES	No litter/no dumping
IL EST INTERDIT DE DONNER À MANGER AUX ANIMAUX	Do not feed the animals
IL EST INTERDIT DE MONTER DANS UN TRAIN EN MARCHE	Do not board a train while it is moving
IL EST INTERDIT DE TOURNER À DROITE/GAUCHE	No Right/Left Turn
IMPASSE	Cul-de-sac
INSTITUT DE BEAUTÉ	Beauty salon
INTERDIT AUX CAMIONS/POIDS LOURDS	No lorries/heavy vehicles
INTERDIT AUX CARAVANES	No caravans
INTERDIT AUX CHIENS	No dogs
INTERDIT AUX CYCLES	No cycling
INTERDIT AUX ENFANTS	No children
INTERDIT AUX MINEURS	No admission under age of 18

INTERDIT AUX MOINS DE 13 ANS/18 ANS	No admission under the age of 13/18
INTERDIT AUX PIÉTONS	No pedestrians
INTRODUISEZ VOTRE PIÈCE ICI	Insert coin here
ITINÉRAIRE CONSEILLÉ	Recommended route
ITINÉRAIRE DE DÉLESTAGE/ITINÉRAIRE BIS	Alternative route (indicated by green arrow)
JARDIN PUBLIC	Public park
JETON	Token used in public telephones
JOURS FÉRIÉS	Bank holidays
LAVERIE AUTOMATIQUE	Launderette
LAYETTE	Baby clothes
LETTRES	Letters
LETTRE RECOMMANDÉE	Registered letter
LIBRAIRIE	Bookshop
LIBRE	Free, vacant
LIGNES DE BANLIEUE	Suburban lines (railway)
LIGNE DE MÉTRO	Underground line
LIGNES INTÉRIEURES	Domestic flights
LINGERIE (H.F.E.)	Underwear (men, women, children)
LIQUIDATION	Closing down sale
LIQUIDATION DE STOCK	Clearance sale
LIVRAISON À DOMICILE	Deliveries
LIVRAISON INTERDITE DE/ 10H/À/17H/	No deliveries between /10/ and /5/
LIVRAISONS RAPIDES	Express deliveries
LIVRES DE POCHE	Paperbacks
LOCATION DE BATEAUX	Boats for hire
LOCATION DE BICYCLETTES	Bicycles for hire
LOCATION DE VOITURES (AVEC/SANS CHAUFFEUR)	Car hire (with/without driver)

LOTERIE NATIONALE	National lottery
LOTO NATIONAL ICI BUREAU DE VALIDATION	National lottery office
LYCÉE	Upper secondary school
(CE) MAGASIN EST MUNI/ ÉQUIPÉ D'UN SYSTÈME DE SÉCURITÉ	Security system in operation (shop)
MAIRIE	Town Hall
(LA) MAISON N'ACCEPTE PAS LES CHÈQUES	No cheques accepted
(LA) MAISON NE FAIT PAS CRÉDIT	No credit given
MARCHÉ	Market
MATERNITÉ	Maternity hospital
MERCERIE	Haberdashery
MESSES À /11/ HEURES	Services (church) at /11/ a.m.
MINUTERIE	Automatic light system
MONASTÈRE	Monastery
MONTÉE	Up (lift)/way in (bus)
N /157/(N = NATIONALE)	'A' road
NE PAS DÉPASSER LA DOSE PRESCRITE	Do not exceed the stated dose
NE JETEZ RIEN PAR LES FENÊTRES	Do not throw anything out of the windows
NE PAS LAISSER À LA PORTÉE DES ENFANTS	Keep away from children
NE PAS REPASSER	Do not iron
NE RIEN JETER DANS LES W.C.	Do not throw anything in the toilets
NETTOYAGE À SEC, PRESSING	Dry cleaning
NI REPRIS NI ÉCHANGÉS	Items cannot be exchanged or money refunded
NOCTURNE LE VENDREDI JUSQU'À /22H/	Late night shopping Fridays till /10/p.m.

NOM DE FAMILLE	Surname
OBJETS À DÉCLARER	Goods to declare
(MEUBLES D')OCCASION	Second-hand (furniture)
(VOITURES D')OCCASION	Second-hand (cars)
OCCASIONS	Bargains
(LES) OCCUPANTS DOIVENT QUITTER LA CHAMBRE AVANT MIDI	Guests are requested to vacate their room before midday
OCCUPÉ	Engaged
OCULISTE	Oculist
ON PEUT APPORTER SES PROVISIONS/SON MANGER/SON PANIER	Customers can bring their own food (café)
OPTICIEN	Optician
ORDONNANCE	Prescription
OUVERT	Open
OUVERT DE /8H/ À /12H/	Open from /8/ to /12/
OUVERT LE DIMANCHE	Open on Sundays
PAIEMENT EN LIQUIDE/ PAR CHÈQUES	Payment in cash/by cheque
PANORAMA	Panoramic view
PAPETERIE	Stationery shop
PAPIERS	Litter
PAQUETS	Packets
PARCMÈTRE	Parking meter
PARFUMERIE	Perfumery
PARKING PAYANT/PRIVÉ/ RÉSERVÉ	Car park/private parking/reserved parking
PARLER ICI	Speak here
PÂTISSERIE	Cake shop
PASSAGE À NIVEAU GARDÉ	Manned level crossing
PASSAGE À NIVEAU NON GARDÉ	Unmanned level crossing
PASSAGE PIÉTONS	Pedestrian crossing

PASSAGE PROTÉGÉ	Right of way
PASSAGE SOUTERRAIN	Subway
PASSAGERS EN TRANSIT	Transit passengers
PASSEPORTS	Passports
PASSEZ	Cross
PAYABLE D'AVANCE	Customers are requested to pay in advance
PAYEZ À LA CAISSE	Pay at the cash desk
PAYEZ À LA SORTIE	Pay on your way out
PAYEZ ICI	Pay here
P.C.V.	Transferred charge call
PÉAGE À /1000/ MÈTRES	Toll /1000/ metres ahead
PEINTURE FRAÎCHE	Wet paint
PELOUSE INTERDITE	Do not walk on the grass
PENSION DE FAMILLE	Guest house
PENTE (FORTE)	(Steep) gradient
PÉRIPHÉRIQUE	Ring road
PERMANENT	Continuous performance
PERMIS DE CONDUIRE	Driving licence
PETIT DÉJEUNER EN CHAMBRE DE /8H/ À /9H/	Breakfast served in your room from /8/a.m. to /9/a.m.
PETIT DÉJEUNER EN SALLE DE /7H/ À /9H/	Breakfast served in the dining room from /7/a.m. to /9/a.m.
PHARMACIE (DE SERVICE/ DE GARDE)	Duty chemist's
PHOTOCOPIE	Photocopying service
PIÈCES DÉTACHÉES	Spare parts
PIÈCES REJETÉES	Rejected coins
PIÉTONS	Pedestrians
PIQUE-NIQUE	Picnic
PISCINE CHAUFFÉE	Heated swimming pool
PISCINE COUVERTE	Indoor swimming pool
PISCINE EN PLEIN AIR/ DÉCOUVERTE	Open air swimming pool
PISTE CYCLABLE	Cycles only

PLACE	Square
PLACES ASSISES/DEBOUT	Seats/standing room
(LES) PLACES NUMÉROTÉES SONT RÉSERVÉES PAR PRIORITÉ AUX FEMMES ENCEINTES/ HANDICAPÉS	Please give up this seat if a pregnant woman/handicapped person needs it
PLAGE	Beach
PLAN DU QUARTIER	Map of the district
PLAT DU JOUR	Today's special
PLATEAUX	Trays
PONT	Bridge
POISSONNERIE	Fishmonger's
PORTE NUMÉRO /1/	Gate number /1/
PORTEUR	Porter
POSTE DE POLICE	Police station
P. ET T./P.T.T.	Post Office
POURBOIRE LAISSÉ À L'APPRÉCIATION DE NOTRE AIMABLE CLIENTÈLE	Service not included (customers are invited to 'show their appreciation')
POUSSEZ	Push
PRÉFECTURE	County Hall
PRENEZ LA FILE DE GAUCHE/DROITE	Get in left/right lane
PRENEZ UN CADDY/ CHARIOT S.V.P. MERCI	Please take a trolley. Thank you
PRENEZ UN PANIER S.V.P. MERCI	Please take a basket. Thank you
PRENEZ UN TICKET	Take a ticket
PRÉPAREZ VOTRE MONNAIE	Have exact fare ready
PRIORITÉ À DROITE/AUX PIÉTONS	Give way to the right/to pedestrians
PRISE EN CHARGE	Minimum charge (taxi)

PRISE POUR RASOIR	Shavers only
PRIVÉ	Private
PRIX CONSEILLÉ/ SACRIFIÉS	Recommended price/slashed prices
PRODUITS D'ENTRETIEN	Household products
PRODUITS FERMIERS/ FRAIS	Farm/fresh products
PROMENADES À CHEVAL	(Horse) riding
PROPRIÉTÉ PRIVÉE	Private property
QUAI /1/	Platform /1/
QUINCAILLERIE	Hardware/ironmonger's
R.A.T.P.	Paris transport
R.E.R.	Express underground line (Paris)
RAYON (MAGASIN)	Department (in a shop)
RÉCLAMATIONS	Complaints, inquiries
(EN) RÉCLAME	Promotion sale
RÉDUCTION AUX ÉTUDIANTS (SUR PRÉSENTATION DE LEUR CARTE)	Reduction for students (student cards must be shown)
RÈGLEMENT	Regulations
REMISE DE /15%/	/15%/ reduction
RENSEIGNEMENTS	Information
RENSEIGNEMENTS TÉLÉPHONIQUES	Telephone enquiries
REPAS À TOUTE HEURE	Meals served all day
REPAS GASTRONOMIQUE	Set menu (more elaborate, more expensive)
REPAS TOURISTIQUE	Set menu (shorter, cheaper)
RÉSERVÉ	Reserved
RÉSERVÉ AUX CYCLISTES	Cycles only
RESPECTEZ LE SILENCE DE CES LIEUX	Please keep silent (church)
RESPECTEZ LES PELOUSES	Keep off the grass

RETARDÉ	Delayed
REVÊTEMENT TEMPORAIRE	Temporary road surface
REZ DE CHAUSSÉE	Ground floor
RIEN À DÉCLARER	Nothing to declare
ROULEZ SUR DEUX FILES	Two lane traffic
ROULEZ SUR UNE FILE	Single lane traffic
ROULEZ À DROITE/ GAUCHE	Keep right/left
ROUTE ENNEIGÉE	Snow-covered road
ROUTE ÉTROITE	Narrow road
ROUTE GLISSANTE	Slippery road
ROUTE SINUEUSE	Bends
RUE PIÉTONNIÈRE/ PIÉTONNE	Pedestrians only/pedestrian precinct
SABLES MOUVANTS	Quicksands
SAC À JETER	Disposable bag
SALLE À MANGER	Dining room
SALLE D'ATTENTE (1ÈRE, 2ÈME CLASSE)	Waiting room (1st, 2nd class)
SALLE DE BAINS	Bathroom
SALON DE COIFFURE (H ET F)	Hairdresser's (men and women)
SALON DE THÉ	Tea room
SANDWICHES À TOUTE HEURE	Sandwiches available all day
SANS ISSUE	Cul-de-sac
SÉANCE À /20H/	Performance/show at /8/ p.m.
SELON ARRIVAGE	According to availability
SENS OBLIGATOIRE	This way
SENS UNIQUE	One way
SERREZ À DROITE/ GAUCHE	Keep right/left
SERVEZ-VOUS	Help yourself
SERVICE COMPRIS	Service included

SHAMPOOING MISE EN PLIS	Shampoo and set
S.N.C.F.	French railways
SOLDES (À L'INTÉRIEUR)	Sale (inside)
SONNETTE D'ALARME	Alarm bell
SONNETTE DE NUIT	Night bell
SONNEZ (ENTREZ, ATTENDEZ)	Ring the bell (come in, wait)
SORTEZ PAR LA PORTE CENTRALE	Leave by centre door
SORTIE	Way out
SORTIE DE SECOURS	Emergency exit
SOUS-SOL	Lower ground floor
SOUS-VÊTEMENTS (H, F, E)	Underwear (men, women, children)
SPECTACLE PERMANENT	Continuous performance
STADE	Stadium
STATION DE MÉTRO	Underground station
STATION SERVICE	Petrol station
STATIONNEMENT INTERDIT	No parking
STATIONNEMENT LIMITÉ À /30/ MINUTES	Parking limited to /30/ minutes
STATIONNEMENT RÉGLEMENTÉ	Restricted parking
STRAPONTIN	Folding seat (theatre, tube)
SUPERMARCHÉ	Supermarket
SUPPLÉMENT	Extra charge (on express train, in restaurants, etc)
SYNDICAT D'INITIATIVE	Tourist information office
TABAC	Tobacconist (also sells stamps)
TALON MINUTE	Heel bar
TARIF (BASSE/HAUTE SAISON)	Fare/price (low/high season)

TARIF DES CONSOMMATIONS	Price list (food and drinks)
TARIF NORMAL	1st class post (letters)
TARIF RÉDUIT	2nd class post (letters)
TARIF URGENT	Express (telegrams)
TAUX DE CHANGE	Exchange rate
TAXIPHONE	Pay phone for local calls only
TÉLÉGRAMME	Telegram
TÉLÉPHONE PUBLIC	Public telephone
TEMPLE	Protestant church
TERRAIN MILITAIRE	Military zone
TÊTE DE STATION	Taxi rank
TICKET DE QUAI	Platform ticket
TIMBRES	Stamps
TIREZ	Pull
TOILETTES (H, F)	Toilets (men, women)
TONNAGE LIMITÉ	Weight limit
TOURNER LA POIGNÉE	Turn handle
TOUTE PERSONNE PRISE EN FLAGRANT DÉLIT DE VOL SERA POURSUIVIE	Thieves/shoplifters will be prosecuted
TRAITEUR	Delicatessen
TRAVAUX SUR /200/ MÈTRES	Road works for /200/ metres
TRAVERSEZ	Cross
T.T.C. (TOUTES TAXES COMPRISES)	All taxes included
T.V.A. EN SUS	Plus VAT
URGENCES	Emergencies/casualty department
VEILLEUR DE NUIT	Night porter
VENTE EXCLUSIVE EN PHARMACIE	Sold in chemist's only
VÉRIFIEZ VOTRE MONNAIE	Check your change

VESTIAIRE	Cloakroom
VINS ET SPIRITUEUX	Wines and spirits
VIRAGES (DANGEREUX)	(Dangerous) bends
VIRAGES SUR /2/ KMS	Bends for /2/ kilometres
VISITES GUIDÉES	Guided tours
VITESSE LIMITÉE À /90/ KM/H	Speed limit /90/ kilometres per hour
VOIE SANS ISSUE	No through road
VOLS EN CORRESPONDANCE	Connecting flights
VOLS INTERNATIONAUX	International flights
VOUS ÊTES ICI	You are here
VOUS N'AVEZ PAS LA PRIORITÉ	Give way
/BORDEAUX/ VOUS REMERCIE DE VOTRE VISITE	/Bordeaux/ thanks you for your visit
/TOURS/ VOUS SOUHAITE BONNE ROUTE	/Tours/ wishes you a safe journey
/ANGERS/ VOUS SOUHAITE LA BIENVENUE	Welcome to /Angers/
WAGON LIT	Sleeping car
WAGON RESTAURANT	Buffet car
W.C.	Toilet
ZONE DE STATIONNEMENT PAYANT	Parking meters
ZONE DE STATIONNEMENT RÉGLEMENTÉ/ZONE BLEUE	Controlled parking zone (disc necessary)

Le vocabulaire de l'automobiliste

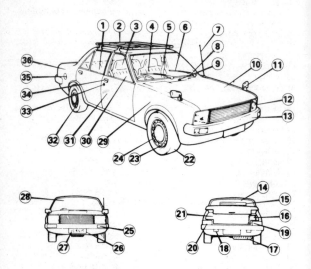

1	le siège arrière	back seat
2	la galerie	roof rack
3	le repose-tête	head restraint
4	le siège du passager	passenger's seat
5	la ceinture de sécurité	seat belt
6	le balai d'essuie-glace	windscreen wiper blade
7	l'antenne (f)	aerial
8	la porte-raclette	windscreen wiper arm
9	le lave-glace	windscreen washer
10	le capot	bonnet
11	le rétroviseur extérieur	exterior mirror
12	le phare	headlight
13	le pare-chocs	bumper
14	la vitre arrière	rear window
15	la lunette arrière chauffante	rear window heater
16	la roue de secours	spare wheel
17	le réservoir de carburant	fuel tank
18	le feu de détresse	hazard warning light
19	le feu de stop	brake light
20	le feu arrière	rear light
21	le coffre	boot
22	le pneu	tyre
23	la roue avant	front wheel
24	l'enjoliveur (m) de roue	hubcap
25	la lanterne/la veilleuse	sidelight
26	la plaque d'immatriculation	number plate
27	le numéro d'immatriculation	registration number
28	le pare-brise	windscreen
29	l'aile (f) avant	front wing
30	le siège du conducteur	driver's seat
31	la porte	door
32	la roue arrière	rear wheel
33	la serrure	lock
34	la poignée de porte	door handle
35	le bouchon de réservoir d'essence	petrol filler cap
36	l'aile (f) arrière	rear wing

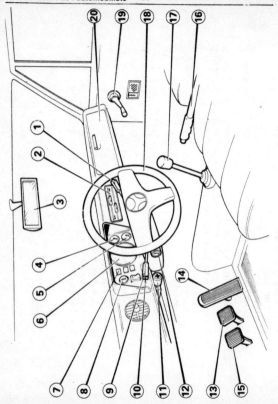

1	la manette phare code	dipswitch
2	le chauffage	heater
3	le rétroviseur	interior mirror
4	l'indicateur (m) de température	water temperature gauge
5	l'ampèremètre (m)	ammeter
6	le compteur de vitesse	speedometer
7	la lampe-témoin de pression d'huile	oil pressure warning light
8	l'indicateur (m) de niveau de carburant	fuel gauge
9	le klaxon	horn
10	le clignotant	direction indicator
11	le starter	choke
12	l'allumage (m)	ignition switch
13	la pédale de freins	brake pedal
14	l'accélérateur (m)	accelerator
15	la pédale d'embrayage	clutch pedal
16	le frein à main	handbrake
17	le levier de changement de vitesses	gear lever (selector)
18	le volant de direction	steering wheel
19	la manivelle de lève-glace	window winder
20	la boîte à gant	glove compartment

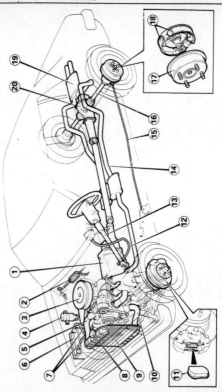

1	la boîte de vitesses	gearbox
2	la boîte à fusibles	fuse box
3	le filtre à air	air filter
4	la bobine d'allumage	ignition coil
5	la tubulure supérieure	radiator hose (top)
6	la batterie	battery
7	les fils (mpl) de connexion de batterie	leads (battery) (pl)
8	le bouchon de radiateur	filler cap (radiator)
9	le radiateur	radiator
10	la tubulure inférieure	radiator hose (bottom)
11	la mâchoire de frein à disque	disc brake pad
12	le câble de compteur de vitesse	speedometer cable
13	l'axe de volant	steering column
14	le tuyau d'échappement	exhaust pipe
15	le câble de frein à main	handbrake cable
16	le pont arrière	rear axle
17	le tambour de frein	brake drum
18	le segment de frein	brake shoe
19	le silencieux	silencer
20	le différentiel	differential

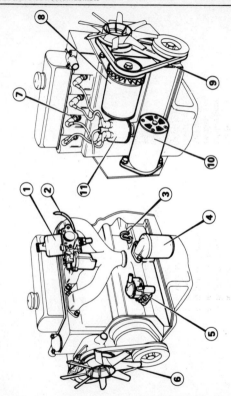

1	le carburateur	carburettor
2	le câble	cable
3	la jauge d'huile	oil dip stick
4	le filtre à huile	oil filter
5	la pompe à essence	fuel pump
6	le ventilateur	fan
7	la bougie	sparking plug
8	la dynamo	alternator
9	la courroie de ventilateur	fan belt
10	le démarreur	starter motor
11	l'allumeur (m)	distributor

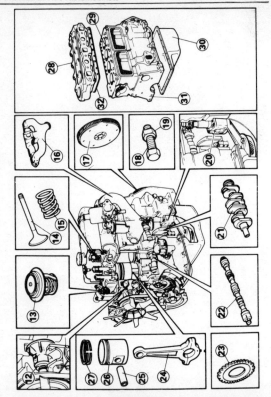

12	la pompe à eau	water pump
13	le thermostat	thermostat
14	la soupape	valve
15	le ressort	spring
16	le collecteur d'admission et d'échappement	manifold, inlet and exhaust
17	le volant	fly wheel
18	le boulon	bolt
19	l'écrou (m)	nut
20	la pompe à huile	oil pump
21	le vilebrequin	crankshaft
22	l'arbre (m) à cames	camshaft
23	la roue d'entraînement à chaîne	sprocket
24	la bielle	connecting rod
25	l'axe (m) de piston	gudgeon pin
26	le piston	piston
27	les segments (mpl) de piston	piston rings (pl)
28	la culasse	cylinder head
29	le cylindre	cylinder
30	le carter inférieur	oil sump
31	le bloc-cylindres	cylinder block
32	le joint	gasket

Chiffres, jours et mois

Les chiffres

0	oh	54	fifty-four
1	one	65	sixty-five
2	two	76	seventy-six
3	three	87	eighty-seven
4	four	98	ninety-eight
5	five	100	a hundred
6	six	101	a hundred and one
7	seven	211	two hundred and eleven
8	eight	322	three hundred and twenty-two
9	nine	433	four hundred and thirty-three
10	ten	544	five hundred and forty-four
11	eleven	655	six hundred and fifty-five
12	twelve	766	seven hundred and sixty-six
13	thirteen	877	eight hundred and seventy-seven
14	fourteen		
15	fifteen	988	nine hundred and eighty-eight
16	sixteen	1000	a thousand
17	seventeen	1001	a thousand and one
18	eighteen	2112	two thousand one hundred and twelve
19	nineteen		
20	twenty	3223	three thousand two hundred and twenty-three
21	twenty-one		
32	thirty-two	4334	four thousand three hundred and thirty-four
43	forty-three		
		10,000	ten thousand

NB Au téléphone '0' est en général prononcé 'o'. Il n'est prononcé 'nought' qu'en mathématiques dans le cas de décimales.

Les jours de la semaine

Lundi	Monday
Mardi	Tuesday
Mercredi	Wednesday
Jeudi	Thursday
Vendredi	Friday
Samedi	Saturday
Dimanche	Sunday

Les mois de l'année

Janvier	January
Février	February
Mars	March
Avril	April
Mai	May
Juin	June
Juillet	July
Août	August
Septembre	September
Octobre	October
Novembre	November
Décembre	December

Équivalences

L'argent britannique

Pounds = £   Pence =p   £1 = 100p
£2.72 two pounds seventy-two pence

Les pièces (Coins)

½p	a half penny (a half p)
1p	a penny (one p)
2p	two pence (two p)
5p	five pence (five p)
10p	ten pence (ten p)
20p	twenty pence (twenty p)
50p	fifty pence (fifty p)
£1	a pound, one pound

Les billets (Notes)

£1	a pound, one pound
£5	five pounds
£10	ten pounds
£20	twenty pounds
£50	fifty pounds

À la banque on vous demandera:

Vous le voulez comment?	How would you like it?
en billets d'/une livre/	in /ones/
en billets de /cinq livres/	in /fives/
en billets de /dix livres/	in /tens/
en billets de /vingt livres/	in /twenties/

Distances

1.6 kilomètres = 1 mille   1 mile = 1.6 kilometres

Milles	10	20	30	40	50	60	70	80	90	100	Miles
Kilomètres	16	32	48	64	80	96	112	128	144	160	Kilometres

Longueurs et tailles:

Quelques équivalences approximatives

Système Métrique	**Système Britannique**
2.5 centimetres (centimètres)	= 1 inch (pouce)
15 centimetres	= 6 inches
30 centimetres	= 1 foot (pied) = 12 inches
60 centimetres	= 2 feet (pieds) = 24 inches
91 centimetres	= 1 yard (yard) = 3 feet/36 inches
1 metre (mètre)	= 1 yard 3 inches = 39 inches

Taille des vêtements (avec le tour de poitrine/hanches)

Europe	GB	USA	cm	inches
36	8	6	76/81	30/32
38	10	8	81/86	32/34
40	12	10	86/91	34/36
42	14	12	91/97	36/38
44	16	14	97/102	38/40
46	18	16	102/107	40/42
48	20	18	107/112	42/44
50	22	20	112/117	44/46
52	24	22	117/122	46/48
54	26	24	122/127	48/50

Tour de taille

(cm) Europe	56 61 66 71 76 81 86 91 97 102 107 112 117 122 127
(pouces) GB/ USA	22 24 26 28 30 32 34 36 38 40 42 44 46 48 50

Tour de cou

(cm)	36	37	38	39	40	41	42	43
Europe (pouces) GB/USA	14	14½	15	15½	16	16½	17	17½

Chaussures

Europe	36		37		38		39		40	
GB	3	3½	4	4½	5	5½	6	6½	7	7½
USA	4½	5	5½	6	6½	7	7½	8	8½	9

Europe	41		42		43		44		45	
GB	8	8½	9	9½	10	10½	11	11½	12	
USA	9½	10	10½	11	11½	12	12½	13	13½	

Chapeau

Europe	54	55	56	57	58	59	60	61	62
GB	6⅝	6¾	6⅞	7	7⅛	7¼	7⅜	7½	7⅝
USA	6¾	6⅞	7	7⅛	7¼	7⅜	7½	7⅝	7¾

La taille des gants est la même dans tous les pays.

Poids

Quelques équivalences approximatives

ounces (*oz*) (onces) et *pounds* (*lbs*) (livres):
16 ounces (*16 ozs*) = *1 pound* (*1 lb*)
grams (*g*) (grammes) et *kilograms* (*kilos/kg*) (kilogrammes):
1000 grams (*1000 g*) = *1 kilogram* (*1 kilo/kg.*)

Système Métrique	Système Britannique
25 grams (g)	= 1 ounce (oz)
100/125 grams	= 4 ounces (ozs) ($\frac{1}{4}$ of a pound)
225 grams	= 8 ounces ($\frac{1}{2}$ a pound)
450 grams	= 1 pound (lb) (16 ozs)
1 kilogram (1 kilo)	= 2 pounds 4 ounces
6 kilograms	= 1 stone (14 pounds)

Poids des personnes

En Grande-Bretagne on se pèse en *'stones'* (*1 stone = 14 pounds* = 6.3 kilograms)

Quelques équivalences approximatives:

Kilograms	Pounds	Stones
12$\frac{1}{2}$	28	2
19	42	3
25	56	4
32	70	5
38	84	6
45	98	7
51	112	8
57$\frac{1}{2}$	126	9
63	140	10
70	154	11
76	168	12
83	182	13
90	196	14

Mesures liquides

En Grande-Bretagne et aux U.S.A. les mesures de liquide sont en *'pints'*, *'quarts'* et *'gallons'*. On utilise *'pints'* quand il s'agit de petites quantités, souvent en bouteilles (*a pint of milk*); les gallons sont utilisés pour les grandes quantités: ex, l'essence.

Quelques équivalences approximatives:

1 pint = 0.57 litres
1 gallon = 4 quarts = 4.55 litres
1 quart = 2 pints = 1.14 litres

Système Métrique	**Système Britannique**
0.57 litres	= 1 pint (20 fluid ounces (fl. ozs.))
1 litre	= 1.7 pints
5 litres	= 1.1 gallons
10 litres	= 2.2 gallons
15 litres	= 3.3 gallons
20 litres	= 4.4 gallons
25 litres	= 5.5 gallons
30 litres	= 6.6 gallons
35 litres	= 7.7 gallons
40 litres	= 8.8 gallons
45 litres	= 9.9 gallons

La température

	Centigrade (C)	**Fahrenheit** (F)
Ébullition de l'eau	100°	212°
Température du corps	36.9°	98.4°
	27°	80°
	21°	70°
	16°	60°
	10°	50°
	4°	40°
Glace	0°	32°
	− 1°	30°
	− 4°	25°

Pour convertir les degrés Centigrades en degrés Fahrenheit
multipliez par 9/5 et ajouter 32.
Pour convertir les degrés Fahrenheit en degrés Centigrades
retranchez 32 et multipliez par 5/9

La pression des pneus

kg/cm²	= lb/sq. in.	kg/cm²	= lb/sq. in.	kg/cm²	= lb/sq. in.
1.40	= 20	1.68	= 24	2.10	= 30
1.47	= 21	1.82	= 26	2.39	= 34
1.54	= 22	1.96	= 28	2.81	= 40

Pays, monnaies, nationalités et langues

Pays, zone géographique et continent	Unité monétaire	Adjectif et nationalité	Langue officielle
Afrique	Africa		African	—
Afrique du Sud	South Africa	Rand	South African	Afrikaans/English
Albanie	Albania	Lek	Albanian	Albanian
Algérie	Algeria	Dinar	Algerian	Arabic/French
Allemagne	Germany		German	German
RFA	West Germany	Deutschmark		
RDA	East Germany	Mark	German	German
Amérique du Nord	North America	—	North American	English/French
Amérique du Sud	South America	—	South American	Portuguese/Spanish
Angleterre	England	Pound	English	English
Antilles	West Indies	Franc	West Indian	French/English
Arabie Séoudite	Saudi Arabia	Riyal	Saudi Arabian	Arabic
Argentine	Argentina	Peso	Argentinian	Spanish
Asie	Asia	—	Asiatic	—
Australie	Australia	Dollar	Australian	English
Autriche	Austria	Schilling	Austrian	German

Bahrein	Bahrain	Dinar	Arabic
Belgique	Belgium	Franc	Flemish/French
Bénin	Benin	Franc	French
Birmanie	Burma	Kyat	Burmese
Bolivie	Bolivia	Peso	Spanish
Brésil	Brazil	Cruzeiro	Portuguese
Bulgarie	Bulgaria	Lev	Bulgarian
Canada	Canada	Dollar	English/French
Chili	Chile	Peso	Spanish
Chine	China	Yuan	Chinese
Chypre	Cyprus	Pound	Greek/Turkish
Colombie	Colombia	Peso	Spanish
Costa Rica	Costa Rica	Colon	Spanish
Cuba	Cuba	Peso	Spanish
Danemark	Denmark	Krone	Danish
Écosse	Scotland	Pound	English/Gaelic
Égypte	Egypt	Pound	Arabic
Equateur	Ecuador	Sucre	Spanish
Espagne	Spain	Peseta	Spanish
Etats-Unis d'Amérique	United States of America (USA)	Dollar	English
Ethiopie	Ethiopia	Dollar	Amharic
Europe	Europe	European	—
Finlande	Finland	Markka	Finnish
France	France	Franc	French
Gabon	Gabon	Franc	Gabonese

Pays, zone géographique et continent	Unité monétaire	Adjectif et nationalité	Langue officielle
Ghana	New Cedi	Ghanean	English/Akan
Grèce	Drachma	Greek	Greek
Guadeloupe	Franc	Guadeloupan	French
Guatemala	Quetzal	Guatemalan	Spanish
Guyane	Dollar	Guyanan	English
Hollande (Les Pays-Bas)	Guilder	Dutch	Dutch
Hong Kong	Dollar	from Hong Kong	English/Chinese
Hongrie	Forint	Hungarian	Hungarian
Inde	Rupee	Indian	Hindi/English
Indonésie	Rupiah	Indonesian	Bahasa Indonesia
Irak	Dinar	Iraqui	Arabic
Iran	Rial	Iranian	Farsi
Irlande (du Sud)	Punt	Irish	English/Gaelic
Irlande du Nord	Pound	Irish	English
Islande	Krona	Icelandic	Icelandic
Israël	Israeli Pound	Israeli	Hebrew
Italie	Lire	Italian	Italian
Côte d'Ivoire	Franc	from the Ivory Coast	French

Jamaïque	Jamaica	Dollar	Jamaican	English
Japon	Japan	Yen	Japanese	Japanese
Jordanie	Jordan	Dinar	Jordanian	Arabic
Kénya	Kenya	Shilling	Kenyan	Swahili
Koweit	Kuwait	Dinar	Kuwaiti	Arabic
Liban	Lebanon	Pound	Lebanese	Arabic
Libye	Libya	Dinar	Libyan	Arabic
Luxembourg	Luxembourg	Franc	a Luxem- bourger	French/German
Malaisie	Malaysia	Dollar	Malaysian	Malay/Chinese
Malte	Malta	Pound	Maltese	Maltese/English
Maroc	Morocco	Dirham	Moroccan	Arabic/French
Martinique	Martinique	Franc	Martiniquan	French
Maurice	Mauritius	Rupee	Mauritian	English/French/ Hindi
Mexique	Mexico	Peso	Mexican	Spanish
Nicaragua	Nicaragua	Cordoba	Nicaraguan	Spanish
Niger	Nigeria	Naira	Nigerian	Hausa/Ibo/ Yoruba/English
Norvège	Norway	Krone	Norwegian	Norwegian
Nouvelle Zélande	New Zealand	Dollar	a New Zealander	English
Pakistan	Pakistan	Rupee	Pakistani	Urdu
Paraguay	Paraguay	Guarani	Paraguayan	Spanish
Pays de Galles	Wales	Pound	Welsh	Welsh/English
Pérou	Peru	Sol	Peruvian	Spanish
Pologne	Poland	Zloty	Polish	Polish

Pays, zone géographique et continent		Unité monétaire	Adjectif et nationalité	Langue officielle
Portugal	Portugal	Escudo	Portuguese	Portuguese
Roumanie	Romania	Leu	Romanian	Romanian
Royaume-Uni (Angleterre, Irlande du Nord, Écosse, Pays de Galles, Iles Anglo-Normandes)	United Kingdom (England, Northern Ireland, Scotland, Wales, Channel Islands)	Pound Sterling	English	English
Russie	Russia	Rouble	Russian	Russian
Singapour	Singapore	Dollar	Singaporean	Malay/Chinese/English/Tamil
Soudan	Sudan	Pound	Sudanese	Arabic
Suède	Sweden	Krona	Swedish	Swedish
Suisse	Switzerland	Franc	Swiss	French/German/Italian/Romansh
Syrie	Syria	Pound	Syrian	Arabic
Tanzanie	Tanzania	Shiling	Tanzanian	Swahili
Tchécoslovaquie	Czechoslovakia	Koruna	Czechoslovakian	Czech/Slovak
Thailande	Thailand	Baht	Thai	Thai

Togo	Togo	Franc	Togolese	French
Tunisie	Tunisia	Dinar	Tunisian	Arabic/French
Turquie	Turkey	Lira	Turkish	Turkish
Union Soviétique (URSS/Russie)	Union of Soviet Socialist Republics (USSR)	Rouble	Russian	Russian
Uruguay	Uruguay	Peso	Uruguayan	Spanish
Vénézuéla	Venezuela	Bolivar	Venezuelan	Spanish
Vietnam	Vietnam.	Dong	Vietnamese	Vietnamese
Yougoslavie	Yugoslavia	Dinar	Yugoslavian	Serbo Croat
Zaire	Zaire	Zaire	Zairan	French
Zimbabwe	Zimbabwe	Dollar	Zimbabwean	English

Informations utiles

Quelques adresses

London Tourist Board, en face de la voie 15, en gare de Victoria (Tél 730 0791 – service polyglotte) 9h – 18h tous les jours.
British Tourist Authority, 64 St James's Street London SW1 (Tél 499 9325) en été: 9h – 18h du lundi au vendredi, 9h – 13h le samedi; en hiver: 9h15 – 17h30 du lundi au vendredi, 9h – 13h le samedi.
London Transport, St James's Park et autres stations principales du Métro (Tube) (Tél 222 1234 – 24h sur 24) 8h – 18h tous les jours. London Transport tient à votre disposition des plans de Métro et de Bus gratuits.
Centre Charles Péguy, 16 Leicester Square London WC2 (Tél 437 8339)
Institut Français du Royaume-uni, 15 Queensbury Place London SW7 (Tél 589 6211)
Consulat Français, 24 Rutland Gate London SW7 (Tél 581 5292)

Des us et coutumes

Il peut arriver que l'on se serre la main quand on rencontre quelqu'un ou quand on le quitte, mais ce n'est pas la règle générale. L'accolade est réservée aux gens que vous connaissez bien et encore!

Faites la queue. En Grande Bretagne il est de coutume d'attendre son tour pour monter dans les transports en commun, acheter des billets, etc. Si vous désirez remercier votre hôte de son hospitalité, offrez-lui des fleurs ou des chocolats.

Logement

Adressez-vous au London Tourist Board ou au British Tourist Authority.
Vous trouverez:

De grands hôtels internationaux

Des hôtels plus modestes

Des 'Bed and Breakfast', qui sont moins chers que l'hôtel et dont le prix comprend un petit déjeuner anglais. Un panonceau portant la mention 'Vacancy/B & B' vous les signalera.

Des Auberges de Jeunesse (Youth Hostels). Réservées aux membres de cette association. Des logements étudiants: prenez contact avec 'Budget Accommodation' (London Tourist Board, en gare de Victoria), et consultez la revue 'Time Out'.

Les déplacements

Si vous vous déplacez en train, métro ou bus, vous pouvez bénéficier de tarifs réduits. (Aller et retour, tarif excursion, cartes hebdomadaires etc.) Renseignez-vous dans les gares et auprès de London Transport.

À Londres, évitez les heures d'affluence: de 8h à 9h30 et de 16h30 à 18h30. Si vous désirez un plan de Londres très détaillé, procurez-vous le A-Z que vous trouverez dans la plupart des librairies et papeteries.

En voiture Roulez à gauche! Les autoroutes sont gratuites.

En taxi À Londres comme dans la plupart des grandes villes de Grande Bretagne vous pouvez arrêter un taxi dans la rue si le voyant jaune lumineux est allumé. En dehors de Londres vous trouverez des taxis près des gares. Le montant à régler est indiqué sur le compteur. Donnez 10% de pourboire. Vous pouvez également appeler un taxi par téléphone.

Les bus En général, un receveur passe dans le bus; dites à quel arrêt vous désirez descendre, il vous indiquera le montant du trajet et vous délivrera un billet.(Dans certains bus vous devez payer directement au conducteur). Gardez votre titre de transport, il vous peut vous être réclamé. Si l'arrêt auquel vous attendez porte la mention 'Request', vous devez faire signe au conducteur pour que le bus vous prenne. N'oubliez pas de vérifier l'heure à laquelle passe le dernier bus. (Le plus souvent vers 23h30). Il existe des navettes à Londres pour lesquelles le montant exact du prix du trajet est exigé à la montée dans le bus.

Métro Prenez un billet (guichet, machines automatiques) pour la station de destination. Attention! Gardez votre billet – il sera exigé à la sortie. Les trains n'ont qu'une seule classe et comportent au moins une voiture 'fumeurs'. Des trains de lignes différentes peuvent s'arrêter au même quai. Vérifiez la direction et la destination du train sur les panneaux lumineux qui se trouvent sur le quai. Gardez votre droite dans les escaliers roulants.

Train (British Rail) Les trains comportent des voitures de 1ère et de 2ème classe. La plupart des gens voyagent en 2ème classe (c'est confortable!). En général, il n'est pas nécessaire de réserver.

L'autocar Presque toutes les villes de la Grande Bretagne sont desservies par des autocars dont le tarif est avantageux. Renseignements auprès de: Victoria Coach Station, Eccleston Bridge, Victoria, London SW1. Bureau de renseignements ouvert de 8h à 18h (Tel 730 0202).

Le change

Les banques sont ouvertes de 9h30 à 15h30 du lundi au vendredi sauf les jours fériés.
Vous pouvez changer de l'argent de 9h à 17h lundi au samedi dans les magasins suivants à Londres:

Harrods, Knightsbridge
John Barker & Co. Kensington High Street
Selfridges, Oxford Street

Les bureaux de change prennent une commission plus élevée, mais certains sont ouverts 24h sur 24.

Le shopping

Les magasins sont ouverts en général de 9h à 17h30 et sont fermés le dimanche et jours fériés. Certains grands magasins du centre de Londres sont fermés le samedi après-midi. Les grands magasins sont ouverts en nocturne (jusqu'à 20h) un jour par semaine, selon les quartiers. Attention! Dans toutes les villes et selon les quartiers (sauf le centre de Londres) tous les magasins sont fermés à partir de 13h un jour par semaine (early closing day).

Les bureaux de poste sont ouverts de 9h30 à 17h30 sauf le samedi: fermeture à 13h. La poste de Trafalgar Square est ouverte jour et nuit tous les jours. Les timbres s'achètent uniquement dans les bureaux de poste.

À boire et à manger

Vous trouverez des snack-bars, des cafés, des self-service et des restaurants. Dans la plupart des restaurants le déjeuner est servi entre 12h et 14h. À partir de 23h, il devient difficile de se faire servir un repas. En général, les hôtels de province ne servent plus de dîners après 20h30.

Les pubs

Les heures d'ouverture des pubs varient et sont plus longues à Londres: de 11h à 15h, et de 17h30 à 23h, en semaine, et de 12h à 14h, et de 19h à 22h30 le dimanche. Si, fatigué et assoiffé, vous espérez 'prendre un demi' à une autre heure, n'y comptez pas! C'est pratiquement impossible! Vous pourrez toutefois acheter du vin, de la bière, etc., dans un 'Off Licence'. Certains pubs servent des repas simples et bon marché. Les enfants n'y sont admis qu'à partir de 14 ans et il est illégal de leur servir des boissons alcoolisées avant l'âge de 18 ans.

Le pourboire

Restaurants: si le service n'est pas compris donnez entre 10 et 15%

Hotels: Porteurs, service à l'étage, services rendus environ 50p

Taxis: Environ 10%

Coiffeurs: Entre 10 et 15%

Porteurs: Environ 50p par bagage

On ne donne pas de pourboire dans les cinémas, les théâtres, les pubs et les bars.

Spectacles

Consultez les journaux. À Londres 'Time Out' (revue hebdomadaire) donne des informations détaillées sur tout ce qui se passe.

Locations Au guichet (Box office) ou dans les agences spécialisées. Certains théâtres réservent des places pour la vente une heure avant la représentation. NB Matinées 14h – 15h, Soirées (Evening performance) 19h – 20h.

Musées et expositions La plupart des musées nationaux sont gratuits. Peuvent être fermés les jours fériés et le dimanche matin.

Attention! En règle générale, tout ferme plus tôt qu'en France.

1 ✈ **Glasgow—Abbotsinch** Bus toutes les 20 min (6.50—22.40 au centre-ville (15km: 20 min.).

2 ✈ **Manchester—Ringway** Bus toutes les 30 min. (6.30—22.45) jusqu'à Chorlton Street/Victoria Station (18km: 40 min.).

3 ✈ **Birmingham** Bus 58 toutes les 20 min. bus "Express" toutes les heures jusqu'à High Street (10km).

4 ✈ **London--Heathrow** (situé à l'ouest) Métro (Piccadilly Line) toutes les 5 min. au centre ville (24km: 45 min.). Bus toutes les 15 min. (6.00—14.30) ou toutes les 20 min. (15.00—21.00) jusqu'à Buckingham Palace Road (45 min.).

5 ✈ **Luton** Bus toutes les 13 min. jusqu'à Bute Street.

6 ✈ **Stansted** Train jusqu'à Bishops Stortford (toutes les 35 min. en semaine, toutes les 2 heures le weekend). Correspondance pour Londres (Liverpool Street).

7 ✈ **London—Gatwick** (situé au sud) Train toutes les 15 min. (6.00—24.00), ou toutes les heures (24.00—6.00) jusqu'à la gare de Victoria (45km: 40 min.). Bus pour les aéroports d'Heathrow et de Luton toutes les heures.

8 ✈ **Dublin** Bus jusqu'à Store Street (11km: 20 min.).

English – French

Anglais – Français

To help you get around

Basics

If you learn these by heart, you'll find it easier to get around

Please	S'il vous plaît [*seel voo pleh*]
Thank you	Merci [*maiʀ-see*]
Yes	Oui [*oo-ee*]
No	Non [*nõ*]
Yes please	Oui, merci [*oo-ee maiʀ-see*]
No thank you	(Non) merci [*(nõ) maiʀ-see*]
Sorry?	Comment? [*kommã*]
Excuse me!	Excusez-moi! [*eks-kee-oo-zeh-mwa*]
I'm sorry	Désolé [*deh-zo-leh*]
That's all right	Ça va [*sa va*]
Good!	Bon!/Bien! [*bõ/bee-ẽ*]
I don't understand	Je ne comprends pas [*jə* nə kõpʀã pa*]
Hello	Bonjour [*bõjooʀ*]
My name's ...	Je m'appelle ... [*jə mappell*]
Goodbye	Au revoir [*o ʀevwaʀ*]
Good morning	Bonjour [*bõjooʀ*]
Good afternoon	Bonjour [*bõjooʀ*]
Good evening	Bonjour [*bõjooʀ*]
Good night	Bonsoir [*bõswaʀ*]
How are you?	Comment ça va? [*kommã sa va*]
Fine thanks	Très bien, merci [*tʀeh bee-ẽ maiʀ-see*]
Cheers!	A votre santé! [*a votʀ sãteh*]
Could you repeat that please?	Vous pouvez répéter, s'il vous plaît? [*voo pooveh rehpehteh seel voo pleh*]

* [ə] pronounce this sound like 'er' in 'weather'
NB See Pronunciation guide p 164

Slower please	Plus lentement, s'il vous plaît [*plu lā-t-mâ seel voo pleh*]
How much is it?	C'est combien? [*seh kōbee-ē*]
How much are they?	C'est combien? [*seh kōbee-ē*]

Key sentence patterns

Once you've learnt these key sentence patterns by heart, you'll be able to make up your own sentences using the words from the dictionary.

Where's /the (nearest) bank/ please?	Où est /la banque (la plus proche)/, s'il vous plaît? [*oo eh la bāk (la plu pʀosh) seel voo pleh*]
Is there /a car park/ near here?	Est-ce qu'il y a /un parking/ par ici? [*eskeel ee a ē paʀking paʀ eessee*]
Are there any /restaurants/ near here?	Est-ce qu'il y a des /restaurants/ par ici? [*eskeel ee a deh ʀestoʀâ paʀ eessee*]
I'd like to go /swimming/	Je voudrais aller /nager/ [*jə* voodʀeh alleh najeh*]
Would you like to go /shopping/?	Voulez-vous /faire des achats/? [*vooleh voo faiʀ deh zasha*]
Have you got /a streetmap/ please?	Vous avez /un plan/, s'il vous plaît? [*vooz aveh ē plâ seel voo pleh*]
Have you got any /envelopes/ please?	Vous avez des /enveloppes/, s'il vous plaît? [*vooz aveh dez ā-vlop seel voo pleh*]

* [ə] pronounce this sound like 'er' in 'weather'
NB See Pronunciation guide p 164

I haven't got any /change/	Je n'ai pas de /monnaie/ [*jə neh pa də monneh*]
I need /a doctor/	Il me faut /un médecin/ [*eel mə fo ê meh-dsē*]
I need some /traveller's cheques/	Il me faut des /chèques de voyage/ [*eel mə fo deh shek də vwoi-aʀj*]
I'd like /a room/ please	Je voudrais /une chambre/ s'il vous plaît [*jə voodʀeh oon shambʀ seel voo pleh*]
I'd like some /stamps/ please	Je voudrais /des timbres/ s'il vous plaît [*jə voodʀeh deh tembʀ seel voo pleh*]
Would you like /a coffee/?	Voulez-vous /un café/? [*vooleh voo ê kaffeh*]
Would you like some /chocolates/?	Voulez-vous /des chocolats/? [*vooleh voo deh shokola*]
Could you call /a taxi/ for me please	Pouvez-vous m'appeler /un taxi/, s'il vous plaît [*pooveh voo mappleh ê taksi seel voo pleh*]
When does /the (next) train/ to /Lyon/ leave?	A quelle heure part /le (prochain) train/ pour /Lyon/? [*a kell eʀ paʀ lə (pʀoshē) tʀē pooʀ lee-yō*]
When do /the banks/ open? (close)	A quelle heure ouvrent (ferment) /les banques/? [*a kell eʀ oovʀ (faiʀm) leh bãk*]
Do you like /this colour/?	Aimez-vous /cette couleur/? [*ehmeh voo set kooleʀ*]

---

* [ə] pronounce this sound like 'er' in 'weather'
NB See Pronunciation guide p164

Do you like /these shoes/?	Aimez-vous /ces chaussures/? [ehmeh voo seh shoss-yooʀ]
I like /this style/	J'aime /ce style/ [jehm sə steel]
I don't like /this shape/	Je n'aime pas /cette forme/[jə nehm pa set foʀm]

Conversations

Now that you've learnt the basics and the key sentence patterns, here are a few examples of conversations you can take part in.

Introductions

Bonjour Monsieur Duvallon. Je vous présente Marian Harwood	Good morning Monsieur Duvallon. This is Marian Harwood
Enchanté	How do you do
Enchantée	How do you do

Meeting someone you know

Bonjour	Good evening
Bonjour Monsieur Dupont	Good evening Monsieur Dupont
Comment ça va?	How are you?
Très bien, merci. Et vous?	Fine thanks. And you?
Très bien, merci	Fine thanks

Finding your way

Excusez-moi!	Excuse me!
Oui?	Yes?
Où est l'Hôtel Bristol, s'il vous plaît?	Where's the Hotel Bristol please?
Tout droit, et à droite	Straight on, then right
Merci	Thank you
De rien	Not at all

At the station

Un aller Marseilles deuxième classe, s'il vous plaît	A second class single to Marseilles please
40 francs (quarante francs)	40 francs
A quelle heure part le prochain train?	When does the next train leave?
A dix-huit heures quinze	At 6.15 p.m.
Le train arrive à quelle heure à Marseilles?	When does the train arrive in Marseilles?
A dix-neuf heures trente	At 7.30
Merci	Thank you

At a hotel – you want a room

Bonjour. Vous désirez?	Good afternoon. Can I help you?
Bonjour. Je voudrais une chambre pour deux personnes, s'il vous plaît	Good afternoon. I'd like a double room please
Pour combien de nuits?	For how many nights?
Pour deux nuits, s'il vous plaît	For two nights please
Voulez-vous une chambre avec bain ou sans bain?	Would you like a room with or without bath?
Avec bain, s'il vous plaît	With bath please
Oui, ça va	Yes, that's fine
C'est combien, s'il vous plaît?	How much is it please?
Cent cinquante francs la nuit	150F a night
D'accord	OK

Buying something

Bonjour. Vous désirez?	Good morning. Can I help you?
Bonjour. Vous avez du sucre?	Good morning. Have you got any sugar?
Oui. Combien en voulez-vous?	Yes. How much would you like?

J'en voudrais un kilo, s'il vous plaît	I'd like a kilo please
C'est tout?	Anything else?
Non. Je voudrais des pommes, s'il vous plaît	Yes. I'd like some apples please
Combien?	How many?
Quatre, s'il vous plaît	4 please
Trente-trois francs	33F
Merci	Thank you

Choosing something

Bonjour. Vous désirez?	Good afternoon. Can I help you?
Je voudrais un T-shirt, s'il vous plaît	I'd like a T-shirt please
Quelle taille voulez-vous?	What size would you like?
Quarante, s'il vous plaît	40 please
Aimez-vous celui-ci?	Do you like this one?
Non. Je n'aime pas cette couleur. Vous avez ça en rouge?	No. I don't like that colour. Have you got a red one?
Oui, bien sûr	Yes, of course
C'est combien, s'il vous plaît?	How much is it please?
Trente francs	30F
Je le prends. Merci	I'll take it. Thank you

A few tips

1 You: *'vous'* or *'tu'*

There are two ways of addressing people in French.
'Vous' is the form you will hear and use most. To be on the safe side, always start by using *'vous'* unless the person you are talking to has already used the *'tu'* form.
'Tu' is usually reserved for people you know well and for children. The younger generation also use it a lot to each other.
When you are talking to more than one person, *'vous'* is always used.

2 Masculine or feminine?

In French, nouns are either masculine or feminine, and in the Pocket Traveller masculine nouns are followed by (m) and feminine nouns by (f). In French 'the/a/some/to the' change according to whether the noun is masculine or feminine. Here is a table to help you.

Masculine		Feminine	
le train	the train	*la chambre*	the room
un billet	a ticket	*une place*	a seat
du café	some coffee	*de la bière*	some beer
au cinéma	to the cinema	*à la gare*	to the station

However, with plural words and words beginning with a vowel or an 'h' you don't have to worry, except when you want to use 'a', eg *'un hôtel'* (a hotel) *'une auberge'* (a hostel).

Masculine		Feminine	
l'hôtel	the hotel	*l'auberge*	the hostel
les trains	the trains	*les chambres*	the rooms
des billets	some tickets	*des places*	some seats

de l'argent	some money	*de l'eau*	some water
à l'aéroport	to the airport	*à l'église*	to the church

3 Plurals

Most plurals are formed by adding an *'s'*. The pronunciation of the word does not change. All plurals which are not formed like this are given in the dictionary, eg *'journal* (m) *journaux* (pl)'.

4 Feminine forms of nouns and adjectives

Most nouns and adjectives add an *'e'* for the feminine form. The feminine form of all nouns and adjectives which have a different pronunciation from the masculine form is given eg *'directeur (m) directrice (f)'* (director), *'bon (m) bonne (f)'* (good).

5 Comparisons

In French *'plus'* (more) is used with nearly all adjectives to form the comparative.

> eg *Je voudrais quelque chose de plus grand*
> I'd like something bigger
> *Je voudrais quelque chose de plus léger*
> I'd like something lighter

'Moins' (less) is used in a similar way.

> eg *Je voudrais quelque chose de moins cher*
> I'd like something less expensive

Irregular Comparisons:

A few adjectives can't be used with *'plus'* or *'moins'*:

bon (m) bonne (f) – meilleur	good – better
mauvais – pire	bad – worse

6 Verbs

In this dictionary verbs are given in the infinitive form only eg *'aimer'* (to love).

Certain verbs always need the French equivalent of 'myself', 'yourself' etc. These are the verbs given with *'se'* in this dictionary eg *'se laver'* (to have a wash), *'se reposer'* (to have a rest). If you want to talk about yourself, remember to change *'se'* (yourself) to *'me'* (myself):

Je voudrais /me laver/   (I'd like to have a wash)

7 A note on quantity

Words like *'du'*, *'de la'*, *'des'* etc. are used to indicate quantity in a general way:

Je voudrais /du café/, s'il vous plaît   I'd like /some coffee/ please

Avez-vous des /biscuits/, s'il vous plaît?   Have you got any /biscuits/ please?

However, the dictionary will enable you to indicate precise amounts. Thus, if you look up 'matches' (*allumettes*) you will find 'box of matches' (*une boîte d'allumettes*) beneath the main entry, thus enabling you to say:

Je voudrais des /allumettes/, s'il vous plaît
I'd like some /matches/ please (general)

Je voudrais /une boîte d'allumettes/, s'il vous plaît
I'd like /a box of matches/ please (precise)

Quantity can also be indicated precisely in terms of volume or weight eg 20 litres of petrol, a kilo of tomatoes, etc. See Equivalents p143.

Remember these six 'quantity words' and you will be able to ask for almost anything:

une bouteille de /bière/	a bottle of /beer/
un verre de /lait/	a glass of /milk/
un paquet de /cigarettes/	a packet of /cigarettes/
un morceau de /gâteau/	a piece of /cake/
une tranche de /jambon/	a slice of /ham/
une boîte de /tomates/	a tin of /tomatoes/

8 Monsieur, Madame, Mademoiselle

'Bonjour Monsieur, Bonsoir Madame, Au revoir Mademoiselle', (literally 'Good morning Sir, Goodnight Madam, Goodbye Miss') sound very formal but are in fact the common way of saying good morning, goodnight, goodbye in everyday situations eg in a shop.

9 Very common expressions

Like any language, French has a number of expressions which are difficult to explain or to translate exactly. It's really just a question of habit – you'll probably get used to them very quickly. For example:

Est-ce que ...   Is ...? (literally 'Is it that ...?)
    eg *Est-ce que le petit déjeuner est compris?*   Is breakfast
                                            included?

Note that although questions very often start with *'est-ce que'*, this is sometimes dropped ie:

    Le petit déjeuner est compris?   Is breakfast included?
You will know that it is a question by the tone of voice.

Il y a (There is/There are)
    eg *Il y a un hôtel près d'ici*   There is a hotel near here
       Il y a des places   There are some seats

Pronunciation guide

If you really want to speak French, the best way to learn is to listen to French people speak. But remember:

'Je' (I) is pronounced as in 'lei<u>s</u>ure'
'a' is pronounced as in 'c<u>a</u>t'

A few sounds do not exist in English. In 'Basics' and 'Key sentence patterns' these are represented by the following symbols

    [ʀ] the French *'r'* is rather like the Scottish 'r'
    [ã] as in *'enfant'* (child)
    [ẽ] as in *'un'* (one, a)
    [õ] as in *'maison'* (house)

'~' above a vowel indicates that the syllable is pronounced through the nose. To get an idea of these sounds, you can try to say them by holding your nose, but remember not to pronounce the *'n'*.

    [u] as in *'lune'* (moon). This sound is similar to the 'ew' in <u>dew</u>

As a rough guideline you will find a transcription of the sounds in 'Basics' p 8 and 'Key sentence patterns' p 9

Abbreviations

Abréviations

(adj)	adjective	adjectif
(adv)	adverb	adverbe
(n)	noun	nom (substantif)
(prep)	preposition	préposition
(pron)	pronoun	pronom
(vb)	verb	verbe
(m)	masculine	masculin
(f)	feminine	féminin
(s)	singular	singulier
(pl)	plural	pluriel
(infml)	informal	familier
(tdmk)	trademark	marque déposée
(eg)	for example	par exemple
(inv)	invariable	invariable

Dictionary
A – Z
Vocabulaire

A

a (an) *un (m) une (f) (article)*
about (=approximately) *environ*
about (=concerning) *à propos*
  about /your problem/ *à propos de /votre problème/*
above (adv) *au-dessus*
  above /my head/ *au-dessus de /ma tête/*
abroad *à l'étranger*
  he's abroad *il est à l'étranger*
accept *accepter*
accident *accident (m)*
accommodation *logement (m)*
accountant *agent comptable (m)*
ache *mal (m) (m) maux (pl)*
  I've got backache *j'ai mal au dos*
  I've got earache *j'ai mal aux oreilles*
  I've got stomachache *j'ai mal à l'estomac*
actor *acteur (m)*
actress -es *actrice (f)*
adaptor plug *prise (f) multiple*
add *ajouter*
address -es *adresse (f)*
  temporary address *adresse temporaire*
adjust *adapter*
admission (=cost) *entrée (f)*
adult *adulte (m)*
  adults only *réservé aux adultes*
advance (advance of money) *avance (f)*
  advance booking *réservation (f)*
  in advance *à l'avance*
advantage *avantage (m)*
advertise *annoncer (publicité)*
advertisement *annonce (f) (publicité)*
advice *conseil (m)*
  I'd like some advice *je voudrais un renseignement*
advise a rest *conseiller du repos*
aerial *antenne (f)*
aeroplane *avion (m)*
  by air *par avion*

aerosol *aérosol (m)*
afraid
  be afraid (of / /) *avoir peur (de/ /)*
  I'm afraid of / / *j'ai peur de / /*
after *après*
afternoon *après-midi (m)*
  good afternoon *bonjour*
  this afternoon *cet après-midi*
  tomorrow afternoon *demain après-midi*
  yesterday afternoon *hier après-midi*
aftershave lotion *lotion (f) après-rasage*
afterwards *après*
again *encore (de nouveau)*
against *contre*
age *âge (m)*
agency -ies *agence (f)*
agenda *agenda (m)*
agent (of company) *agent (m)*
ago
  /three years/ ago *il y a /trois ans/*
agree *être d'accord*
  agree to / / *convenir de / /*
  I agree *je suis d'accord*
agreement *accord*
ahead *devant*
air *air (m)*
  air pressure *pression (f) d'air*
  by air *par avion*
  some fresh air *un peu d'air*
air conditioning *système (m) d'air conditionné*
air letter *aérogramme (m)*
air terminal *aérogare (f)*
  air terminal bus *bus (m) pour l'aéroport*
airline *ligne aérienne (f)*
airmail *courrier aérien (m)*
  by airmail *par avion*
airport *aéroport (m)*
  airport bus -es *bus (m) pour l'aéroport*
alarm clock *réveille-matin (m)*
alcohol *alcool (m)*
alcoholic *alcoolique*
alive *vivant (m) vivante (f)*

he's alive *il est vivant*
all *tout (m) tous (mpl) toute (f) toutes (fpl)*
  all /the children/ *tous /les enfants/*
  all /the time/ *tout /le temps/*
allergic *allergique*
  I'm allergic /to penicillin/ *je suis allergique /à la pénicilline/*
allow *autoriser*
  allow /smoking/ *autoriser à /fumer/*
allowed *autorisé*
almost *presque*
alone *seul*
alphabet *alphabet (m)*
already *déjà*
also *aussi*
alter (change) *changer*
alter (=clothes) *retoucher*
alternative (adj) *autre*
always *toujours*
a.m. *du matin (m)*
  /four/ a.m. */quatre/ heures du matin*
ambassador *ambassadeur (m)*
ambulance *ambulance (f)*
amenities (pl) *facilités (fpl)*
among *parmi*
  among /my friends/ *parmi /mes amis/*
amusement arcade *parc (m) d'attractions*
amusing *amusant (m) amusante (f)*
anaemic *anémique*
  I'm anaemic *je suis anémique*
anaesthetic (n) *anesthésie (f)*
anchor *ancre (f)*
and *et*
angry *fâché*
  I'm angry with/ him/ *je suis fâché contre /lui/*
animal *animal (m) animaux (pl)*
ankle *cheville (f)*
  ankle socks *chaussettes courtes (fpl)*
anniversary -ies *anniversaire (m)*
  wedding anniversary *anniversaire de mariage*
announcement *annonce (f)*
  make an announcement *annoncer*

annoying *ennuyeux (m) ennuyeuse (f) /embêtant (infml) (m)embêtante (f)*
annual *annuel*
anorak *anorak (m)*
another (different) *un autre (m) une autre (f)*
another (=additional) *encore (un autre)*
  another /glass of wine/ *encore /un verre de vin/*
answer (n) *réponse (f)*
answer (vb) *répondre*
ant *fourmi (f)*
antibiotic *antibiotique (f)*
antifreeze *antigel (m)*
  a can of antifreeze *un bidon d'antigel*
antique (n) *antiquité (f)*
antique shop *magasin (m) d'antiquités*
antiseptic *antiseptique*
  antiseptic cream *crème antiseptique (f)*
  a tube of antiseptic (cream) *un tube de crème antiseptique*
any
  have you got /any stamps/? *vous avez /des timbres/?*
  I haven't got /any money/ *je n'ai pas /d'argent/*
anything
  anything else? *c'est tout?*
aperitif *apéritif (m)*
apologise *s'excuser*
  I apologise *je m'excuse*
apology -ies *excuse (f)*
appendicitis *appendicite (f)*
apple *pomme (f)*
  apple juice -es *jus de pomme (m)*
application form *formulaire (m)*
apply
  apply to / / for /a visa/ *s'adresser à / / pour /un visa/*
  apply for /a job/ *faire une demande d'/emploi/*
appointment *rendez-vous (m)*
  I've got an appointment *j'ai un rendez-vous*
  make an appointment *fixer un rendez-vous*

apricot *abricot (m)*
April *avril (m)*
aqualung *bouteille (f) de plongée sous-marine*
architect *architecte (m & f)*
area (of town) *quartier (m)*
area (of country) *région (f)*
argue *se disputer*
argument *dispute (f)*
arm *bras (m)*
army *armée (f)*
around *autour*
  around /the table/ *autour /de la table/*
arrange *organiser*
  arrange /a meeting/ *organiser /une réunion/*
arrangement *arrangement (m)*
arrival *arrivée (f)*
  time of arrival *heure d'arrivée*
arrive *arriver*
  arrive at /four-thirty/ p.m. *arriver à /seize heures trente/*
  arrive in /July/ *arriver en /juillet/*
  arrive on /Monday/ *arriver /lundi/*
  arrive in /Milan/ *arriver à /Milan/*
arrow *flèche (f)*
art gallery -ies *musée (m) d'art*
artichoke *artichaut (m)*
artificial *artificiel*
artificial respiration *respiration (f) artificielle*
artist *artiste (m&f)*
ashamed
  be ashamed (of / /) *avoir honte (de / /)*
  I'm ashamed of /him/ *j'ai honte de /lui/*
ashtray *cendrier (m)*
ask *demander*
  please ask how much it is *demandez combien ça coûte s'il vous plaît*
asleep
  he's asleep *il dort*
asparagus *asperges (fpl)*
  asparagus tips *pointes (fpl) d'asperges*

aspirin *aspirine (f)*
  a bottle of aspirins *un tube d'aspirine*
  a packet of aspirins *un paquet d'aspirine*
assistant *assistant (m) assistante (f)*
  shop assistant *vendeur (m) vendeuse (f)*
asthma *asthme (m)*
at
  at seven-thirty *à /sept heures trente/*
  at /the hotel/ *à /l'hôtel/*
  at /the university/ *à /l'université/*
atlas -es *atlas (m)*
attack (n) *attaque (f)*
  an attack of / / *une crise de / /*
attend *assister*
  attend a /Catholic/ service *assister à un office /catholique/*
attendant *gardien (m) gardienne (f)*
attractive *attirant (m) attirante (f)*
au pair *au pair (f)*
aubergine *aubergine (f)*
auction (n) *vente (f) aux enchères*
auction (vb) *vendre aux enchères*
audience *public (m)*
August *août (m)*
aunt *tante (f)*
author *auteur (m)*
authorities (pl) *autorités (fpl)*
automatic *automatique*
autumn *automne (m)*
  in autumn *en automne*
available *disponible*
avalanche *avalanche (f)*
average (n) *moyenne (f)*
avocado *avocat (m)*
avoid *éviter*
awake *réveillé*
  he's awake *il est réveillé*
away *parti*
  he's gone away *il est parti*
away (absent) *absent (m) absente (f)*
awful *affreux (m) affreuse (f)*

B

baby -ies *bébé (m)*

baby-sit *s'occuper du bébé*
baby-sitter *babysitter (m&f)*
back *dos (m)*
  backache *mal au dos (m)*
back door *porte de derrière (f)*
backwards *en arrière*
bacon *bacon (m)*
bad *mauvais (m) mauvaise (f)*
badly (adv) *mal (adv)*
  badly hurt *gravement blessé*
badminton *badminton (m)*
  a game of badminton *une partie de badminton*
  play badminton *jouer au badminton*
bag *sac (m)*
  carrier bag *sac à provisions*
  paper bag *sac en papier*
  plastic bag *sac en plastique*
  string bag *filet (m) (à provisions)*
bake *faire cuire au four*
baker's *boulangerie (f)*
balcony -ies *balcon (m)*
bald *chauve*
  he's bald *il est chauve*
ball *balle (f)*
  a ball of /string/ *une pelote de /ficelle/*
  beach ball *ballon (m) de plage*
  football *ballon (m) de football*
  golf ball *balle de golfe*
  squash ball *balle de squash*
  table tennis ball *balle ping-pong*
  tennis ball *balle de tennis*
ball (=dance) *bal (m)*
ballet *ballet (m)*
  ballet dancer *danseur de ballet (m) danseuse de ballet (f)*
balloon *ballon (m)*
ballpoint pen *stylo (m) à bille*
ballroom *salle (f) de bal*
banana *banane (f)*
band (=orchestra) *orchestre (m)*
bandage (n) *pansement (m)*
bandage (vb) *bander*
bank *banque (f)*
  bank account *compte (m) bancaire*
  current account *compte (m) courant*

bar (=for drinks) *bar (m)*
barbecue *barbecue (f)*
bare (=naked) *nu*
bare (of room etc) *nu*
bargain (n) *affaire (f)*
  it's a bargain *c'est une affaire*
bargain (vb) *marchander*
  bargain with / / *marchander avec / /*
barrel *tonneau (m)*
  a barrel of / / *un tonneau de / /*
barrier *barrière (f)*
basement *sous-sol (m)*
basket *panier (m)*
  a basket of / / *un panier de / /*
  shopping basket *panier à provisions*
  waste paper basket *corbeille (f) à papier*
basketball (=game) *basket (m)*
  a game of basketball *une partie de basket*
  play basketball *jouer au basket*
bat (cricket) *batte (f)*
bath *bain (m)*
  have a bath *prendre un bain*
  Turkish bath *bain turc*
bath mat *tapis (m) de bain*
bath salts (pl) *sels (mpl) de bain*
bathe (eyes etc) *baigner*
bathe (in the sea etc) *se baigner*
bathing costume (one piece) *maillot de bain (femmes)*
bathing trunks (pl) *maillot de bain (hommes)*
bathroom *salle de bain (f)*
battery -ies (radio) *pile (f)*
battery -ies (car) *batterie (f)*
  I've got a flat battery *ma batterie est à plat*
bay (=part of sea) *baie (f)*
be *être*
be called (a name) *s'appeler*
beach -es *plage (f)*
  beach hut *cabine de plage (f)*
  beach umbrella *parasol (m)*
beads (pl) *perles (f)*
  string of beads *collier (m) de perles*

bean *haricot (m)*
  broad bean *fève (f)*
  French bean *haricot vert (m)*
beautiful *beau (m) belle (f)*
beauty salon *salon (m) de beauté*
because *parce que*
  because of /the weather/ *à cause /du temps/*
bed *lit (m)*
  bed and breakfast *chambre avec petit déjeuner*
  double bed *lit à deux personnes*
  go to bed *aller au lit*
  in bed *au lit*
  make the bed *faire le lit*
  single bed *lit à une personne*
bed clothes (pl) *couvertures (fpl)*
bedpan *bassin (m) (hôpital)*
bedroom *chambre (f)*
bee *abeille (f)*
  bee sting *piqûre (f) d'abeille*
beef *viande (f) de boeuf*
  beef sandwich *sandwich au rosbif*
beer *bière (f)*
  a beer *une bière*
  a bottle of beer *une bouteille de bière*
  a can of beer *une boîte de bière*
  a pint of beer *un demi*
beetroot/beetroot (pl) *betterave (f)*
before *avant*
  before /breakfast/ *avant /le petit déjeuner/*
  before /leaving/ *avant de /partir/*
begin *commencer*
  when does it begin? *à quelle heure est-ce que ça commence?*
behalf
  on behalf of / / *de la part de / /*
behaviour *conduite (f)*
behind (prep) *derrière (prep)*
  behind /the house/ *derrière /la maison/*
beige *beige*
believe *croire*
  believe /me/ *croyez/-moi/*
  I don't believe it *je ne le crois pas*
bell (large) *cloche (f)*

bell (small) *sonnette (f)*
belongings (pl) *affaires (fpl)*
below (adv) *dessous*
below /the chair/ *au-dessous de /la chaise/*
belt *ceinture (f)*
bend (in a road) *virage (m)*
bend (vb) *courber*
bent (adj) *courbé*
beret *béret (m)*
berth *couchette (f)*
  /four/-berth cabin *cabine à/quatre/couchettes*
  lower berth *couchette inférieure*
  upper berth *couchette supérieure*
beside (prep) *à côté (de)*
  beside /her/ *à côté d'/elle/*
best *meilleur*
  the best /hotel/ *le meilleur /hôtel/*
bet (n) *pari (m)*
bet (vb) *parier*
better *mieux*
  he's better (health) *il va mieux*
  it's better (things) *c'est mieux*
betting shop *bureau (m) bureaux (pl) de paris*
between /London/ and /Paris/ *entre /Londres/ et /Paris/*
beyond (prep) *au-delà (de)*
  beyond /the station/ *au-delà de /la gare/*
bib *bavette (f)*
Bible *bible (f)*
bicycle/bike (infml) *bicyclette (f) vélo (m) (infml)*
big *grand (m) grande (f)*
bikini *bikini (m)*
bill (for food, hotel, etc.) *addition (f)*
billiards *billard (ms)*
  a game of billiards *une partie de billard*
  play billiards *jouer au billard*
binoculars (pl) *jumelles (fpl)*
  a pair of binoculars *une paire de jumelles*
bird *oiseau (m) oiseaux (pl)*
biro (tdmk) *bic (m) (tdmk)*

birth *naissance (f)*
  birth certificate *extrait (m) de naissance*
  date of birth *date (f) de naissance*
  place of birth *lieu (m) de naissance*
birthday *anniversaire (m)*
biscuit *biscuit (m)*
bite (=insect b.) *piqûre (f)*
bitter (adj) *amer*
black *noir*
  black coffee *café noir (m)*
blackberry -ies *mûre (f)*
blackcurrant *cassis (m)*
blanket *couverture (f)*
bleach (n) *décolorant (m)*
bleach (vb) (laundry) *décolorer*
bleed *saigner*
  my nose is bleeding *je saigne du nez*
  stop the bleeding *arrêter le saignement*
blind (adj) *aveugle*
blinds (=Venetian-type) *stores (mpl)*
blister (n) *ampoule (au corps) (f)*
block of flats *immeuble (m)*
blocked (eg drain) *bouché*
blonde *blond (m) blonde (f)*
blood *sang (m)*
  blood group *groupe (m) sanguin*
  blood pressure *tension (f) artérielle*
blotting paper *buvard (m)*
blouse *chemisier (m)*
blue *bleu*
blunt (eg knife) *émoussé*
board (vb) (eg a plane) *embarquer*
board (n) (=cost of meals) *pension (f)*
  full board *pension complète*
  half board *demi-pension*
boarding card *carte (f) d'embarquement*
boat *bateau (m) bateaux (pl)*
  by boat *en bateau*
  boat train *train-bateau (m)*
  lifeboat *canot (m) de sauvetage*
  motor-boat *bateau à moteur*
  sailing boat *bateau à voiles*
body -ies *corps (m)*
boil (vb) *bouillir*

bomb (n) *bombe (f)*
bone (n) *os (m)*
book *livre (m)*
  guide book *guide (m)*
booking *location (f)*
  advance booking *réservation (f)*
booking office *guichet (m) de location*
bookmaker *bookmaker (m)*
bookshop *librairie (f)*
boots (pl) *bottes (fpl)*
  a pair of boots *une paire de bottes*
  rubber boots *bottes en caoutchouc*
  ski-boots *chaussures (fpl) de ski*
border (=frontier) *frontière (f)*
bored (to be bored) *s'ennuyer*
  I'm bored *je m'ennuie*
boring *ennuyeux (m) ennuyeuse (f)*
borrow *emprunter*
  borrow /a pen/ *emprunter /un stylo/*
  may I borrow /your pen/? *est-ce que je peux emprunter /votre stylo/?*
boss (n) *patron (m) patronne (f)*
both *tous les deux*
bother (vb) *déranger*
  don't bother *ne vous dérangez pas*
  I'm sorry to bother you *excusez-moi de vous déranger*
bottle *bouteille (f)*
  a bottle of / / *une bouteille de / /*
  bottle-opener *ouvre-bouteille (m)*
  feeding bottle *biberon (m)*
bottom (part of body) *derrière (m) (partie du corps)*
  bottom of / / *fond (m) de / /*
bow tie *noeud (m) papillon*
bowl *bol (m)*
bowling (=ten pin bowling) *bowling (m)*
  bowling alley *piste (f) de bowling*
bows (pl) (of ship) *proue (fs)*
box -es *boîte (f)*
  a box of / / *une boîte de / /*
box office *guichet (m) (de location)*
boxer *boxeur (m)*
boxing *boxe (f)*
  boxing match *match (m) de boxe*
boy *garçon (m)*
boyfriend *ami (m)*

bra *soutien-gorge (m)*
bracelet *bracelet (m)*
  silver bracelet *bracelet en argent*
braces (pl) *bretelles (fpl)*
  a pair of braces *une paire de bretelles*
brake fluid *liquide (m) de freins*
brake linings/pads (pl) (car) *garnitures (fpl) de freins*
brakes/braking system *freins (mpl)*
branch (of company) **-es** *succursale (f)*
brand (=of make) *marque (f)*
  brand name *marque de fabrique*
brandy -ies *cognac (m)*
  a bottle of brandy *une bouteille de cognac*
  a brandy *un cognac*
bread *pain (m)*
  a loaf of bread *une baguette*
  a slice of bread *une tranche de pain*
  brown bread *pain de campagne*
  bread roll *petit pain*
  sliced bread *pain en tranches*
  white bread *pain de mie*
break (vb) *casser*
breakdown (car) *panne (f)*
breakfast *petit déjeuner (m)*
  bed and breakfast *chambre avec petit déjeuner*
  breakfast for /two/ *petit déjeuner pour / deux/personnes*
  breakfast in my room *petit déjeuner dans ma chambre*
  continental breakfast *petit déjeuner*
  English breakfast *petit déjeuner à l'anglaise*
  have breakfast *prendre le petit déjeuner*
  serve breakfast *servir le petit déjeuner*
breast *sein (m)*
breast-feed *allaiter*
breath *souffle (m)*
  out of breath *essoufflé*
breathe *respirer*
bride *mariée (n) (f)*

bridegroom *marié (n) (m)*
bridge (=card game) *bridge (m)*
  a game of bridge *une partie de bridge*
bridge *pont (m)*
  toll bridge *pont à péage*
bridle *bride (f)*
briefcase *serviette (f)*
bring *apporter*
broadcast (n) *émission (f)*
broadcast (vb) *diffuser*
broccoli *brocoli (m)*
brochure *brochure (f)*
broken *cassé*
brooch -es *broche (f)*
  cameo brooch *camée (f)*
  silver brooch *broche en argent*
brother *frère (m)*
brother-in-law /brothers-in-law (pl) *beau-frère (f) beaux-frères (pl)*
brown *marron/brun (m) brune (f)*
  brown hair *cheveux (mpl) bruns*
bruise (n) *contusion (f)*
bruised *contusionné*
brush -es *brosse*
  clothes brush *brosse à habits*
  hair-brush *brosse à cheveux*
  nail-brush *brosse à ongles*
  paint-brush *pinceau (m)*
  shaving brush *blaireau (m)*
  shoe-brush *brosse à chaussures*
  tooth-brush *brosse à dents*
bucket *seau (m)*
  a bucket and spade *un seau et une pelle*
buckle *boucle (f)*
Buddhist *bouddhiste (m&f)*
buffet car *wagon-restaurant (m)*
builder *entrepreneur (m)*
building *bâtiment (m)*
  public building *bâtiment public*
bulb (=light bulb) *ampoule (f) (électrique)*
  40/60/100/200 watt *40/60/100/200 watt*
bun (bread) *petit pain (m)*
bun (hair) *chignon (m)*

in a bun en chignon
bunch -es bouquet (m)
a bunch of /flowers/ un bouquet de /fleurs/
bungalow pavillon (m)
bunk bed lit (m) superposé
buoy bouée (f)
burglary -ies cambriolage (m)
burn (n) brûlure (f)
burn (vb) brûler
burnt brûlé
burst (adj) éclaté
a burst pipe un tuyau éclaté
bury enterrer
bus -es autobus (m)/bus (infml)
bus station gare (f) routière
bus stop arrêt (m) de bus
by bus en bus
the bus for / / le bus pour / /
bus driver conducteur (m) d'autobus
businessman /businessmen (pl) homme (m) d'affaires
busy occupé
but mais
butane butane (m)
butcher's boucherie (f)/charcuterie (f)
butcher charcutier, boucher
butter beurre (m)
butterfly -ies papillon (m)
button bouton (m)
buy acheter
buy /an umbrella/ acheter /un parapluie/
where can I buy /an umbrella/? où est-ce que je peux acheter /un parapluie/?
by
by /bus/ en /bus/
by /the station/ près de /la gare/
by (time)
by /three o'clock/ à /trois heures/
bypass (n) -es boulevard (m) périphérique

C

cabbage chou (m)

cabin cabine (f)
cabin cruiser yacht de croisière (m)
/four/ berth cabin cabine à /quatre/ couchettes
cable (n) câble (m)
cable car funiculaire (m)
café café (m)
caffeine caféine (f)
cake gâteau (m)
a piece of cake un morceau de gâteau
cake shop pâtisserie (f)
calculate calculer
calculate /the cost/ calculer /les frais/
calculator machine (f) à calculer
pocket calculator calculatrice (f) de poche
calendar calendrier (m)
call (n) (telephone call) appel (m) (téléphonique)
alarm call appel d'alarme
call box -es cabine (f) téléphonique
early morning call réveil (m) par téléphone
international call appel international
local call communication (f) urbaine
long distance call communication (f) interurbaine
make a long distance call faire une communication interurbaine
make a call téléphoner
transferred charge call communication (f) en P.C.V.
call (vb) (=telephone) téléphoner
call again later rappeler plus tard
call /the police/ appeler /la police/
call on / / (=visit) rendre visite à / /
calm (of sea) calme
calor gas butane (m)
calories (pl) calories (fpl)
cameo camée (m)
camera appareil-photo (m)
cine camera caméra (f)
35 mm camera caméra 35 mm
camera shop magasin (m) de photo
camp (n) camp (m)

holiday camp camp de vacances
camp bed lit (m) de camp
campfire feu (m) de camp
camping camping (m)
  go camping faire du camping
campsite camping (m)
can (n) boîte (f)
  a can of /beer/ une boîte de /bière/
can (vb) pouvoir (vb)
  I can /do it/ je peux /le faire/
  I can't /do it/ je ne peux pas /le faire/
canal canal (m)
cancel /my flight/ annuler /mon vol/
cancellation annulation (f)
cancelled annulé
candle bougie (f)
canoe (n) canoë (m)
canoeing canoë (m)
  go canoeing faire du canoë
canteen (eating place) cantine (f)
canvas (=material) toile (f)
  canvas bag sac (m) en toile
cap (=hat) casquette (f)
  shower cap bonnet (m) de douche
  swimming cap bonnet (m) de bain
cap (n) (for tooth) couronne (f) (pour dents)
cap (vb) (tooth) couronner (une dent)
cape (=cloak) cape (f)
cape (eg Cape of Good Hope) cap (m)
captain capitaine (m)
car voiture (f)
  by car en voiture
  buffet car wagon-restaurant (m)
  car ferry -ies ferry (m)
  car hire location (f) de voitures
  car park parking (m)
  car wash lave-auto (m)
  sleeping car wagon-lit (m)
car park parking (m)
carafe carafe (f)
  a carafe of /wine/ une carafe de /vin/
carat carat (m)
  /nine/ carat gold or à /neuf/ carat
caravan caravanne (f)

caravan site camping (m) pour caravannes
/four/ berth caravan caravanne pour /quatre/ personnes
card carte (f)
  birthday card carte d'anniversaire
cardigan cardigan (m)
cards (pl) cartes (fpl) à jouer
  a game of cards une partie de cartes
  a pack of cards un jeu de cartes
careful prudent (m) prudente (f)
careless imprudent (m) imprudente (f)
caretaker gardien (m) gardienne (f)
carnation oeillet (m)
carnival carnaval (m)
carpet tapis (m)
  fitted carpet moquette (f)
carriage (in a train) wagon (m)
carrier bag sac (m) à provisions
carrot carotte (f)
carry porter
carrycot porte-bébé (m)
carton carton
  carton of /cigarettes/ (=200) cartouche (f) de /cigarettes/
  a carton of /milk/ un carton de /lait/
cartridge cartouche (f)
case (=suitcase) valise (f)
  cigarette case étui (m) à cigarettes
case cas (m)
cash (n) espèces (fpl)
  cash payment paiement (m) en espèces
  cash price prix (m) au comptant
  pay cash payer comptant
cash (vb) encaisser
  cash /a traveller's cheque/ encaisser /un chèque de voyage/
cash desk caisse (f)
cashier caissier (m)
cashmere cachemire (m)
  cashmere sweater pull-over (m) en cachemire
casino casino (m)
casserole (meal) ragoût (m)
casserole (container) cocotte (f)
cassette cassette (f)

cassette recorder magnétophone (m) à cassettes
pre-recorded cassette cassette enregistrée
castle château (m) châteaux (pl)
casualty department (hospital) urgences (fpl) (hôpital)
cat chat (m)
catalogue catalogue (m)
catch (transport) prendre
  catch /the train/ prendre /le train/
catch (illness) attraper
  catch /an illness/ attraper /une maladie/
cathedral cathédrale (f)
Catholic (adj) catholique
cattle (pl) bétail (ms)
cauliflower chou-fleur (m)
cause (n) cause (f)
cave caverne (f)
ceiling plafond (m)
celery céleri (m)
  a head of celery un pied de céleri
cellar cave (f)
cement (n) ciment (m)
cemetery cimetière (m)
centimetre centimètre (m)
centre centre (m)
  in the centre au centre
  shopping centre centre commercial
  town centre centre ville
century -ies siècle (m)
ceramic céramique (adj)
cereal (=breakfast cereal) céréale (f)
ceremony -ies cérémonie (f)
certain certain (m) certaine (f)
  I'm certain je suis certain
certainly certainement
certificate certificat (m)
chain chaîne (f)
chain store grand magasin (m)
chair chaise (f)
  chair lift télésiège (m)
  high chair chaise haute
  wheelchair fauteuil (m) roulant
chairman /chairmen (pl) président (m)
chalet chalet (m)

chambermaid femme (f) de chambre
champagne champagne (m)
  a bottle of champagne une bouteille de champagne
change (n) (= alteration) changement (m)
change (n) (=money) monnaie (f)
  small change petite monnaie
change (vb) changer
  change clothes changer de vêtements
  change /the tyre/ changer /le pneu/
  I'd like to change /some traveller's cheques/ je voudrais changer /des chèques de voyage/
change at / / (of train) changer à / /
  do I have to change? faut-il changer?
changing room vestiaire (m) (sport)
charcoal charbon (m) de bois
charge (n) (=payment) prix (m) prix (pl)
charge (vb) (=payment) faire payer
charming charmant (m) charmante (f)
chart (=sea map) carte (f) marine
charter flight charter (m)
chauffeur chauffeur (m)
cheap bon marché
cheat (vb) tricher
check (vb) vérifier
  could you check /the oil and water/ please? pouvez-vous vérifier /l'huile et l'eau/ s'il vous plaît?
check in (vb) (=of hotel/plane) se présenter à l'enregistrement
check out (vb) (=of hotel) régler la note
check up (n) (=of health) examen (m) médical
cheek (of face) joue (f)
cheers! (toast) à votre santé!
cheese fromage (m)
  cheese /omelette/ /omelette (f)/ au fromage
chemist's pharmacie (f)
cheque chèque (m)
  cheque book chéquier (m)
  traveller's cheque chèque de voyage

cheque card *carte (f) bancaire*
crossed cheque *chèque barré*
pay by cheque *payer par chèque*
cherry -ies *cerise (f)*
chess (s) *échecs (mpl)*
 a game of chess *une partie d'échecs*
 play chess *jouer aux échecs*
chest (part of body) *poitrine (f)*
chest of drawers *commode (f)*
chestnut (n) *châtaigne (f)/marron (m)*
chestnut (adj) *marron*
chewing gum *chewing gum (m)*
chicken *poulet (m)*
chicken pox *varicelle (f)*
chilblain *engelure (f)*
child /children (pl) *enfant (m)*
chimney -ies *cheminée (f)*
chin *menton (m)*
china *porcelaine (f)*
chips (pl) (potato) *frites (fpl)*
chiropodist *pédicure (m&f)*
chocolate *chocolat (m)*
 a bar of chocolate *une tablette de
 chocolat*
 a box of chocolates *une boîte de
 chocolats*
choice *choix (m) choix (pl)*
 choice between / / and / / *choix
 entre / / et / /*
choir *choeur (m)*
choose *choisir*
 choose between / / and / /
 choisir entre / / et / /
chop (n) *côtelette (f)*
 lamb chop *côtelette d'agneau*
 pork chop *côtelette de porc*
chop (vb) *hacher*
chopsticks (pl) *baguettes (fpl)*
Christ *Christ*
Christian *chrétien (m) chrétienne (f)*
Christmas *Noël (m)*
 Christmas card *carte (f) de Noël*
 Christmas Day *jour (m) de Noël*
church -es *église (f)*
 a /Protestant/ church *une église
 /prostestante/*
cider *cidre (m)*

 a bottle of cider *une bouteille de
 cidre*
 a cider *un verre de cidre*
cigar *cigare (m)*
 a box of cigars *une boîte de cigares*
 a Havana cigar *un Havane*
cigarette *cigarette (f)*
 a carton of cigarettes (=200) *une
 cartouche de cigarettes*
 cigarette (American type) *cigarette (f)
 blonde*
 cigarette (French type) *cigarette (f)
 brune*
 filter-tipped cigarettes *filtres (mpl)*
 smoke a cigarette *fumer une
 cigarette*
 a packet of cigarettes *un paquet de
 cigarettes*
cigarette case *étui (m) à cigarettes*
cigarette lighter *briquet (m)*
 gas lighter *briquet à gaz*
cigarette paper *papier (m) à cigarettes*
cinema *cinéma (m)*
circus -es *cirque (m)*
citizen *citoyen (m) citoyenne (f)*
city -ies *ville (f)*
 the new part of the city *les
 nouveaux quartiers (mpl)*
 the old part of the city *la vieille ville*
civil servant *fonctionnaire (m&f)*
civilisation *civilisation (f)*
claim (vb) *réclamer*
 claim /damages/ *réclamer /des
 dommages et intérêts/*
 claim on /the insurance/ *réclamer à
 /l'assurance/*
clarify *clarifier*
class -es *classe (f)*
 cabin class *classe cabine*
 /first/ class */première/ classe*
 tourist class *classe touriste*
classical (eg music) *classique*
 classical music *musique (f) classique*
clean (adj) *propre*
clean (vb) *nettoyer*
cleaner's *teinturerie (f)*
cleansing cream *démaquillant (m)*

clear (=obvious) *évident (m) évidente (f)*
clear (=transparent) *transparent (m) transparente (f)*
clear goods through Customs *dédouaner des marchandises*
clever (of people) *intelligent (m) intelligente (f)*
client *client (m) cliente (f)*
cliff *falaise (f)*
climate *climat (m)*
climb (vb) (=c. mountains) *grimper*
climbing *alpinisme (m)*
  go climbing *faire de l'alpinisme*
clinic *clinique (f)*
  private clinic *clinique privée*
cloakroom *vestiaire (m)*
clock *pendule (f)*
  alarm clock *réveille-matin (m)*
clogs (pl) *sabots (mpl)*
  a pair of clogs *une paire de sabots*
close (vb) *fermer*
closed (adj) *fermé*
cloth (dishcloth) *torchon (m)*
clothes (pl) *vêtements (mpl)*
  clothes brush *brosse (f) à habits*
  clothes line *corde (f) à linge*
  clothes peg *pince (f) à linge*
cloud *nuage (m)*
cloudy *nuageux (m) nuageuse (f)*
club *club (m)*
  gambling club *maison (f) de jeu*
  golf club (institution) *club de golf*
  golf club (object) *club de golf (objet)*
clutch (n) (car) *embrayage (m)*
coach -es (car) *car (m)*
  by coach *en car*
  coach (on a train) *wagon (m)*
coal *charbon (m)*
coarse (of person) *grossier (m) grossière (f)*
coast (n) *côte (f) (littoral)*
coastguard *garde-côte (m)*
coastline *littoral (m) littoraux (pl)*
coat *manteau (m) manteaux (pl)*
coat hanger *porte-manteau (m) porte-manteaux (pl)*

cockroach -es *cafard (m)*
cocktail *cocktail (m)*
cocoa *cacao (m)*
  a cup of cocoa *une tasse de cacao*
coconut *noix (f) de coco*
cod *morue (f)*
code *code (m)*
  dialling code *code départemental*
  postal code *code postal*
codeine *codéine (f)*
coffee *café (m)*
  a cup of coffee *une tasse de café*
  a pot of coffee *une cafetière pleine de café*
  black coffee *café noir*
  decaffeinated coffee *café décaféiné*
  ground coffee *café moulu*
  instant coffee *café soluble*
  espresso coffee *express (m)*
  white coffee *café crème*
coffeepot *cafetière (f)*
coffin *cercueil (m)*
coin *pièce (f) (de monnaie)*
cold (adj) *froid (m) froide (f)*
  I'm cold *j'ai froid*
  it's cold (of things) *c'est froid*
  it's cold (of weather) *il fait froid*
cold (n) *rhume (m)*
  I've got a cold *je suis enrhumé*
collar *collier (m) (vêtements)*
  collar bone *clavicule (f)*
  dog collar *collier de chien*
colleague *collègue (m&f)*
collect (from) *aller chercher (à)*
  collect my luggage *aller chercher mes bagages*
collection (in a church) *quête (f)*
collection (of objects) *collection (f)*
  last collection (of post) *dernière levée (f)*
college *institut (m)/collège (m)*
cologne *eau (f) de cologne*
colour *couleur (f)*
  what colour is it? *c'est de quelle couleur?*
comb (n) *peigne (m)*
come (from) *venir (de)*

come in *entrer*
 come in! (command) *entrez!*
comfortable *confortable*
comic (=funny paper) *illustré* (m) (n)
commerce *commerce* (m)
commission (=payment)
 commission (f)
common (adj) *commun* (m)
 commune (f)
company (=firm) **-ies** *société* (f)
compartment (in train)
 compartiment (m)
 non-smoking compartment
 compartiment non-fumeur
 smoking compartment *compartiment
 fumeur*
compass -es *boussole* (f)
compensation *dédommagement* (m)
competition *concours* (m)
complain *se plaindre*
 complain /to the manager/ *se
 plaindre /au directeur/*
 complain /about the noise/ *se
 plaindre /du bruit/*
complaint *réclamation* (f)
complete (adj) *complet* (m) *complète* (f)
compulsory *obligatoire*
computer *ordinateur* (m)
concert *concert* (m)
concert hall *salle* (f) *de concert*
condition *état* (m)
 in bad condition *en mauvais état*
 in good condition *en bon état*
conditioner (for hair) *après-shampooing*
 (m)
 a bottle of hair conditioner *une
 bouteille d'après-shampooing*
conducted tour *visite* (f) *guidée*
 go on a conducted tour *faire une
 visite guidée*
conference *conférence* (f)
confirm /my flight/ *confirmer /mon
 vol/*
congratulate /you/ on / / */vous/
 féliciter de / /*
congratulations (pl) *félicitations* (fpl)
connect *relier*

connecting flight *vol* (m) *avec
 correspondance*
constipated *constipé*
consul *consul* (m)
consulate *consulat* (m)
 the /British/ Consulate *le consulat
 /britannique/*
contact lenses (pl) *verres* (mpl) *de
 contact*
contagious *contagieux* (m) *contagieuse*
 (f)
contents (pl) (eg of a parcel) *contenu*
 (ms)
continental *continental*
continual *continu*
continue /a journey/ *continuer /un
 voyage/*
contraceptives (pl) *contraceptifs* (mpl)
 the Pill *la pilule*
 a packet of sheaths (=Durex) *un
 paquet de préservatifs*
contract (n) *contrat* (m)
convenient (of time and distance)
 pratique
cook (vb) *faire cuire*
cooked *cuit* (m) *cuite* (f)
cooker *cuisinière* (f)
 electric cooker *cuisinière électrique*
 gas cooker *cuisinière à gaz*
cooking *cuisine* (f)
 do the cooking *faire la cuisine*
cool (adj) *frais* (m) *fraîche* (f)
 (température)
cool (vb) *rafraîchir*
copper *cuivre* (m)
copy (vb) *copier*
copy (n) **-ies** *copie* (f)
 make a copy *faire une copie*
coral *corail* (m)
cord *cordon* (m)
corduroy *velours* (m) *côtelé*
cork *bouchon* (m)
corkscrew *tire-bouchon* (m)
corn (eg on a toe) *cor* (m)
 corn pads (pl) *pansements pour
 cors* (mpl)
corn *blé* (m)

sweet corn *maïs (m)*
corner *coin (m)*
correct (adj) *correct*
correct (vb) *corriger*
correction *correction (f)*
corridor *couloir (m)*
corset *corset (m)*
cost (n) *coût (m)*
cost (vb) *coûter*
cot *lit (m) d'enfant*
cottage *chaumière (f)*
cotton *coton (m)*
  a reel of cotton *une bobine de fil*
cotton wool *coton (m) hydrophile*
couchette *couchette (f)*
cough (n) *toux (f) toux (pl)*
  I've got a cough *je tousse*
cough (vb) *tousser*
cough mixture *sirop (m) pour la toux*
  a bottle of cough mixture *une bouteille de sirop pour la toux*
cough pastilles (pl) *pastilles (fpl) pour la toux*
could
  could you /change/ /the tyre/ please? *pouvez-vous /changer/ /le pneu/ s'il vous plaît?*
count (vb) *compter*
country (=countryside) *campagne (f)*
  in the country *à la campagne*
country (=nation) **-ies** *pays (m)*
couple (married c.) *couple (m)*
coupon *bon (m) (n)*
  /petrol/ coupon *bon /d'essence/ (m)*
course (of food) *plat (n) (m)*
  first course *hors d'oeuvre (m)*
  main course *entrée (f) (d'un repas)*
  last course *dessert (m)*
course
  of course! *bien sûr!*
court (law) *cour (f)*
  tennis court *court (m) de tennis*
cousin *cousin (m) cousine (f)*
cow *vache (f)*
crab *crabe (m)*
crack (n) *fente (f)*
cracked *fendu*

it's cracked *c'est fendu*
cramp (n) *crampe (f)*
crash (into) *entrer en collision (avec)*
crash (car c.) **-es** *accident (m) de voiture*
crash helmet *casque (m) protecteur*
crayon *crayon (m)*
cream (from milk) *crème (f) fraîche*
cream (=lotion) *crème (f) (lotion)*
crease (vb) *froisser*
  does it crease? *est-ce que ça se froisse?*
credit *crédit (m)*
  on credit *à crédit*
  credit terms *conditions (fpl) de crédit*
credit card *carte (f) de crédit*
crew *équipage (m)*
  air crew *équipage en vol*
  ground crew *équipage au sol*
  ship's crew *équipage d'un navire*
cricket *cricket (m)*
  a game of cricket *une partie de cricket*
  play cricket *jouer au cricket*
crime *crime (m)*
criminal *criminel (m)*
crisps (=potato c.) *chips (f)*
crocodile (leather) *crocodile (m)/croco (cuir de crocodile)*
cross /the road/ *traverser /la rue/*
crossroads /crossroads/ (pl) *carrefour (ms)*
crossword puzzle *mots croisés (mpl)*
crowd (n) *foule (f)*
crowded *plein de monde*
crown (vb) (tooth) *couronner (une dent)*
cruise *croisière (f)*
  go on a cruise *faire une croisière*
cry (vb) *pleurer*
  the baby's crying *le bébé pleure*
cube *cube (m)*
cucumber *concombre (m)*
cuff links (pl) *boutons (mpl) de manchette*
  a pair of cuff links *une paire de boutons de manchette*
cup *tasse (f)*

a cup of / / *une tasse de / /*
/plastic/ cup *gobelet (m) /en plastique/*
cupboard *placard (m)*
cure (n) (health) *remède (m)*
cure (vb) (health) *guérir*
curl (vb) *friser*
curlers (pl) *bigoudis (mpl)*
currant *raisin (m) de Corinthe*
currency -ies *monnaie (f) (de différents pays)*
current (=electric c.) *courant (m) (=c. électrique)*
  A.C. *courant alternatif*
  D.C. *courant continu*
  one hundred and twenty/ two hundred and forty volt *cent vingt/deux cents quarante volt*
current (of water) *courant (m) (d'eau)*
  strong current *fort courant*
current (adj) *courant*
curry -ies *cari (m)*
  curry powder *cari en poudre*
curtain *rideau (m) rideaux (pl)*
cushion *coussin (m)*
custom *coutume (f)*
Customs (pl) *douane (fs)*
  customs declaration form *formulaire (m) de déclaration en douane*
cut (n) *coupe (f)*
  a cut and blow dry *une coupe et un brushing*
cut (vb) *couper*
cut off (eg of telephone) *couper (téléphone)*
  I've been cut off *la communication a été coupée*
cutlery *coutellerie (f)*
cutlet *côtelette (f)*
  lamb cutlet *côtelette d'agneau*
  veal cutlet *côtelette de veau*
cycling *cyclisme (m)*
  go cycling *faire de la bicyclette*

D

daily *quotidien (m) quotidienne (f)*

damage (n) (s) *dégâts (mpl)*
damaged *abîmé*
damages (pl) (=compensation) *dommages et intérêts (mpl)*
damn! *zut!*
damp (adj) *humide*
dance (n) *danse (f)*
dance (vb) *danser*
dance hall *dancing (m)*
dancer *danseur (m) danseuse (f)*
dancing *danse (f)*
  go dancing *aller danser*
dandruff (s) *pellicules (foi)*
danger *danger (m)*
dangerous *dangereux (m) dangereuse (f)*
dark (of hair) *brun (m) brune (f)*
dark (of colour) *foncé*
  dark /green/ /vert/ foncé
  it's dark *il fait nuit*
darn (vb) *repriser*
dartboard *cible (f)*
darts (pl) *fléchettes (fpl)*
  a game of darts *une partie de fléchettes*
  play darts *jouer aux fléchettes*
date (calendar) *date (f)*
  date of birth *date de naissance*
date (=fruit) *datte (f)*
daughter *fille (f) (relation)*
daughter-in-law/daughters-in-law (pl) *belle-fille (f) belles-filles (pl)*
dawn (n) *aube (f)*
day *jour (m)*
  every day *tous les jours*
dead *mort (m) morte (f)*
deaf *sourd (m) sourde (f)*
decaffeinated *décaféiné*
December *décembre (m)*
decide *décider*
  decide to / / *décider de / /*
  decide on /a plan/ *décider pour /un plan/*
deck *pont (m) (d'un navire)*
  lower deck *pont inférieur*
  upper deck *pont supérieur*
deckchair *transat (m) (infml)*

declare /this watch/ déclarer /cette montre/
deduct déduire
  deduct /a hundred francs/ from the bill déduire /cent francs /de l'addition
deep profond (m) profonde (f)
deep freeze (=machine) congélateur (m)
definite certain (m) certaine (f)
definitely certainement
degree (=university d.) diplôme (m) (d'université)
degrees (pl) degré (ms)
  Centigrade centigrade
  Fahrenheit Fahrenheit
deicer dégivrant (m)
delay (n) retard (m)
delayed retardé
delicate (health) fragile (=santé)
delicatessen (=food shop) épicerie (f) fine
deliver to livrer à
delivery (goods) livraison (f)
denim (=material) toile (f) de jean
  a pair of denim jeans un jean
dentist dentiste (m)
  I must go to the dentist's il faut que j'aille chez le dentiste
dentures (pl) dentier (ms)
deodorant déodorant (m)
depart partir
department rayon (m)
  children's department rayon pour enfants
  men's department rayon pour hommes
  women's department rayon pour femmes
department (of company) service (m) (d'une société)
  accounts department service comptable
department store grand magasin (m)
departure lounge salle (f) de départ
departure time heure (f) de départ
depend dépendre
  it depends ça dépend

it depends on /the weather/ ça dépend /du temps/
deposit (n) arrhes (fpl)
deposit (vb) (money) verser (banque)
  deposit /some money/ verser /de l'argent/
  deposit /these valuables/ laisser /ces objets de valeur/ en dépôt
depth profondeur (f)
derv gasoil (m)
describe décrire
description description (f)
design (n) dessin (m)
design (vb) dessiner
desk bureau (m) bureaux (pl) (meuble)
dessert dessert (m)
dessertspoonful of / / cuillerée (f) de / /
destination destination (f)
detail détail (m)
detergent détergent (m)
detour détour (m)
  make a detour faire un détour
develop développer
  develop and print (a film) développer et tirer
diabetes diabète (m)
diabetic diabétique (m&f)
dial composer (un numéro de téléphone)
diamond diamant (m)
diarrhoea diarrhée (f)
diary -ies agenda (m)
dice/dice (pl) dé (m)
dictionary -ies dictionnaire (m)
  English/French dictionary dictionnaire anglais/ français
  French/English dictionary dictionnaire français/anglais
  pocket dictionary dictionnaire de poche
die (vb) mourir
diesel oil diesel (m)
diet (=slimming d.) régime (m)
  be on a diet être au régime
difference différence (f)
different from / / différent de / /

difficult *difficile*
difficulty -ies *difficulté (f*
dig (vb) *creuser*
dinghy -ies *canot (m)*
  rubber dinghy *canot pneumatique*
  sailing dinghy *bateau (m) à voiles*
dining room *salle à manger*
dinner (=evening meal) *dîner (m)(n)*
  dinner jacket *smoking (m)*
  have dinner *dîner (vb)*
diplomat *diplomate (m)*
dipstick *jauge (f) d'huile*
direct (adj) *direct*
  direct line *ligne (f) directe*
  direct route *itinéraire (m) direct*
direction *direction (f)*
director *directeur (m) directrice (f)*
directory -ies *annuaire (m)*
  telephone directory *annuaire téléphonique*
  Directory Enquiries *renseignements (mpl) (renseignements téléphoniques)*
dirty *sale*
disagree with
  I disagree with /you/ *je ne suis pas d'accord avec /vous/*
  it disagrees with /me/ (food) *ça ne /me/ réussit pas*
disappointed *déçu*
disc *disque (m)*
  a slipped disc *une vertèbre déplacée*
disco *disco (m)*
disconnect *débrancher*
discount (n) *remise (f)*
disease *maladie (f)*
disembark *débarquer*
disgusting *dégoûtant (m) dégoûtante (f)*
dish (food) -es *plat (m) (n)*
dish (container for food) -es *recipient (m)*
dishcloth *torchon (m)*
dishonest *malhonnête*
dishwasher *lave-vaisselle (m)*
disinfectant *désinfectant (m)*
  a bottle of disinfectant *une bouteille de désinfectant*
disposable *à jeter*

disposable lighter *briquet à jeter*
disposable nappies *couches (fpl) à jeter*
distance *distance (f)*
distributor (car) *allumeur (m) (voiture)*
dive into / / *plonger dans / /*
  dive into /the water/ *plonger dans /l'eau/*
diversion *déviation (f)*
divide (vb) *diviser*
diving *plongée (f)*
  go diving *faire de la plongée*
  skin-diving *plongée sous-marine*
  scuba-diving *plongée avec bouteilles*
divorced *divorcé*
dizzy *étourdi*
  I feel dizzy *j'ai la tête qui tourne*
do *faire*
  do /some shopping/ *faire /des achats/*
  do /me/ a favour */me/ rendre un service*
  could you do /me/ a favour? *pouvez-vous /me/ rendre un service?*
docks (pl) *docks (mpl)*
doctor *médecin (m)*
  I must go to the doctor's *il faut que j'aille chez le médecin*
doctor *docteur (m)*
documents (pl) *papiers (mpl) (identité)*
  car documents *papiers de voiture*
dog *chien (m)*
  dog collar *collier (m) de chien*
doll *poupée (f)*
dollar *dollar (m)*
domestic help *femme (f) de ménage*
dominoes (pl) *dominos (mpl)*
  a game of dominoes *une partie de dominos*
  play dominoes *jouer aux dominos*
donkey *âne (m)*
door *porte (f)*
  back door *porte de derrière*
  front door *porte d'entrée*
doorbell *sonnette (f)*
doorman /doormen (pl) *portier (m)*
dose of /medicine/ *dose (f) de*

/médicament/
double double
  double room chambre pour deux
  personnes
  a double whisky un double whisky
  pay double payer le double
doubt (vb) douter
  I doubt it je m'en doute
down en bas
  are you going down?
  descendez-vous? allez-vous en bas?
downstairs en bas
dozen douzaine (f)
  a dozen /eggs/ une douzaine
  /d'oeufs/
  half a dozen une demi-douzaine
drains (pl) (=sanitary system)
  canalisations (fpl) sanitaires
  the drain's blocked le tuyau
  d'écoulement est bouché
draught (of air) courant (m) d'air
draughts (pl)(game) dames (fpl) (jeu)
  a game of draughts une partie de
  dames
draw (a picture) dessiner
drawer tiroir (m)
dreadful épouvantable
dress (vb) (a wound) panser
dress (n) -es robe (f)
dress /oneself/ /s'/ /habiller/
  dress /the baby/ habiller /le bébé/
dress shop magasin (m) de confection
  pour dames
dressing (medical) pansement (m)
dressing (salad dressing) vinaigrette (f)
dressing gown robe (f) de chambre
dressmaker couturière (f)
drink (n) (usually alcoholic) boisson (f)
  soft drink boisson non alcoolisée
drink (vb) boire
drip-dry ne pas repasser
  a drip-dry shirt une chemise qui ne
  se repasse pas
drive (n) (=entrance) allée (f)
drive (vb) conduire
  go for a drive faire une promenade
  en voiture

driver conducteur (m) conductrice (f)
driving licence permis (m) de conduire
  international driving licence permis
  de conduire international
drop /of water/ goutte (f) /d'eau/
drug drogue (f)
drunk (adj) (=not sober) ivre
dry (adj) sec (m) sèche (f)
dry (vb) sécher
dry cleaner's teinturerie (f)
dual carriageway route (f) à quatre
  voies
duck/duckling canard (m)/caneton (m)
due (to arrive)
  /the train/'s due /at two o'clock/
  /le train/ doit arriver à / quatorze
  heures/
dull (of people and entertainments)
  ennuyeux (m) ennuyeuse (f)
dull (of the weather) gris (temps)
dummy (baby's d.) sucette (f) (pour
  bébés)
during /the night/ pendant /la nuit/
dusk crépuscule (m)
dust (n) poussière (f)
dustbin poubelle (f)
dustman/dustmen (pl) éboueur (m)
duty (=tax) -ies taxe (f)
duty (=obligation) -ies devoir (m)(n)
duty-free goods (pl) marchandise (fs)
  hors-taxe
duty-free shop magasin (m) hors-taxe
duvet couette (f)
  duvet cover housse (f) de couette
dye (vb) teindre
  dye /this sweater/ /black/ teindre
  /ce pull-over/ en /noir/
dysentry dysenterie (f)

E

each chacun (m) chacune (f)
  each /of the children/ chaque
  /enfant/
  4 francs each (on price-tag) 4 francs
  la pièce (f)
ear oreille (f)

earache mal (m) à l'oreille
early tôt
  early train train (m) du matin
  leave early partir tôt
earn (money) gagner (gagner de l'argent)
earplugs (pl) boules (fpl) /Quiès (tdmk)/
earrings (pl) boucles (fpl) d'oreille
  earrings for pierced ears boucles pour oreilles percées
earth (= the earth) terre (f)
easily facilement
east est (m)
Easter Pâques (fpl)
easy facile
eat manger
eau-de-Cologne eau (f) de Cologne
  a bottle of eau-de-Cologne une bouteille d'eau de Cologne
education enseignement (m)
educational éducatif (m) éducative (f)
EEC CEE
efficient (effective) efficace
egg oeuf (m)
  boiled egg oeuf à la coque
  fried egg oeuf sur le plat
  hardboiled egg oeuf dur
  poached egg oeuf poché
  softboiled egg oeuf mollet
  scrambled eggs oeufs brouillés
elaborate (adj) compliqué
elastic (n) élastique (m) (n)
elastic band élastique (m) (n)
Elastoplast (tdmk) sparadrap (m)
elbow coude (m)
election (s) élections (fpl)
electric électrique
  electric shock décharge (f) électrique
electrical appliance shop magasin (m) d'appareils électriques
electrical system (car) système (m) électrique
electrician électricien (m)
electricity électricité (f)
elsewhere ailleurs
embark embarquer (bateau)
embarkation embarquement (m)

embassy -ies ambassade (f)
  the /British/ Embassy l'ambassade /britannique/
embroidery broderie (f)
emergency -ies urgence (f)
emergency exit sortie (f) de secours
emotional émotif (m) émotive (f)
  she's very emotional elle est très sensible
employed by / employé par / /
empty (adj) vide
empty (vb) vider
enclose enfermer
  please find enclosed veuillez trouver ci-joint
end (n) fin (f)
end (vb) terminer
endorse tamponner
  endorse my ticket to / / tamponner mon billet à / /
  endorse /my passport/ tamponner /mon passeport/
engaged (to be married) fiancé (adj)
engaged (telephone) occupé
engaged (toilet) occupé
engagement ring bague (f) de fiançailles
engine (eg for a car) moteur (m) (eg voiture)
engineer ingénieur (m)
engrave graver
enjoy oneself s'amuser
  enjoy /swimming/ aimer /nager/
  enjoy yourself! amusez-vous bien!
enjoyable agréable
enlarge agrandir
enough assez
  enough money assez d'argent
  fast enough assez vite
enroll s'inscrire
enter entrer
  enter /a country/ entrer dans /un pays/
entertaining amusant (m) amusante (f)
entitled
  be entitled to /petrol coupons/ avoir droit à /des bons d'essence/

entrance *entrée (f)*
entrance fee *droit d'entrée*
main entrance *entrée principale*
side entrance *entrée latérale*
envelope *enveloppe (f)*
a packet of envelopes *un paquet d'enveloppes*
airmail envelope *enveloppe par avion*
epidemic (n) *épidémie (f)*
epileptic (adj) *épileptique*
equal *égal*
equip *équiper*
equipment *équipement (m),*
office equipment *équipement de bureau*
photographic equipment *équipement photographique*
eraser *gomme (f)*
escape from / / *s'échapper de / /*
escort (n) *compagnon (m) compagne (f)*
escort (vb) *accompagner*
espresso coffee *express (m) (café)*
estate agent *agent (m) immobilier*
estimate (n) *devis (m)*
even (surface) *plat (m) plate (f)(adj)*
evening *soir (m)*
good evening *bonsoir*
this evening *ce soir*
tomorrow evening *demain soir*
yesterday evening *hier soir*
evening dress (for men) (s) *tenue (f) de soirée*
evening dress /evening dresses(for women) *robe (f) de soir*
every *chaque*
every day *chaque jour*
everyone *tout le monde*
everything *tout*
everywhere *partout*
exact *exact*
exactly *exactement*
examination (=school etc.) *épreuve (f)*
medical examination *examen (m) médical*
examine (medically) *examiner*
example *exemple (m)*
for example *par exemple*

excellent *excellent (m) excellente (f)*
except *sauf*
excess *excès (m)*
excess baggage *excédent (m) de bagages*
excess fare *supplément (m)*
exchange *échanger*
exchange /this sweater/ *échanger /ce pull-over/*
exchange rate *taux (m) de change*
excited *animé*
exciting *passionnant (m) passionnante (f)*
excursion *excursion (f)*
go on an excursion *faire une excursion*
excuse (n) *excuse (f)*
make an excuse *présenter ses excuses*
excuse (vb) *excuser*
excuse me! (to pass in front of someone) *pardon! (= excusez-moi)*
excuse me! (to attract attention) *excusez-moi!*
exhaust system (car) *tuyauterie (f) d'échappement*
exhibition *exposition (f)*
exit *sortie (f)*
emergency exit *sortie de secours*
expedition *expédition (f)*
expensive *cher (m) chère (f)*
experienced *expérimenté*
expert (adj) *expert (m) experte (f)*
expert (n) *expert (m)*
expire (=run out) *expirer*
/my visa/ has expired */mon visa/ est expiré*
explain *expliquer*
explanation *explication (f)*
export (vb) *exporter*
export (n) *exportation (f)*
exposure meter *posemètre (m)*
express
express letter *lettre (f) exprès*
express mail *courier (m) exprès*
express service *service (m) exprès*
express train *rapide (m)(n)*

extension /seven/ (telephone) *poste /sept/ (m) (téléphone)*
extra *supplémentaire*
extras (pl) *suppléments (mpl)*
eye *oeil (m) yeux (pl)*
eye make-up *maquillage (m) pour les yeux*
eyebrow *sourcil (m)*
eyelash *cil (m)*
eyelid *paupière (f)*

F

face *visage (m)*
facecloth *gant (m) de toilette*
facial (=face massage) *soin (m) du visage*
fact *fait (m)*
factory -ies *usine (f)*
factory worker *ouvrier d'usine (m)*
faded (colour) *décoloré*
faint (vb) *s'évanouir*
  I feel faint *je me trouve mal*
fair (adj) *blond (m) blonde (f)*
fair (adj) (=just) *juste*
  that's not fair *ce n'est pas juste*
fair (=entertainment) *foire (f)*
fall (n) *chute (f)*
fall (vb) *tomber*
  I fell downstairs *je suis tombé d'en haut de l'escalier*
false *faux (m) fausse (f)*
  false teeth (pl) *dentier (ms)*
family -ies *famille (f)*
famous *célèbre*
fan (n) (electric) *ventilateur (m)*
fan (n) (sports) *enthousiaste (m&f)*
fancy dress (s) *déguisement (m)*
far *loin*
  how far is it to /Paris?/ /Paris/ *est à quelle distance d'ici?*
  is it far? *c'est loin?*
  not far from / / *pas loin de / /*
fare *prix (m) prix (pl) (du billet)*
  air fare *prix du billet d'avion*
  bus fare *prix du billet de bus*

full fare *plein tarif (m)*
half fare *demi-tarif (m)*
return fare *aller et retour (m)*
single fare *aller simple (m)*
train fare *prix du billet de train*
farm *ferme (f)*
farmer *fermier (m)*
farmhouse *ferme (f)*
fashionable *à la mode*
fast *rapide (adj)*
  fast train *rapide (m)(n)*
fasten *attacher*
fat (adj) *gros (m) grosse (f)*
father *père (m)*
father-in-law/fathers-in-law (pl) *beau-père (m) beaux-pères (mpl)*
fattening *qui fait grossir*
fatty (of food) *gras (m) grasse (f)*
fault *faute (f)*
  it's my fault *c'est ma faute*
faulty *défectueux (m) défectueuse (f)*
favour *service (m)*
  do me a favour *me rendre un service*
  could you do me a favour? *pouvez-vous me rendre un service?*
favourite (adj) *préféré*
feather *plume (f)*
February *février (m)*
fed up
  be fed up *en avoir assez*
  I'm fed up *j'en ai assez*
feeding bottle *biberon (m)*
feel *sentir*
  I feel ill *je ne me sens pas bien*
  I feel sick *j'ai mal au coeur*
feel / / être / / au toucher
  it feels /rough/ *c'est /rude/ au toucher*
felt (material) *feutre (m)*
felt-tip pen *crayon (m) feutre*
female (adj) *femelle (f)*
feminine *féminin (m) féminine (f)*
ferry -ies *ferry (m)*
  by ferry *en ferry*
  car ferry *ferry*
festival *festival (m)*
fetch *chercher* (=aller chercher)

fever *fièvre (f)*
feverish *fiévreux (m) fiévreuse (f)*
few *peu*
  a few *quelques*
  few /people/ *peu de /gens/*
fewer *moins*
fiancé *fiancé (m)*
fiancée *fiancée (f)*
field (n) *champ (m)*
fig *figue (f)*
fight (n) *bagarre (f)*
fight (vb) *se battre*
figure (body) *silhouette (f)*
file (n) (for papers) *dossier (m)*
fill (tooth) *plomber*
fill (vessel) *remplir*
fill in (form) *remplir*
  fill in /a form/ *remplir /un formulaire/*
fill up (with petrol) *faire le plein*
  fill it up please! *le plein, s'il vous plaît!*
fillet (n) *filet (m) (viande, poisson)*
fillet (vb) *découper en filets*
filling (tooth) *plombage (m)*
filling station *station-service (f)*
film (for camera) *pellicule (f)*
  ASA (tdmk) *ASA (tdmk)*
  black and white film *pellicule en noir et blanc*
  cartridge film *pellicule cartouche*
  colour film *pellicule en couleur*
  DIN (tdmk) *DIN (tdmk)*
  Polaroid film (tdmk) *pellicule polaroïd*
  Super 8 *Super-8*
  16mm *16mm*
  35mm 20/36 exposures *35mm 20/36 poses*
film (=entertainment) *film (m)*
  horror film *film d'épouvante*
  pornographic film *film porno*
  thriller *film policier*
  Western *western (m)*
filter-tipped cigarettes *cigarettes (fpl) à bout filtre*
find (vb) *trouver*
  find /this address/ *trouver /cette adresse/*

fine (adj) (of weather) *beau (temps)*
  it's fine *il fait beau*
fine (adj) (=OK) *bien*
  fine thanks! *ça va bien merci!*
fine (n) (=sum of money) *amende (f)*
  pay a fine *payer une amende*
finger *doigt (m)*
finish (vb) *finir*
  finish /my breakfast/ *finir /mon petit déjeuner/*
fire (n) *feu (m) feux (pl)*
  it's on fire *c'est en feu*
fire alarm *avertisseur (m) d'incendie*
fire brigade *pompiers (mpl)*
fire engine *voiture (f) des pompiers*
fire escape *sortie (f) de secours*
fire extinguisher *extincteur (m)*
fireman /firemen/ (pl) *pompier (m)*
fireworks (pl) *feux (mpl) d'artifice*
  firework display *feu (m) d'artifice*
firm (n) (=company) *firme (f)*
first *premier (m) première (f)*
  at first *d'abord*
  first of all *premièrement*
first aid *les premiers secours (mpl)*
first aid kit *trousse (f) de premiers secours*
first class (adj) *de première classe*
first class (n) *première classe*
first name *prénom (m)*
fish *poisson (m)*
fishing *pêche (f)*
  go fishing *aller à la pêche*
fishing line *fil (m) de pêche*
fishing rod *canne (f) à pêche*
fishmonger's *poissonnerie (f)*
fit (adj) (health) *en pleine forme*
  he's fit *il est en pleine forme*
fit (n) (=attack) *accès (m)*
fit (vb) (eg exhaust) *monter*
fit (vb) *ajuster*
  it doesn't fit me *ce n'est pas à ma taille*
  it's a good fit *ça va bien*
fitting room (in shop) *cabine (f) d'essayage*
fix (vb) (=mend) *réparer*

fizzy *gazeux*
flag *drapeau (m) drapeaux (pl)*
flame (n) *flamme (f)*
flannel (=cloth) *flannelle (f)*
flash -es *flash (m)*
  flash bulb *ampoule (f) de flash*
  flash cube *cube flash (m)*
flask (vacuum flask) *bouteille (f) Thermos*
flat (adj) *plat (m) plate (f)*
flat (n) *appartement (m)*
  furnished flat *appartement meublé*
  unfurnished flat *appartement non-meublé*
flavour *parfum (m)*
  banana *à la banane*
  blackcurrant *au cassis*
  chocolate *au chocolat*
  strawberry *à la fraise*
  vanilla *à la vanille*
flea *puce (f)*
flea market *marché (m) aux puces*
flea powder *insecticide (m)*
fleabite *piqûre (f) de puce*
flight *vol (m)*
  charter flight *charter (m)*
  connecting flight *vol avec correspondance*
  scheduled flight *vol régulier*
  student flight *vol à tarif étudiant*
flippers (pl) *palmes (fpl)*
  a pair of flippers *une paire de palmes*
float (vb) *flotter*
flood (n) *inondation (f)*
flooded *inondé*
floor (of room) *plancher (m)*
floor (of building) *étage (m)*
  basement (B) *sous-sol (m) (S)*
  ground floor (G) *rez-de-chaussée (m) (R)*
  /first/ floor */premier/ étage*
  top floor *dernier étage*
florist's *fleuriste (m&f)*
flour *farine (f)*
flower *fleur (f)*
  a bunch of flowers *un bouquet de fleurs*

flower pot *pot (m) à fleurs*
flu *grippe (f)*
fly (=insect) *mouche (f)*
fly spray *insecticide (m) en bombe*
fly to / / *prendre l'avion pour / /*
flying *vol (m)*
  go flying *voler*
flywheel *volant (m)*
fog *brouillard (m)*
foggy
  it's foggy *il y a du brouillard*
fold (vb) *plier*
folding *pliant*
  folding /bed/ */lit/ pliant (m)*
  folding /chair/ */chaise/ (f) pliante*
folk (adj) *folklorique*
  folk art *art (m) folklorique*
  folk dancing *danse (f) folklorique*
  folk music *musique (f) folklorique*
folklore *folklore (m)*
follow *suivre*
fond
  be fond of *aimer*
  I'm fond of /him/ *je /l'/aime bien*
food *nourriture (fs)*
  where can I buy some food? *où est-ce que je peux acheter de la nourriture?*
  food poisoning *intoxication (f) alimentaire*
  health food *aliments (mpl) naturels*
fool (n) *imbécile (m&f)*
foolish *idiot (m) idiote (f)*
foot /feet/ (pl) (=part of body) *pied (m)*
  on foot *à pied*
football (=game) *football (m)*
  a game of football *un match de football*
  play football *jouer au football*
football (=ball) *ballon (m) de football*
footpath (=through fields) *sentier (m)*
for (prep) *pour*
  for /me/ *pour /moi/*
  what's it for? *ça sert à quoi?*
forehead *front (m)*
foreign *étranger (m) étrangère (f)*
foreigner *étranger(m) étrangère (f)*

forest *forêt (f)*
forget *oublier*
forgive *pardonner*
fork (cutlery) *fourchette (f)*
form (=document) *formulaire (m)*
fortunately *heureusement*
forward to *faire suivre à*
please forward *prière de faire suivre*
fountain *fontaine (f)*
fountain pen *stylo (m) à encre*
foyer (in hotels and theatres) *foyer (m)*
fragile *fragile*
fragile with care (=on labels) *fragile attention*
frame (n) (=picture frame) *cadre (m)*
frame (vb) *encadrer*
free (=unconstrained) *libre*
free (=without payment) *gratuit (m) gratuite (f)*
freeze *geler*
it's freezing *il fait un froid de canard (infml)*
frequent (adj) *fréquent (m) fréquente (f)*
fresh *frais (m) fraîche (f)*
fresh food (not stale, not tinned) *nourriture (f) fraîche*
fresh water (ie not salt) *eau (f) douce*
Friday *vendredi (m)*
on Friday *vendredi*
on Fridays *le vendredi*
fridge *frigidaire (m)/frigo (m) (infml)*
friend *ami (m) amie(f)*
friendly *aimable*
fringe (hair) *frange (f)*
from
from /eight/ to /ten/ *de /huit heures/ à /dix heures/*
from /London/ to /Paris/ *de /Londres/ à /Paris/*
I come from / / *je viens de / /*
front
in front of / / *devant / /*
frontier *frontière (f)*
frost *gelée (f)*
frosty *glacial*
frozen (=deep frozen) *gelé*
frozen food *aliments (mpl) congelés*

fruit *fruit (m)*
fresh fruit *fruits (mpl) frais*
tinned fruit *fruits (mpl) en conserve*
fruit juice (see also under juice) *jus (m) de fruit*
a bottle of fruit juice *une bouteille de jus de fruit*
a glass of fruit juice *un verre de jus de fruit*
fry *frire*
frying pan *poêle (f)*
full *plein (m) pleine (f)*
full board *pension (f) complète*
fun *plaisir (m)*
have fun *s'amuser*
funeral *enterrement (m)*
funicular *funiculaire (f)*
funny (=amusing) *amusant (m) amusante (f)*
fur *fourrure (f)*
fur coat *manteau (m) de fourrure*
lined with fur *doublé de fourrure*
furnish *meubler*
furnished *meublé*
furnished /flat/ */appartement/ meublé*
furniture *meubles (mpl)*
furniture shop *magasin (m) de meubles*
further *plus loin*
fuse (n) *fusible (m)*
/three/ amp fuse *fusible de /trois/ ampères*
fuse wire *fil (m) à fusible*
fuse (vb)
the lights have fused *les plombs ont sauté*
future (adj) *futur (adj)*
future (n) *avenir (m)*

G

gabardine coat *gabardine (f)*
gadget *gadget (m)*
gale *grand vent*
gallery -ies *galerie (f)*
art gallery *musée (m) d'art*
gallon *gallon*

gallop (vb) *galoper*
gamble (vb) *jouer (pour de l'argent)*
gambling *jeu (m) jeux (pl) (d'argent)*
gambling club *club (m) de jeu*
game (animals) *gibier (m)*
  grouse *coq de bruyère (m)*
  hare *lièvre (m)*
  partridge *perdrix (m)*
  pheasant *faisan (m)*
  pigeon *pigeon (m)*
  quail *caille (f)*
  wild boar *sanglier (m)*
game *jeu (m) jeux (pl)*
  a game of /tennis/ *une partie de /tennis/*
  play /tennis/ *jouer /au tennis/*
gaol *prison (f)*
  in gaol *en prison*
garage *garage (m)*
garden *jardin (m)*
garlic *ail (m)*
gas *gaz (m)*
gate (=door) *porte (f)*
gate (=airport exit) · *porte (f) (aéroport)*
gear *équipement (m)*
  climbing gear *équipement d'alpinisme*
  diving gear *équipement de plongée*
gears (pl) (car) *vitesses (fpl)*
  first gear *première (f)*
  second gear *seconde (f)*
  third gear *troisième (f)*
  fourth gear *quatrième (f)*
  fifth gear *cinquième (f)*
  reverse *marche arrière (f)*
general (adj) *général (adj)*
generator *générateur (m)*
generous *généreux (m) généreuse (f)*
Gents' (lavatory) *Messieurs*
genuine *authentique*
German measles *rubéole (f)*
get (to) (= reach) *arriver (à)*
  how do I get there? *comment y va-t-on?*
  when does /the train/ get to /Brighton/? */le train/ arrive à /Brighton/ à quelle heure?*
  get /a taxi/ *prendre /un taxi/*

  where can I get /a taxi/? *où est-ce que je peux prendre /un taxi/?*
get off at / / *descendre à / /*
get on at / / *monter à / /*
gift *cadeau (m) cadeaux (pl)*
gift shop *magasin (m) de cadeaux*
gin *gin (m)*
  a bottle of gin *une bouteille de gin*
  a gin *un verre de gin*
  a gin and tonic *un gin-tonic*
ginger (flavour) *gingembre (m)*
girl *fille (f)*
girlfriend *amie (f)*
give *donner*
  give it to /me/ please *donnez- /moi/ ça s'il vous plaît*
glacier *glacier (m)*
glad *content (m) contente (f)*
  he's glad *il est content*
glass (=substance) *verre (m)*
glass -es *verre (m)*
  a glass of /water/ *un verre d'/eau/*
  a wine glass *un verre à vin*
  a set of glasses *un service de verres*
glasses (pl) *lunettes (fpl)*
  a pair of glasses *une paire de lunettes*
glassware shop *magasin (m) de verrerie*
gliding *vol (m) plané*
  go gliding *faire du vol plané*
gloves (pl) *gants (mpl)*
  a pair of gloves *une paire de gants*
glue *colle (f)*
go *aller*
  go /home/ *rentrer /à la maison/*
  go /on a picnic/ *faire /un pique-nique/*
  go out with / / *sortir avec / /*
  go /shopping/ *faire /des achats/*
  let's go *allons-y*
go to /a conference/ *aller à /une conférence/*
goal *but (m)*
goalkeeper *gardien (m) de but*
goat *chèvre (f)*
God/god *Dieu/dieu (m)*

godfather *parrain (m)*
godmother *marraine (f)*
goggles (pl) *lunettes (fpl) protectrices*
  underwater goggles *lunettes de plongée*
go-kart *kart (m)*
gold (adj) *d'or*
gold (n) *or (m)*
golf *golf (m)*
  a round of golf *une partie de golf*
  golf ball *balle (f) de golf*
  golf club (=institution) *club (m) de golf*
  golf club (=object) *club (m) de golf*
  golf course *terrain (m) de golf*
good *bon (m) bonne (f) (adj)*
goodbye *au revoir*
good-looking *beau (m) belle (f)*
  a good-looking man *un bel homme*
  a good-looking woman *une belle femme*
goods (=merchandise) (pl) *marchandises (fpl)*
  goods train *train (m) de marchandises*
goose/geese (pl) *oie (f)*
  wild geese *oies sauvages*
government *gouvernement (m)*
grade (=level) *niveau (m) niveaux (pl)*
gradually *peu à peu*
graduate of / / *diplômé de / /*
grammar (=a grammar book) *livre (m) de grammaire*
grammar (=language forms) *grammaire (f)*
grams (pl) *grammes (fpl)*
grandchild/grandchildren (pl) *petit-enfant (m)/petits-enfants (mpl)*
granddaughter *petite-fille (f) petites-filles (pl)*
grandfather *grand-père (m) grands-pères (pl)*
grandmother *grand-mère (f) grands-mères (pl)*
grandson *petit-fils (m) petits-fils (pl)*
grant (for studies) *bourse (f)*
grape *raisin (m)*
  a bunch of grapes *une grappe de raisins*

grapefruit (fresh) *pamplemousse (f)*
  tinned grapefruit *pamplemousse en boîte*
grass *herbe (f)*
grateful *reconnaissant (m) reconnaissante (f)*
gravy *sauce (f) (viande)*
grease (vb) *graisser*
greasy (of food) *gras (m) grasse (f)*
greasy (of hair) *gras*
great! *formidable!*
green *vert (m) verte (f)*
greengrocer's *magasin (m) de fruits et de légumes*
grey *gris (m) grise (f)*
grey (=grey-haired) *grisonnant (m) grisonnante (f)*
grill (vb) *griller*
groceries (pl) *provisions (fpl)*
grocer's *alimentation (f)/épicerie (f)*
ground (=the ground) *sol (m)*
group *groupe (m)*
  group ticket *billet (m) collectif*
grow (of person) *grandir*
grow (=cultivate) *cultiver*
guarantee (n) *garanti (m)*
guarantee (vb) *garantir*
guardian *gardien (m) gardienne (f)*
guess (vb) *deviner*
guest *invité (m)*
guide (=person) *guide (m&f)(personne)*
guide (vb) *guider*
guide book *guide (m) (livre)*
guilty *coupable*
guitar *guitare (f)*
gum (of mouth) *gencive (f)*
  chewing gum *chewing gum (m)*
gun *fusil (m)*
gymnasium *gymnase (m)*

H

hair *cheveux (mpl)*
hair dryer *séchoir (m) à cheveux*
hair oil *huile (f) gominée*

a bottle of hair oil *une bouteille d'huile gominée*
hairbrush *brosse (f) à cheveux*
haircut *coupe (f) de cheveux*
hairdresser *coiffeur (m) coiffeuse (f)*
hairgrip *pince (f) à cheveux*
half -ves *moitié (f)/demi (m)*
  half a /litre/ *un demi-/litre/*
  half /a slice/ *la moitié /d'une tranche/*
ham *jambon (m)*
  ham /sandwich/ */sandwich/ au jambon*
  /six/ slices of ham */six/ tranches de jambon*
hammer *marteau (m) marteaux (pl)*
hand *main (f)*
hand luggage *bagages (mpl) à main*
handbag *sac (m) à main*
handcream *crème (f) pour les mains*
handkerchief -ves *mouchoir (m)*
handle (eg of a case) *poignée (f)*
handmade *fait main*
hang *accrocher*
hang gliding *delta plane (f)*
happen *arriver (= se passer)*
happy *heureux (m) heureuse (f)*
harbour *port (m)*
  harbour master *commandant (m) du port*
hard (=difficult) *difficile*
hard (=not soft) *dur*
hare *lièvre (m)*
harpoon gun *fusil-harpon (m) fusils-harpon (pl)*
harvest *moisson (f)*
hat *chapeau (m) chapeaux (pl)*
hate (vb) *détester*
have *avoir*
  have fun *s'amuser*
have got
  I've got /an appointment/ *j'ai /un rendez-vous/*
hay fever *rhume (m) des foins*
he *il*
head (part of body) *tête (f)*
headache *mal (m) à la tête*

headlamp bulb *lampe (f) de phare*
headphones (pl) *écouteurs (mpl)*
a pair of headphones *un casque d'écoute*
headwaiter *maître (m) d'hôtel*
health *santé (f)*
health certificate *certificat (m) médical*
healthy *en bonne santé*
hear *entendre*
hearing aid *appareil (m) acoustique*
heart *coeur (m)*
  heart attack *crise (f) cardiaque*
  have heart trouble *être cardiaque*
heat (n) *chaleur (f)*
  heat wave *vague (f) de chaleur*
heater *radiateur (m)*
heating *chauffage (m)*
  central heating *chauffage (m) central*
heavy *lourd (m) lourde (f)*
heel (=part of body) *talon (m)*
heel (=part of shoe) *talon (m)*
  high heeled *à hauts talons*
  low heeled *à talons plats*
height *hauteur (f)*
helicopter *hélicoptère (m)*
hello *salut (infml)*
hello (on telephone) *allô!*
help (n) *aide (f)*
help (vb) *aider*
helpful *utile*
henna *henné (m)*
her (adj) *son (m) sa (f) ses (pl) (à elle)*
  for her *pour elle*
  her passport *son passeport (m)*
  her sister *sa soeur (f)*
  her tickets *ses billets (mpl)*
  her keys *ses clés (fpl)*
herb *aromate (m)*
here *ici*
hero *héros (m)*
heroine *héroïne (f)*
herring *hareng (m)*
hers
  it's hers *c'est à elle*
  he's away *il est parti*
hi! *salut! (=bonjour)*
high *haut (m) haute (f)*

high chair chaise (f) haute
high water marée (f) haute
hijack (n) détournement (m)
hill colline (f)
hilly vallonné
him
  for him pour lui
hip hanche (f)
hire (vb) louer
  car hire location (f) de voitures
his son (m) sa (f) ses (pl) (à lui)
  his passport son passeport (m)
  his sister sa sœur (f)
  his tickets ses billets (mpl)
  his keys ses clés (fpl)
  it's his c'est à lui
history -ies histoire (f)
hit (vb) frapper
hitchhike faire de l'auto-stop/faire du
  stop (infml)
hobby -ies passe-temps (m)
hockey hockey (m)
  a game of hockey un match de
  hockey
  play hockey jouer au hockey
hole trou (m)
holiday vacances (fpl)
  holiday camp camp (m) de vacances
  on holiday en vacances
  package holiday vacances
  organisées
  public holiday jour (m) férié
hollow (adj) creux (m) creuse (f)
home maison (f)
  at home à la maison
  go home rentrer à la maison
homemade fait maison
honest honnête
honey miel (m)
  a jar of honey un pot de miel
honeymoon lune (f) de miel
hood (of a garment) capuche (f)
hook crochet (m)
hoover (tdmk) aspirateur (m)
hope (vb) espérer
  I hope not j'espère que non
  I hope so je l'espère

horrific horrible
hors d'oeuvres hors d'oeuvres (mpl)
horse cheval (m) chevaux (pl)
  horse racing course (f) de chevaux
hose (=tube) tuyau (m) tuyaux (pl)
  (souple)
hose (car) durite (f)
hospital hôpital (m)
hospitality hospitalité (f)
host hôte (m)
hostel (=youth hostel) auberge (f)
hostess -es hôtesse (f)
hot chaud
  I'm hot j'ai chaud
  it's hot (of things/food) c'est chaud
  it's hot (of the weather) il fait chaud
hotel hôtel (m)
  cheap hotel hôtel bon marché
  first class hotel hôtel de première
  classe
  medium-priced hotel hôtel moyen
hot-water bottle bouillotte (f)
hour heure (f)
house maison (f)
housewife -ves femme (f) au foyer
hovercraft aéroglisseur (m)
  by hovercraft en aéroglisseur
how? comment?
  how are you? comment ça va?
  how do you do? enchanté (m)
  enchantée (f)
  how long? (time) combien de temps?
  how many? combien?
  how much? combien?
humid humide (temps)
humour humour (m)
  sense of humour sens (m) de
  l'humour
hundred cent
  hundreds of / / des centaines de
  / /
hungry
  be hungry avoir faim
  I'm hungry j'ai faim
hunting chasse (f)
  go hunting aller à la chasse
hurry (n) hâte (f)

I'm in a hurry *je suis pressé*
hurry (vb) *se dépêcher*
  please hurry ! *dépêchez-vous, s'il vous plaît!*
hurt (adj) *blessé*
hurt (feel pain) *avoir mal à, faire mal*
  my /arm/ hurts /mon bras/ me fait mal
  my /foot/ hurts *j'ai mal au /pied/*
hurt (vb) (inflict pain) *se faire mal à*
  I've hurt /my leg/ *je me suis fait mal à /la jambe/*
husband *mari* (m)
hut *hutte* (f)
hydrofoil *hydrofoil* (m)
  by hydrofoil *en hydrofoil*

I

I *je*
ice *glace* (f)
ice cream *glace* (f) (dessert)
ice hockey *hockey* (m) sur glace
  a game of ice hockey *un match de hockey sur glace*
  play ice hockey *jouer un match de hockey sur glace*
ice skating *patinage* (m)
  go ice-skating *faire du patinage*
iced (drink/water) *glacé* (boisson, eau)
icy *glacé*
idea *idée* (f)
ideal (adj) *idéal*
identification *identification* (f)
identify *identifier*
identity card *carte* (f) d'identité
if *si*
  if you can *si vous pouvez*
  if possible *si possible*
ignition system *système* (m) d'allumage
ill (not well) *malade*
  he's ill *il est malade*
illegal *illégal*
illustration (in book) *illustration* (f)
I'm in a hurry *je suis pressé*
immediate *immédiat* (m) immédiate (f)

immediately *tout de suite*
immigration *immigration* (f)
  immigration control *contrôle* (f) de police
immune *immunisé*
immunisation *immunisation* (f)
immunise *immuniser*
immunity *immunité* (f)
  diplomatic immunity *immunité diplomatique*
impatient *impatient* (m) impatiente (f)
imperfect (goods) *de second choix*
import (n) *importation* (f)
import (vb) *importer* (marchandises)
important *important* (m) importante (f)
impossible *impossible*
improve *améliorer*
in
  be in (adv) *être là*
  in /July/ *en /juillet/*
  in /summer/ *en /été/*
  in the morning *dans la matinée*
  in /the park/ *dans /le parc/*
in case of /fire/ *en cas d'/ incendie/*
in front of / / *devant / /*
inch -es *pouce* (m) (mesure)
include *inclure*
  is /service/ included? *est-ce que /le service/ est compris?*
including *y compris*
incredible *incroyable*
independent *indépendant* (m) indépendante (f)
indigestion *indigestion* (f)
  indigestion tablet *comprimé* (m) pour l'indigestion
individual (adj) *individuel*
indoors *à l'intérieur*
  indoor /swimming pool/ /piscine/ (f) couverte
industry -ies *industrie* (f)
inefficient *inefficace*
inexperienced *inexpérimenté*
infected *infecté*
infectious *infectieux* (m) infectieuse (f)
inflatable *gonflable*
inflate *gonfler*

inform renseigner
inform /the police/ of / / avertir /la police/ de / /
informal sans cérémonie
information (s) renseignements (mpl)
 I'd like some information about /hotels/ please je voudrais des renseignements sur /les hôtels/s'il vous plaît
 information desk bureau (m) de renseignements
 information office bureau (m) de renseignements
initals (pl) initiales (fpl)
injection injection (f)
 I'd like a /tetanus/ injection je voudrais une piqûre /antitétanique/
injury -ies blessure (f)
ink encre (f)
 a bottle of ink une bouteille d'encre
inner tube (tyre) chambre (f) à air
innocent (=not guilty) innocent (m) innocente (f)
inoculate vacciner
inoculation vaccination (f)
inquiry -ies demande (f) de renseignements
 make an inquiry about / / se renseigner sur / /
insect insecte (m)
 insect bite piqûre (f) d'insecte
 insect repellent insecticide (m)
insecticide insecticide (m)
 a bottle of insecticide un flacon d'insecticide
inside (adv) dedans
inside (prep) à l'intérieur de
 inside /the house/ à l'intérieur de /la maison/
insomnia insomnie (f)
instead (of) à la place (de)
 instead of /coffee/ au lieu de /café/
instructions (pl) indications (fpl)
 instructions for use mode (m) d'emploi
instrument instrument (m)
 musical instrument instrument de

musique
insulin insuline (f)
insurance assurance (f)
 insurance certificate attestation (f) d'assurance
 insurance policy -ies police (f) d'assurance
insure assurer
 are you insured? est-ce que vous êtes assuré?
 insure /my life/ prendre /une assurance-vie/
intelligent intelligent (m) intelligente (f)
intensive intensif (m) intensive (f)
intercontinental (flight) intercontinental
interested in / / intéressé par / /
interesting intéressant (m) intéressante (f)
internal intérieur
international international
interpret interpréter
interpreter interprète (m&f)
interval (=break) pause (f)
interval (in theatre) entracte (m)
interview (n) interview (f)
 I've got an interview j'ai une interview
interview (vb) interviewer
into dans
introduce présenter
introduction présentation (f)
 letter of introduction lettre (f) de recommandation
invalid (n) infirme (m&f)
investment investissement (m)
invitation invitation (f)
invite inviter
invoice (n) facture (f)
iodine iode (m)
 a bottle of iodine un flacon d'iode
iron (n) (object) fer (m) à repasser
 travelling iron fer de voyage
iron (vb) (clothing) repasser
ironmonger quincaillerie (f)
irregular irrégulier (m) irrégulière (f)
irritation (medical) irritation (f)
island île (f)

it *ça*
itch *démangeaison (f)*

J

jack (car) *cric (m)*
jacket *veste (f)*
  /tweed/ jacket *veste en / tweed/*
jam *confiture (f)*
January *janvier (m)*
jar *pot (m)*
  a jar of /jam/ *un pot de /confiture/*
jaw *mâchoire (f)*
jazz *jazz (m)*
jealous *jaloux (m) jalouse (f)*
  he's jealous of /me/ *il est jaloux de /moi/*
jeans (pl) *jean (ms)*
  a pair of jeans *un jean*
jelly (see under flavour) *gelée (f) (nourriture)*
jellyfish/jellyfish (pl) *méduse (f)*
Jew *juif (m) juive (f)*
jeweller's *bijouterie (f)*
jewellery *bijoux (mpl)*
jigsaw puzzle *puzzle (m)*
job *poste (m) /boulot (m) (infml)*
jockey *jockey (m)*
joke *plaisanterie (f)*
journey -ies *voyage (m)*
judo *judo (m)*
  do some judo *faire du judo*
jug *pichet (m)*
  a jug of / / *un pichet de / /*
juice *jus (m)*
  grapefruit juice *jus de pamplemousse*
  lemon juice *jus de citron*
  orange juice *jus d'orange*
  pineapple juice *jus d'ananas*
  tomato juice *jus de tomate*
juicy *juteux (m) juteuse (f)*
July *juillet (m)*
jump (vb) *sauter*
junction *carrefour (m)*
June *juin (m)*
junk shop *brocanteur (m)*

K

keep *garder*
kettle *bouilloire (f)*
key *clé (f)*
key ring *porte-clé (m)*
khaki (colour) *kaki*
kick (n) *coup*
kick (vb) *donner un coup de pied*
kidneys (pl) *reins (mpl)*
kill (vb) *tuer*
kilogramme/kilo *kilogramme/kilo (m)*
kilometre *kilomètre (m)*
kind (adj) (=friendly) *gentil (m) gentille (f)*
  it's very kind of you *c'est très gentil à vous*
kind (n) (=type) *sorte (f)*
  a kind of /beer/ *une sorte de /bière/*
kindness -es (n) *gentillesse (f)*
king *roi (m)*
kiss (vb) *embrasser*
kiss -es (n) *baiser (m)/bise (f) (infml)*
kit *matériel (m)*
  first aid kit *trousse (f) de premier secours*
kitchen *cuisine (f) (pièce)*
kite *cerf-volant (m) cerfs-volants (pl)*
Kleenex (tissues) (tdmk) *mouchoirs (mpl) en papier/Kleenex (tdmk)*
  a box of Kleenex *une boîte de mouchoirs en papier*
knee *genou (m)*
knife -ves *couteau (m) couteaux (pl)*
  carving knife *couteau à découper*
knit *tricoter*
knitting *tricot (m)*
  do some knitting *tricoter*
  knitting needles *aiguilles (fpl) à tricoter*
  knitting pattern *patron (m) de tricot*
knitwear *tricots (mpl)*
knob (door) *poignée (f)*
knob (radio) *bouton (m) (radio)*
know (a fact) *savoir*
  I know *je le sais*
  I don't know *je ne sais pas*

know (a person) *connaître*
  I know him *je le connais*
Kosher *kasher (m&f)*

L

label (=luggage label) *étiquette (f)*
  stick-on label *étiquette autocollante*
lace (=material) *dentelle (f)*
laces (pl) *lacets (mpl)*
ladder *échelle (f)*
Ladies' (=lavatory) *Dames*
lady -ies *femme (f) (=dame)*
lake *lac (m)*
lamb *agneau (m) agneaux (pl)*
  a leg of lamb *un gigot d'agneau*
  lamb chop *côtelette (f) d'agneau*
lamp *lampe (f)*
  bicycle lamp *lumière (f) de bicyclette*
lampshade *abat-jour (m)*
land *terre (f)*
landed (of a plane) *atterri*
landlady -ies *propriétaire (f)*
landlord *propriétaire (m)*
lane (=traffic lane) *file (f)*
lane (=small road) *chemin (m)*
language *langue (f)*
large (size) *grand (m) grande (f)*
last *dernier (m) dernière (f)*
  at last *enfin*
  last /Tuesday/ */mardi/ dernier*
late (adv)
  he's late *il est en retard*
  I'm sorry I'm late *je suis désolé(e)*
  d'être en retard
  it's late (=time of day) *il est tard*
later (=at a later time) *plus tard*
laugh (vb) *rire*
launder *laver*
launderette *laverie (f) automatique*
laundry (washing) *lessive (f)*
laundry (place) **-ies** *blanchisserie (f)*
lavatory -ies *toilettes (fpl)*
  Gents' *Messieurs*
  Ladies' *Dames*
law *loi (f)*
lawyer *avocat (m)*

laxative *laxatif (m)*
  mild laxative *laxatif léger*
  strong laxative *laxatif fort*
  suppository *suppositoire (m) contre la constipation*
lay-by *aire (f) de stationnement*
lazy *paresseux (m) paresseuse (f)*
leaflet *dépliant (m)*
leak (n) *fuite (f)*
leak (vb) *fuir*
  it's leaking *ça fuit*
learn /French/ *apprendre /le français/*
learner (driver) *(conducteur) débutant (m)*
leather *cuir (m)*
  leather goods shop *maroquinerie (f)*
leave *laisser*
  I've left /my suitcase/ behind *j'ai oublié /ma valise/*
  leave me alone *laissez-moi tranquille*
  leave /my luggage/ *laisser /mes bagages/*
leave (=depart) *partir .*
  leave /at four-thirty p.m./ *partir à /seize heures trente/*
  leave in /July/ *partir en /juillet/*
  leave on /Monday/ *partir /lundi/*
left (=not right) *gauche*
  left (direction) *à gauche*
left-handed *gaucher (m) gauchère (f)*
left-luggage office *consigne (f)*
leg *jambe (f)*
legal *légal*
lemon *citron (m)*
  a slice of lemon *une tranche de citron*
  lemon juice *jus (m) de citron*
lemonade *limonade (f)*
  a bottle of lemonade *une bouteille de limonade*
  a can of lemonade *une boîte de limonade*
  a glass of lemonade *un verre de limonade*
lend *prêter*
  could you lend me some /money/? *pouvez-vous me prêter de /l'argent/?*
length *longueur (f)*

full length *jusqu'aux chevilles*
knee length *jusqu'aux genoux*
lengthen *rallonger*
lens -es (of camera) *objectif (m) (photo)*
lens cap *cache (m) (photo)*
wide-angle lens *objectif (m) grand angulaire*
zoom lens *zoom (m)*
less *moins*
lesson *leçon (f)*
driving lesson *leçon de conduite*
/French/ lesson *leçon de /français/*
let (=allow) *permettre*
let /me/ try *laissez-/moi/ essayer*
let's
let's go! *allons-y!*
let's /have a drink/ *allons /prendre un verre/*
let's meet /at nine/ *on se voit /à neuf heures/*
letter (= of the alphabet) *lettre (f)*
letter (correspondence) *lettre (f)*
air-letter *aérogramme (m)*
express letter *lettre exprès*
/second class/ letter *lettre /à tarif réduit/*
letter box -es *boîte (f) à lettres*
registered letter *lettre recommandée (f)*
lettuce *salade (f)*
level (adj) *plat (m) plate (f)*
level (n) (=grade) *niveau (m)*
level crossing *passage (m) à niveau*
library -ies *bibliothèque (f)*
licence *permis (m)*
lid (of eye) *paupière (f)*
lid (of pot) *couvercle (m)*
lie (n) (=untruth) *mensonge (m)*
lie (vb) (=tell an untruth) *mentir*
lie (vb) (=lie down) *s'allonger*
life jacket *gilet (m) de sauvetage*
lifebelt *ceinture (f) de sauvetage*
lifeboat *canot (m) de sauvetage*
lifeguard *surveillant (m) de plage*
lift (n) (=elevator) *ascenseur (m)*
lift (n) (=ride)
could you give me a lift to / /?

pouvez-vous m'emmener jusqu'à / /?
lift (vb) *soulever*
light (adj) (=not dark) *clair (adj)*
light (adj) (=not heavy) *léger (adj) légère (f)*
light (n) (electric light) *lumière (f)*
have you got a light? *avez-vous du feu, s'il vous plaît?*
light /a fire/ *allumer /un feu/*
light bulb *ampoule (f) électrique*
/forty/ watt */quarante/ watt*
light switch -es *interrupteur (m)*
lighter (=cigarette lighter) *briquet (m)*
disposable lighter *briquet à jeter*
lighter fuel *essence (f) à briquet*
like (prep) *comme*
what's it like? *c'est comment?*
like (vb) *aimer*
do you like /swimming/? *vous aimez /nager/?*
I like it *j'aime ça*
likely *probable*
lime *citron (m) vert*
lime juice *jus (m) de citron vert*
limit (n) *limitation (f)*
height limit *limitation de hauteur*
speed limit *limitation de vitesse*
weight limit *limitation de poids*
line *ligne (f)*
outside line *ligne directe*
telephone line *ligne téléphonique*
linen *linge (m)*
liner *paquebot (m)*
lingerie *lingerie (f)*
lingerie department *lingerie (f)*
lining *doublure (f)*
/fur/ lining *doublure en /fourrure/*
lip *lèvre (f)*
lower lip *lèvre inférieure*
upper lip *lèvre supérieure*
lipstick *rouge (m) à lèvres*
liqueur *liqueur (f)*
liquid *liquide (m)*
list *liste (f)*
shopping list *liste des courses*
wine list *carte (f) des vins*
listen *écouter*

listen to /some music/ *écouter /de la musique/*
litre *litre (m)*
litter *ordures (fpl)*
little (adj) *petit (m) petite (f)*
  a little boy *un petit garçon*
  smaller *plus petit*
  smallest *le plus petit*
little (n) *peu (m)*
  a little /money/ *un peu /d'argent/*
live (=be alive) *vivre*
live (=reside) *habiter*
  where do you live? *où habitez-vous?*
liver *foie (m)*
load (vb) *charger*
loaf -ves (of bread) *pain (m)*
  a large loaf *un grand pain*
  a small loaf *une ficelle*
lobster *homard (m)*
local (adj) *local (adj)*
  local crafts *artisanat (m) régional*
lock (n) *serrure (f)*
lock (vb) *fermer à clé*
locker *casier (m)*
  left-luggage locker *consigne (f) automatique*
logbook (car) *carte (f) grise*
lonely *seul*
long *long (m) longue (f)*
look (vb)
  look! *regardez!*
  look out! *attention!*
  I'm just looking *je regarde simplement*
look after *s'occuper de*
  look after /the baby/ *s'occuper du /bébé/*
look at *regarder*
  look at /this/ *regarder /ceci/*
look for *chercher*
  look for /my passport/ *chercher /mon passeport/*
look /smart/ *paraître /élégant/*
loose (of clothes) *ample (vêtements)*
lorry -ies *camion (m)*
lorry driver *camionneur (m)*
lose *perdre*

I've lost /my wallet/ *j'ai perdu /mon portefeuille/*
lost *perdu*
  I'm lost *je me suis perdu*
lost property office *bureau (m) des objets trouvés*
lot *beaucoup*
  a lot of /money/ *beaucoup d'/argent/*
loud *fort (m) forte (f) (son)*
loudly *fort (adv)*
lounge (in hotel) *salon (m)*
  departure lounge *salle (f) de départ*
  TV lounge *salle (f) de télévision*
love (n) *amour (m)*
  give /Mary/ my love *mes amitiés à /Mary/*
  make love *faire l'amour*
love (vb) *aimer*
low *bas (m) basse (f)*
  low water *marée (f) basse*
lower (vb) *baisser*
LP (=long playing record) *(disque (m) de) trente-trois tours (m)*
luck *chance (f)*
  good luck *bonne chance*
lucky
  be lucky *avoir de la chance*
  he's lucky *il a de la chance*
luggage *bagages (mpl)*
  cabin luggage *bagages de cabine*
  hand luggage *bagages à main*
  luggage rack (in train) *filet (m) à bagages*
  luggage van (on train) *fourgon (m)*
lump (body) *grosseur (f)*
  a lump of sugar *un morceau de sucre*
lunch -es *déjeuner (m)*
  have lunch *déjeuner (vb)*
  packed lunch *pique-nique (m)*
luxury -ies *luxe (m)*

M

machine *machine (t)*
mad *fou (m) folle(f)*
made in / / *fabriqué en / /*

magazine revue (f)
magnifying glass -es loupe (f)
mahogany acajou (m)
maid bonne (f)
mail courrier (m)
  by air-mail par avion
  express mail courrier exprès
  /first/ class mail courrier /à tarif normal/
  /second/ class mail courrier /à tarif réduit/
  surface mail courrier par voie normale
main principal
  main road route (f) principale
make (n) (eg of a car) marque (f)
make (vb) faire
  make /a complaint/ se plaindre
  make money gagner de l'argent
make-up (=face make-up) maquillage (m)
  eye make-up maquillage pour les yeux
male mâle
mallet maillet (m)
man/men (pl) homme (m)
  young man jeune homme
manager directeur (m) directrice (f)
manicure manucure (f)
  manicure set trousse (f) à ongles
man-made synthétique
  man-made fibre fibres (fpl) synthétiques
many beaucoup
  not many pas beaucoup
  too many trop (de)
map carte (f) (géographie)
  large-scale map carte à grande échelle
  map of /France/ carte de la /France/
  road map carte (f) routière
  street map plan (m) de la ville
marble (material) marbre (m)
March mars (m)
margarine margarine (f)
mark (=spot/stain) tache (f)
market marché (m)
  fish market marché aux poissons

fruit and vegetable market marché aux fruits et aux légumes
  market place place (f) du marché
  meat market marché à la viande
marmalade confiture (f) d'oranges
  a jar of marmalade un pot de confiture d'oranges
maroon (colour) bordeaux (couleur)
married marié
mascara mascara (m)
masculine masculin (m) masculine (f)
mask masque (m)
  snorkel mask masque (m) sous-marin
mass (=Catholic service) messe (f)
massage (n) massage (m)
mast mât (m)
mat tapis (m)
  bath mat tapis de bain
  door mat paillasson (m)
match -es allumette (f)
  a box of matches une boîte d'allumettes
  matches allumettes (fpl)
match -es (=competition) match (m)
  football match match de football
material (=cloth) tissu (m)
  checked material tissu à carreaux
  heavy material tissu épais
  lightweight material tissu léger
  plain material tissu uni
matter (vb)
  it doesn't matter peu importe
  what's the matter? qu'est-ce qu'il y a?
mattress -es matelas (m)
mauve mauve
maximum (adj) maximum
may pouvoir
May mai (m)
mayonnaise mayonnaise (f)
me moi
  for me pour moi
meal repas (m)
  light meal repas léger
mean (=not generous) avare
mean (vb) (of a word) signifier
  what does it mean? qu'est-ce que

/ça/ veut dire?
measles *rougeole (f)*
measure (vb) *mesurer*
meat *viande (f)*
  cold meat *viande froide*
  beef *viande de boeuf*
  lamb *viande d'agneau*
  mutton *viande de mouton*
  pork *viande de porc*
mechanic *mécanicien (m)*
mechanism *mécanisme (m)*
medical *médical*
medicine *médicament (m)*
  a bottle of medicine *un flacon de médicament*
medium (size) *(taille) moyenne*
  medium-dry *demi-sec*
  medium-rare (eg of steak) *à point*
  medium-sweet *pas trop sucré*
meet (= get to know) *rencontrer*
  meet /your family/ *rencontrer /votre famille/*
meet (at a given time) *se voir*
meeting (business) *réunion (f)*
melon *melon (m)*
  half a melon *un demi-melon*
  a slice of melon *une tranche de melon*
member (of a group) *membre (m)*
memo *memo (m)*
memory -ies *souvenir (m)*
  a good/bad memory *une bonne/mauvaise mémoire*
  happy memories (pl) *de bons souvenirs (mpl)*
mend *réparer*
men's outfitter's *magasin (m) de confection pour hommes*
menu *carte (f) (restaurant)*
  à la carte menu *à la carte (f)*
  set menu *menu (m) à prix fixe*
mess -es *désordre (m)*
message *message (m)*
  can I leave a message please? *est-ce que je peux laisser un message s'il vous plaît?*
  can I take a message? *est-ce que je*

peux prendre un message?
metal *métal (m) métaux (pl)*
meter *compteur (m)*
  electricity meter *compteur d'électricité*
  gas meter *compteur à gaz*
method *méthode (f)*
methylated spirit *alcool (m) dénaturé*
  a bottle of methylated spirits *une bouteille d'alcool dénaturé*
metre (= length) *mètre (m)*
microphone *micro (m)*
midday *midi*
middle *milieu (m)*
  in the middle of / / *au milieu de / /*
middle-aged *d'un certain âge*
midnight *minuit*
migraine *migraine (f)*
mild *doux (m) douce (f)*
mild (of antibiotic) *léger (m) légère (f) (faible)*
mile *mille*
milk *lait (m)*
  a bottle of milk *une bouteille de lait*
  a glass of milk *un verre de lait*
  powdered milk *lait en poudre*
  tinned milk *lait concentré*
milk shake (see under flavour) *milk shake (m)*
million *million (m)*
  millions of / / *des millions de / /*
mince (vb) *hacher*
  minced meat *viande (f) hachée*
mind (= look after/watch) *garder*
  could you mind /my bag/ please? *voudriez-vous (me) garder /mon sac/ s'il vous plaît?*
mine (n) *mine de charbon*
  coal mine *mine de charbon*
mine (= belongs to me)
  it's mine *c'est à moi*
miner *mineur (m)*
mineral water *eau (f) minérale*
  a bottle of mineral water *une bouteille d'eau minérale*
  a glass of mineral water *un verre d'eau minérale*

fizzy mineral water eau minérale gazeuse
still mineral water eau minérale non-gazeuse
minibus -es minibus (m)
minimum (adj) minimum
mink vison (m)
mink coat manteau (m) de vison
minus moins
minute (time) minute (f)
just a minute! un moment!
mirror miroir (m)
hand-mirror miroir de poche
Miss / / Mademoiselle / /
miss /the train/ manquer /le train/
mist brume (f)
mistake (n) erreur (f)
by mistake par erreur
mix (vb) mélanger
mixer (of food) mixer (m)
mixture mélange (m)
model (object) modèle (m)
the latest model le dernier modèle
model /aeroplane/ modèle réduit /d'avion/
model (profession) mannequin (m)
modern moderne
moment moment (m)
Monday lundi (m)
on Monday lundi
on Mondays le lundi
money argent (m)
make money, earn money gagner de l'argent
mono (adj) mono
month mois (m)
last month le mois dernier
next month le mois prochain
this month ce mois-ci
monthly mensuel
monument monument (m)
mood humeur (f)
in a good/bad mood de bonne/mauvaise humeur
moon lune (f)
mop (n) balai (m) éponge
moped vélomoteur (m)

more plus
more /cake/ please encore /du gâteau/, s'il vous plaît
morning matin (m)
good morning bonjour (matin)
this morning ce matin
tomorrow morning demain matin
yesterday morning hier matin
morning paper journal (m) du matin
mortgage (n) hypothèque (f)
mosque mosquée (f)
mosquito moustique (m)
mosquito net moustiquaire (f)
most la plupart de
most /money/ le plus d'/argent/
most /people/ la majorité des /gens/
motel motel (m)
mother mère (f)
mother-in-law/mothers-in-law (pl) belle-mère (f) belles-mères (fpl)
motor moteur (m)
outboard motor moteur hors-bord
motor racing course (f) automobile
go motor racing faire une course automobile
motorail (ie car on a train) train-auto (m)
motorbike moto (f)
motorboat bateau (m) à moteur
motorist automobiliste (m&f)
motorway autoroute (f)
mouldy moisi
mountain montagne (f)
mountaineer alpiniste (m&f)
mountaineering alpinisme (m)
go mountaineering faire de l'alpinisme
mountainous montagneux (m) montagneuse (f)
mouse/mice (pl) souris (f)
mousetrap souricière (f)
moustache moustache (f)
mouth bouche (f)
mouthwash -es eau (f) dentifrice
a bottle of mouthwash une bouteille d'eau dentifrice
move (vb) bouger

movement mouvement (m)
Mr / / Monsieur / /
Mrs / / Madame / /
much beaucoup
mud boue (f)
muddy boueux (m) boueuse (f)
mug grande tasse (f)
mumps oreillons (mpl)
murder (n) meurtre (m)
murder (vb) assassiner
muscle muscle (m)
museum musée (m)
mushroom champignon (m)
  mushroom /soup/ /soupe/ (f) aux
  champignons
music musique (f)
  classical music musique classique
  folk music musique folk
  light music musique légère
  pop music musique pop
musical (=an entertainment) comédie
  (f) musicale
musician musicien (m) musicienne (f)
Muslim musulman (m) musulmane (f)
mussel moule (f)
must devoir (vb)
  I must /go home/ now je dois
  /rentrer/ maintenant
  must I /pay by cash/? est-ce que je
  dois /payer comptant/?
  you mustn't /park/ /here/ vous ne
  devez pas /vous garer/ /ici/
mustard moutarde (f)
my mon (m) ma (f) mes (pl)
  my passport mon passeport (m)
  my sister ma soeur (f)
  my tickets mes billets (mpl)
  my keys mes clés (fpl)

N

nail (metal) clou (m)
nail (finger/toe) ongle (m)
  nailbrush -es brosse (f) à ongles
  nail file lime (f) à ongles
  nail scissors ciseaux (mpl) à ongles
  nail varnish vernis (m) à ongles

naked nu
name nom (m)
  first name prénom (m)
  surname nom (m) de famille
  my name's /Paul Smith/ je m'appelle
  /Paul Smith/
  what's your name please? comment
  vous appelez-vous s'il vous plaît?
  nickname surnom (m)
napkin serviette (f) de table
  napkin ring rouleau (m) de serviette
  paper napkin serviette en papier
nappy -ies couche (f)
  disposable nappies couches (fpl) à
  jeter
narrow étroit (m) étroite (f)
nasty désagréable
nation nation (f)
national national
nationality -ies nationalité (f)
natural naturel (m) naturelle (f)
nature nature (f)
naughty (usually of young children)
  vilain (m) vilaine (f) (enfant)
nausea nausée (f)
navigate naviguer
navy -ies marine (f)
near (adv) près
near (prep) /the station/ près /de la
  gare/
neat (of a drink) sec
necessary nécessaire
necessity -ies nécessité (f)
neck cou (m)
necklace collier (m) (bijou)
née née
need (vb) falloir
  I need /more money/ il me faut /plus
  d'argent/
needle aiguille (f)
  knitting needles aiguilles (fpl) à
  tricoter
negative (=film n.) négatif (m) (film)
nephew neveu (m)
nervous (=apprehensive) nerveux (m)
  nerveuse (f)
nervous breakdown dépression (f)
  nerveuse

Nescafe (tdmk) *Nescafé (m) (tdmk)*
net (=fishing n.) *filet (m) (pêche)*
  hair net *filet (m) à cheveux*
net weight *poids (m) net*
never *jamais*
new (of things) *nouveau (m) nouvelle (f)*
news (s) *nouvelles (fpl)*
newsagent's *marchand (m) de journaux*
newspaper *journal (m) journaux (pl)*
  /English/ newspaper *journal*
  /anglais/
  evening paper *journal du soir*
  local newspaper *journal régional*
  morning paper *journal du matin*
newsstand *kiosque (m) à journaux*
next *prochain (m) prochaine (f)*
next door *à côté*
  next door /to the station/ *à côté*
  /de la gare/
  the house next door *la maison d'à*
  côté
next of kin *le plus proche parent*
next to / / *à côté de / /*
nib *plume (f) (de stylo)*
nice *gentil (m) gentille (f)*
niece *nièce (f)*
night *nuit (f)*
  good night *bonne nuit*
  last night *la nuit dernière*
  tomorrow night *la nuit prochaine*
  tonight *cette nuit*
night life *vie (f) nocturne*
nightclub *boîte (f) de nuit*
nightdress -es *chemise (f) de nuit*
no (opposite of 'yes') *non*
no /money/ *pas d'/argent/*
no one *personne*
noisy *bruyant (m) bruyante (f)*
nonsense *absurdité (f)*
nonstick *Tefal (tdmk)*
  nonstick /frying-pan/ */poêle (f)/*
  Tefal
nonstop *direct*
normal *normal*
north *nord (m)*
northeast *nord-est (m)*
northwest *nord-ouest (m)*

nose *nez (m) nez (pl)*
nosebleed *saignement (m) de nez*
not *pas*
  not at all (replying to 'thank you') *de*
  rien/je vous en prie
  not yet *pas encore*
note (=money) *billet (m) (de banque)*
  /ten/ franc note *billet de /dix/ francs*
note (written) *mot (m) (laisser un mot)*
notebook *carnet (m)*
nothing *rien*
notice *affiche (f)*
  notice board *panneau (m) d'affichage*
November *novembre (m)*
now *maintenant*
nowhere *nulle part*
nude *nu*
number *numéro (m)*
  number /seven/ *numéro /sept/*
  telephone number *numéro de*
  téléphone
  wrong number *faux numéro*
number *numéro (m)*
nurse *infirmière*
nursery -ies (=day n. for children)
  crèche (f)
nursery -ies (=school) *école maternelle*
  (f)
nut (metal) *écrou (m)*
  a nut and bolt *un écrou et un boulon*
nut *noix (f) noix (pl)*
  almond *amande (f)*
  peanut *cacahuète (f)*
nutcrackers (pl) *casse-noisettes (ms)*
nylon *nylon (m)*
  a pair of nylons (stockings) *une paire*
  de bas de nylon

O

oak *chêne (m)*
oar (for rowing) *aviron (m)*
o'clock
  it's one o'clock *il est une heure*
  it's three o'clock *il est trois heures*
October *octobre (m)*
of *de*

off (of light etc) *éteint (m) éteinte (f)*
offence *délit (m)*
  parking offence *contravention (f)*
offer (n) *offre (f)*
  make an offer *faire une offre*
office *bureau (m) bureaux (pl)*
office worker *employé (m) de bureau*
official (adj) *officiel (m) officielle (f)*
official (n) *fonctionnaire (m)*
often *souvent*
oil (lubricating) *huile (f) (lubrifiante)*
  a can of oil *un bidon d'huile*
  oil filter *filtre (m) à huile*
  oil pump *pompe (f) à huile*
oil (salad) *huile (f) de table*
  olive oil *huile d'olive*
  vegetable oil *huile végétale*
oily *huileux (m) huileuse (f)*
ointment *pommade (f)*
  a jar of ointment *un pot de pommade*
  a tube of ointment *un tube de pommade*
OK *d'accord*
old (of people and things) *vieux (m) vieille (f)*
  he is /six/ years old *il a /six/ ans*
old-fashioned *démodé*
olive *olive (f)*
  black olive *olive noire*
  green olive *olive verte*
omelette *omelette (f)*
on
  on /July 6th/ *le /six juillet/*
  on Monday *lundi*
  on /the bed/ *sur /le lit/*
  on /the table/ *sur /la table/*
on (of light etc) *allumé*
on a coach *dans un car*
once (=one time) *une fois*
one (adj) (number) *un (m) une (f) (nombre)*
one-way street *sens (m) unique*
onion *oignon (m)*
  spring onion *ciboule (f)*
only *seulement*
OPEC *OPEP*

open (adj) *ouvert (m) ouverte (f)*
open (vb) *ouvrir*
  open-air restaurant *restaurant (m) en plein air*
  open-air swimming pool *piscine (f) découverte*
opening times (pl) *heures (fpl) d'ouverture*
opera *opéra (m)*
  opera house *l'opéra (m)*
operate (surgically) *opérer*
operation (surgical) *opération (f)*
opposite (adv) *en face*
  opposite /the station/ *en face /de la gare/*
optician *opticien (m)*
or *ou*
orange (colour) *orange*
orange (fruit) *orange (f)*
  orangeade *Orangina (m) (tdmk)*
  orange juice *jus (m) d'orange*
  a bottle of orange juice *une bouteille de jus d'orange*
  a glass of orange juice *un verre de jus d'orange*
orchestra *orchestre (m)*
order /a steak/ *commander /un steak/*
ordinary *ordinaire*
organisation *organisation (f)*
organise *organiser*
original *original*
ornament *bibelot (m)*
other *autre*
  the other /train/ *l'autre /train/*
our *notre (s) nos (pl)*
  our passport *notre passeport (m)*
  our sister *notre soeur (f)*
  our tickets *nos billets (mpl)*
  our keys *nos clés (fpl)*
ours
  it's ours *c'est à nous*
out
  he's out *il est sorti*
out of date (eg clothes) *démodé*
out of date (eg passport) *périmé*
out of order *en panne*
outboard motor *moteur (m) hors-bord*

outside (adv) *dehors*
outside (prep) *à l'extérieur de*
  outside /the house/ *à l'extérieur de
  /la maison/*
oven *four (m)*
over (=above) *par-dessus*
  fly over /the mountains/ *voler
  par-dessus /les montagnes/*
overcoat *pardessus (m)*
overcooked *trop cuit (m) trop cuite (f)*
overheated (of engine) *surchauffé*
overland *par voie de terre*
overseas *outre-mer (m)*
overtake *doubler*
overweight (people) *gros (m) grosse (f)
  (obèse)*
  be overweight *être gros*
  he's overweight *il est gros*
  be overweight (things) *peser trop*
owe *devoir (vb)*
  how much do I owe you? *je vous
  dois combien?*
  you owe me / / *vous me devez
  / /*
owner *propriétaire (m&f)*
oxygen *oxygène (m)*
oyster *huître (f)*
  a dozen oysters *une douzaine
  d'huîtres*

P

pack (vb) *emballer*
  pack /my suitcase/ *faire /ma valise/*
package holiday *vacances (fpl)
  organisées*
packet *paquet (m)*
  a packet of /cigarettes/ (=20) *un
  paquet de /cigarettes/*
packing materials (to prevent
  breakages) *emballage (ms)*
pad (of writing paper) *bloc (m) (papier)*
  sketch-pad *bloc à dessins*
paddle (for canoe) *pagaie (f)*
padlock (n) *cadenas (m)*
page (of a book) *page (f)*
pain *douleur (f)*

painful *douloureux (m) douloureuse (f)*
painkiller *calmant (m)*
paint *peinture (f)*
  a tin of paint *un bidon de peinture*
paintbrush -es *pinceau (m)
  pinceaux (pl)*
painting (n) *tableau (m) tableaux (pl)*
  oil painting *peinture (f) à l'huile*
  watercolour *aquarelle (f)*
paints (pl) *couleurs (fpl)*
  box of paints *boîte de couleurs*
pair *paire (f)*
  a pair of / / *une paire de / /*
palace *palais (m)*
pale (of people & things) *pâle*
pants (pl) *slip (ms)*
  a pair of pants *un slip*
panty-girdle *gaine culotte (f)*
paper *papier (m)*
  airmail paper *papier par avion*
  a sheet of paper *une feuille de papier*
  carbon paper *papier carbone*
  drawing paper *papier à dessin*
  lined paper *papier avec lignes*
  typing paper *papier machine*
  unlined paper *papier sans lignes*
  wrapping paper *papier d'emballage*
  writing paper *papier à lettres*
paper bag *sac en papier*
paper clip *trombone (m) (agrafe)*
paperback *livre (m) de poche*
parcel *colis (m)*
  by parcel post *par colis postal*
parent *parent (m) (mère ou père)*
park (n) *parc (m)*
park (vb) *stationner*
parking *stationnement (m)*
  no parking *stationnement interdit*
parking meter *parcomètre*
parliament *parlement (m)*
part *partie (f)*
  a part of / / *une partie de / /*
part (car) *pièce (f) (voiture)*
  spare parts *pièces détachées (fpl)*
partner (business) *associé (m)*
partridge *perdrix (f) perdrix (pl)*
part-time work *travail (m) à mi-temps*

party -ies *réception (f)*
  birthday party *fête (f) d'anniversaire*
pass -es (n) (=p. to enter building)
  laissez-passer (m) laissez-passer (mpl)
  mountain pass *col (m)*
passage (on a boat) *traversée (f)*
passenger (in train) *voyageur (m)*
  transit passenger *voyageur en transit*
passenger (in boat) *passager (m)*
passport *passeport (m)*
past
  go past /the station/ *passer par /la gare/*
pastille *pastille (f)*
  throat pastille *pastille pour la gorge*
pastry -ies (=cake) *gâteau (m) gâteaux (pl)*
patch (n) *pièce (f) (pour raccommoder)*
patch (vb) *raccommoder*
pâté *pâté (m)*
  liver pâté *pâté de foie*
path *sentier (m)*
patient (adj) *patient (m) patiente (f)*
patient (n) *malade (m&f)/patient (m) patiente (f)*
  outpatient *malade en consultation externe*
pattern *patron (m)*
  dress pattern *patron de robe*
  knitting pattern *patron de tricot*
pavement *trottoir (m)*
pay *payer*
  by /credit card/ *par /carte de crédit/*
  in advance *à l'avance*
  in cash *en espèces*
  in /francs/ *en /francs/*
  the bill *l'addition (f)*
pea *petit pois (m)*
peach -es *pêche (f)*
peanut *cacahuète (f)*
  a packet of peanuts *un paquet de cacahuètes*
pear *poire (f)*
pearl *perle (f)*
pedestrian *piéton (m)*
  p. crossing *passage (m) pour piétons*
peel (vb) *éplucher*

peg (=clothes p.) *pince (f) à linge*
pen (=fountain p.) *stylo (m)*
  ballpoint pen *stylo à bille*
pen friend *correspondant (m) correspondante (f)*
pencil *crayon (m)*
  pencil sharpener *taille-crayon (m)*
penicillin *pénicilline (f)*
  I'm allergic to penicillin *je suis allergique à la pénicilline*
penknife -ves *canif (m)*
people (pl) *gens (mpl)*
pepper *poivre (m)*
pepper (=vegetable) *poivron (m)*
  green pepper *poivron vert*
  red pepper *poivron rouge*
peppermint (=flavour/drink) *menthe (f)*
  peppermint (sweet) *pastille (f) à la menthe*
per annum *par an*
per cent *pour cent*
percolator *percolateur (m)*
perfect (adj) *parfait (m) parfaite (f)*
performance *séance (f)*
perfume *parfum (m)*
  a bottle of perfume *un flacon de parfum*
perhaps *peut-être*
period (of time) *période (f)*
period (=menstrual period) *règles (fpl) (menstrues)*
perm (=permanent wave) *permanente (f)*
permanent *permanent (m) permanente (f)*
permission *permission (f)*
  permission to /enter/ *permission d'/entrer/*
permit (n) *permis (m)*
permit (vb) *permettre*
person *personne (f)*
personal *personnel (m) personnelle (f)*
pet *animal (m) domestique*
petrol *essence (f)*
  petrol can *bidon (m) d'essence*
petrol station *station-service (f)*
petticoat *jupon (m)*

pheasant faisan (m)
phone (n) téléphone (m)
  may I use your phone please?
  est-ce que je peux téléphoner s'il vous
  plaît?
  external phone ligne (f) extérieure
  internal phone ligne (f) intérieure
photocopier photocopieuse (f)
photocopy (vb) photocopier
photocopy -ies photocopie (f)
photograph (photo) photographie
  (f)/photo (f)
  black and white photograph
  photographie en noir et blanc
  colour photograph photographie en
  couleur
  take a photograph prendre une
  photographie
photographer photographe (m&f)
  photographer's studio studio (m) de
  photographe
photographic photographique
phrase expression (f)
  phrase book manuel (m) de
  conversation
piano piano (m)
pick (=gather flowers etc) cueillir
picnic pique-nique (m)
  go on a picnic faire un pique-nique
picture (drawing or painting) image (f)
piece morceau (m)
  a piece of / / un morceau de / /
pig cochon (m)
pigeon pigeon (m)
piles (illness) hémorroïdes (fpl)
pill comprimé (m)
  a bottle of pills un flacon de
  comprimés
  sleeping pills somnifères (mpl)
  the Pill la pilule
pillow oreiller (m)
  pillow case taie (f) d'oreiller
pilot pilote (m)
pin épingle (f)
  drawing pin punaise (f)
pine (wood) pin (m)
pineapple ananas (m)

  a slice of pineapple une tranche
  d'ananas
  pineapple juice jus (m) d'ananas
pink rose
pint pinte (f)
pip (=seed of citrus fruit) pépin (m)
pipe (smoker's) pipe (f)
  pipe cleaner cure-pipe (m)
place (exact location) lieu (m) lieux (pl)
  place of birth lieu (m) de naissance
  place of work lieu (m) de travail
place (eg on a plane) place (f)
plaice/plaice (pl) carrelet
plain (adj) (unpatterned) uni
plain (adj) (=not flavoured) nature
plain (adj) (=simple) simple
plan (n) plan (m)
plan (vb) projeter
  planned (=already decided) prévu
plane (n) (=aeroplane) avion (m)
  by plane par avion
plant (n) plante (f)
plant (vb) planter
plaster (for walls) plâtre (m)
  sticking plaster (for cuts) sparadrap
  (m)
plastic (adj) plastique
  plastic bag sac en plastique
plate (=dental plate) dentier (m)
plate (=dinner plate) assiette (f)
platform /eight/ quai (m) numéro
  /huit/
platinum platine (f)
play (n) (at theatre) pièce (f) (théâtre)
play (vb) jouer
  play a game of / / faire une partie
  de / /
play (vb) (an instrument) jouer
  play rugby jouer au rugby
playground terrain (m) de jeu
playgroup garderie (f)
pleasant agréable
please (request) s'il vous plaît
  yes please (acceptance of offer) oui,
  merci
pleased content (m) contente (f)
  pleased with / / content de / /

plenty *beaucoup*
  plenty of / / *beaucoup de / /*
pliers (pl) *pince (fs)*
  a pair of pliers *une pince*
plimsolls (pl) *chaussures (fpl) de gymnastique*
  a pair of plimsolls *une paire de chaussures de gymnastique*
plug (for sink) *bonde (f)*
plug (electric) *prise (f) (mâle)*
  adaptor plug *prise (f) multiple*
  /three/-pin plug *prise à /trois/ fiches*
plug in *brancher*
plum *prune (f)*
plumber *plombier (m)*
plus *plus*
p.m. *de l'après-midi (m)*
pneumonia *pneumonie (f)*
poach *pocher*
pocket *poche (f)*
pocket dictionary -ies *dictionnaire (m) de poche*
pocket money *argent (m) de poche*
pocketknife -ves *couteau (m) de poche*
point (n) (=a sharpened point) *pointe (f)*
point (vb) (=indicate) *indiquer*
pointed *pointu*
poison *poison (m)*
poisoning *empoisonnement (m)*
  food poisoning *intoxication (f) alimentaire*
poisonous *toxique*
poker (=game) *poker (m)*
  a game of poker *une partie de poker*
  play poker *jouer au poker*
police (pl) *police (fs)*
police station *commissariat (m)*
policeman/policemen (pl) *agent (m) de police*
polish (n) *cire (f)*
  shoe polish *cirage (m)*
polish (vb) *cirer*
polite *poli*
political *politique (adj)*
politician *homme (m) politique*
politics (pl) *politique (fs)*
polo neck sweater *pull-over (m) à col*

roulé
pond *étang (m)*
pony -ies *poney (m)*
pony trekking *randonnée (f) à cheval*
  go pony trekking *faire une randonnée à cheval*
pool (=swimming pool) *piscine (f)*
poor (=not rich) *pauvre*
poor (poor quality) *médiocre*
pop (music) *pop (m)*
popcorn *pop-corn (m)*
popular *populaire*
population *population (f)*
pork *porc (m)*
pornographic *pornographique*
port (=harbour) *port (m)*
portable *portatif (m) portative (f)*
portable television *poste portatif*
porter (hotel) *portier (m)*
porter (railway) *porteur (m)*
portion *portion (f)*
  a portion of / / *une portion de / /*
portrait *portrait (m)*
position *position (f)*
possible *possible*
post (vb) *poster*
  post this airmail *envoyer ceci par avion*
  as printed matter *en imprimé*
  express *en exprès*
  first class *à tarif normal*
  parcel post *par colis postal*
  registered *en recommandé*
  second class *à tarif réduit*
  surface mail *par voie de terre*
post office *poste (f)*
postage *tarif (m) postal*
postal order *chèque (m) postal*
postal rate for /England/ *tarifs (mpl) postaux pour /l'Angleterre/*
postbox -es *boîte (f) à lettres*
postcard *carte (f) postale*
postcode *code (m) postal*
poster *affiche (f)*
pot *pot (m)*
  a pot of tea *une théière pleine de thé*
potato -es *pomme (f) de terre*

potato peeler *couteau (m) éplucheur*
pottery (substance) *poterie (f)*
poultry *volaille (f)*
  chicken *poulet (m)*
  duck *canard (m)*
  turkey *dinde (f)*
pound (weight) *livre (f) (poids)*
pound (money) *livre (f) (argent)*
pour *verser*
powder (face powder) *poudre (f)*
  baby powder *talc (m) pour bébé*
  talcum powder *talc (m)*
practice (=custom) *coutume (f)*
practice (=training) *entraînement (m)*
practise (=put into practice) *pratiquer*
practise (=train) *s'exercer*
pram *landau (m)*
prawn *bouquet (m)*
precious *précieux (m) précieuse (f)*
  precious stone *pierre (f) précieuse*
prefer *préférer*
pregnant *enceinte*
prepare *préparer*
prescribe *prescrire*
prescription *ordonnance (f)*
present (adj) *présent (m) présente (f)*
present (n) (=gift) *cadeau (m)*
  cadeaux (pl)
present (n) (time) *présent (m)*
present (vb) *présenter*
president (of company) *président (m)*
  (P.D.G.)
press (vb) (eg button) *appuyer*
press (vb) (ironing) *repasser*
pressure *pression (f)*
  blood pressure *tension (f) artérielle*
  pressure cooker *cocotte minute (f)*
pretty *joli*
price (n) *prix (m) prix (pl)*
  price list *liste (f) des prix*
priest *prêtre (m)*
prince *prince (m)*
princess -es *princesse (f)*
print (n) (photographic) *tirage (m)*
print (vb) *imprimer*
printer *imprimeur (m)*
prison *prison (f)*

private *privé*
  private /bath/ */salle (f) de bain/
  privée*
prize *prix (m) prix (pl) (eg Nobel)*
probable *probable*
problem *problème (m)*
procession *défilé (m)*
produce (vb) *produire*
product *produit (m)*
programme (of events) *programme (m)*
promise (n) *promesse (f)*
promise (vb) *promettre*
promotion (of a person) *promotion (f)*
promotion (of a product) *promotion (f)*
pronounce *prononcer*
proof *preuve (f)*
property -ies (=belongings) *affaires
  (fpl)*
prospectus -es *prospectus (m)*
prostitute *prostituée (f)*
protect *protéger*
  protect me from / / *me protéger de
  / /*
protection *protection (f)*
protective *protecteur (m) protectrice (f)*
Protestant (adj) *protestant (m)
  protestante (f)*
prove *prouver*
provisions (pl) *provisions (fpl)*
prune *pruneau (m) pruneaux (pl)*
public *public (m) publique (f)*
  public buildings (pl) *bâtiments (mpl)
  publics*
  public convenience *w.c. (m)/toilette
  (f)*
  public /garden/ */jardin/ (m) public*
pull *tirer*
pump *pompe (f)*
  bicycle pump *pompe à bicyclette*
  toot pump *pompe à pied*
  water pump *pompe à eau*
puncture *crevaison (f)*
punish *punir*
punishment *punition (f)*
pupil *élève (m&f)*
pure *pur*
purple *violet (m) violette (f)*

purse *porte-monnaie (m)*
pus *pus (m)*
push (vb) *pousser*
pushchair *poussette (f)*
put *mettre*
  put on /my coat/ *mettre /mon manteau/*
put *mettre*
puzzle *puzzle (m)*
  jigsaw puzzle *puzzle (m)*
pyjamas (pl) *pyjama (ms)*
  a pair of pyjamas *un pyjama*

Q

quail (=bird) *caille (f)*
qualifications (pl) *diplômes (mpl)*
qualified *qualifié*
quality -ies *qualité (f)*
quarrel (n) *querelle (f)*
quarter *quart (m)*
  a quarter of /an hour/ *un quart d'/heure/*
queen *reine (f)*
query (vb) *contester*
  I would like to query /the bill/ *je voudrais vérifier /l'addition/*
question (n) *question (f)*
question (vb) *interroger*
queue (n) *queue (f)*
queue (vb) *faire la queue*
quick *rapide (adj)*
  quick! *vite!*
quickly *vite*
quiet (adj) *tranquille (m&f)*
  quiet please! *silence, s'il vous plaît!*
quinine *quinine (f)*
quite *tout à fait*

R

rabbi *rabbin (m) rabbine (f)*
rabbit *lapin (m)*
rabies *rage (f)*
race (n) (=contest) *course (f)*
  horse race *course hippique*
  motor race *course automobile*

race (vb) *faire la course*
racecourse *champ (m) de courses*
racehorse *cheval (m) de course*
races (pl) (=the races) *courses (fpl) (hippiques)*
racing *la course (f)*
  horse racing *course hippique*
  motor racing *course automobile*
racquet *raquette (f)*
  tennis racquet *raquette de tennis*
  squash racquet *raquette de squash*
radiator (car) *radiateur (m) (voiture)*
radio *radio (f)*
  car radio *autoradio (m)*
  portable radio *radio (f) portative*
  transistor radio *transistor (m)*
radish -es *radis (m) radis (pl)*
raft *radeau (m) radeaux (pl)*
  life raft *canot (m) de sauvetage*
rag (for cleaning) *chiffon (m)*
railway *chemin (m) de fer*
  railway station *gare (f)*
  underground railway *métro (m)*
rain (n) *pluie (f)*
rain (vb) *pleuvoir*
  it's raining *il pleut*
raincoat *imperméable (m)*
raisin *raisin sec (m)*
rally -ies *meeting (m)*
  motor rally *rallye (m) automobile*
range (=range of goods) *choix (m) (de marchandises)*
range (=mountain range) *chaîne (f) (montagnes)*
rare (=unusual) *rare*
rare (eg of steak) *saignant (m) saignante (f)*
  medium-rare *à point*
rash -es *éruption (f)*
rasher of bacon *tranche (f) de bacon*
raspberry -ies *framboise (f)*
  a punnet of raspberries *un panier de framboises*
rat *rat (m)*
rate (n) *tarif (m)*
  cheap rate (mail, telephone) *tarif réduit*

exchange rate *taux (m) de change*
postal rate *tarif postal*
rate per day *tarif quotidien*
rates (charges) *prix (mpl)*
rattle (baby's rattle) *hochet (m)*
rattle (noise) *bruit (m)*
raw *cru*
razor *rasoir (m)*
electric razor *rasoir électrique*
razor blade *lame (f) de rasoir*
a packet of razor blades *un paquet de lames de rasoir*
reach (=attain) (vb) *atteindre*
read *lire*
read /a magazine/ *lire /une revue/*
ready *prêt (m) prête (f)*
are you ready? *ça y est?*
when will it be ready? *quand est-ce que ça sera prêt?*
real *vrai*
really *vraiment*
rear /coach/ */wagon (m)/ de derrière*
reason (n) *raison (f)*
reasonable *raisonnable*
receipt (=attain) *reçu (m)*
receive *recevoir*
recent *récent (m) récente (f)*
Reception (eg in a hotel) *réception (f)*
recharge (battery) *recharger*
recipe *recette (f)*
recognise *reconnaître*
recommend *recommander*
record (n) *disque (m)*
thirty-three r.p.m. record *trente-trois tours*
forty-five r.p.m. record/single *quarante-cinq tours*
classical record *disque de musique classique*
jazz record *disque de jazz*
light music record *disque de musique légère*
pop record *disque de musique pop*
record (vb) *enregistrer*
record player *électrophone (m)*
record shop *magasin (m) de disques*
rectangular *rectangulaire*

red *rouge*
reduce (price) *réduire*
reduce the price *baisser le prix*
reduction *réduction (f)*
reel (n) *bobine (f)*
refill *recharge (t)*
refrigerator/fridge (infml) *frigidaire (m)(tdmk)/frigo (m) (infml)*
refund (n) *remboursement (m)*
refund (vb) *rembourser*
regards
give /Julie/ my regards *mes amitiés à /Julie/*
register (at) (eg a club) *s'inscrire (à)*
registered (mail) *recommandé (poste)*
registration number *numéro (m) d'immatriculation*
regret (vb) *regretter*
regular *régulier (m) régulière (f)*
regular /service/ */service/ régulier*
regulations (pl) *règlements (mpl)*
reimburse *rembourser*
relations (pl) *parents (mpl)*
relative (n) *parent (m)*
reliable *sûr*
religion *religion (f)*
religious *religieux (m) religieuse (f)*
remedy -ies *remède (m)*
remember *se souvenir*
I don't remember *je ne m'en souviens pas*
I remember /the name/ *je me souviens /du nom/*
remove *enlever*
renew *renouveler*
rent (payment) *loyer (m)*
rent /a villa/ *louer /une villa/*
repair (n) *réparation (f)*
repair (vb) *réparer*
repairs (pl) *réparations (fpl)*
do repairs *faire des réparations*
shoe repairs (=shop) *cordonnerie (f)*
watch repairs (=shop) *horlogerie (f)*
repay *rembourser*
repay me *me rembourser*
repay the money *rembourser l'argent*
repeat *répéter*

replace *remplacer*
reply -ies (n) *réponse (f)*
  reply-paid *repónse payée*
report (n) *compte (m) rendu*
report (vb) *signaler*
  report /a loss/ *signaler /une perte/*
represent *représenter*
reproduction (=painting)
  reproduction (f)
request (n) *demande (f)*
  make a request *faire une demande*
research (n) *recherche (f)*
  market research *étude (f) de marché*
reservation (hotel, restaurant, theatre)
  réservation (f)
  make a reservation *réserver*
reserve (vb) *réserver*
  reserved *réservé*
  reserved seat *place réservée (f)*
responsible *responsable*
  responsible for / / *responsable de*
  / /
rest (n) *repos (m)*
  have a rest *se reposer*
rest (vb) *se reposer*
restaurant *restaurant (m)*
  self-service restaurant *restaurant (m)*
  libre-service
restrictions (pl) *restrictions (fpl)*
result *résultat (m)*
retired (adj) *en retraite*
  I'm retired *je suis retraité*
return *retour (m)*
  day return *aller et retour dans la*
  journée
  return (ticket) *aller et retour (m)*
return (=give back) *rendre*
  return /this sweater/ *rendre /ce*
  pull-over/
return (=go back) *rentrer*
  return at / four-thirty/ *rentrer a*
  /seize heures trente/
  return in /July/ *rentrer en /juillet/*
  return on /Monday/ *rentrer /lundi/*
reverse (vb) *faire marche arrière*
reverse (n) (gear) *marche (f) arrière*
reverse the charges *téléphoner en*

P.C.V.
  I'd like to reverse the charges *je*
  voudrais téléphoner en P.C.V.
reward (n) *récompense (f)*
reward (vb) *récompenser*
rheumatism *rhumatisme (m)*
rib (part of body) *côte (f) (corps)*
ribbon *ruban (m)*
  a piece of ribbon *un bout de ruban*
  typewriter ribbon *ruban de machine*
  à écrire
rice *riz (m)*
rich *riche*
ride (vb) *monter*
  ride a bicycle *monter à bicyclette*
  ride a horse *monter à cheval*
  go for a ride (in a car) *se promener*
  en voiture
riding (=horse riding) *équitation (f)*
  go riding *faire de l'équitation*
right (=correct) *bon (m) bonne (f) (adj)*
right (=not left) *droit (m) droite (f)*
right (direction) *à droite*
right-handed *droitier (m) droitière (f)*
ring *bague (f)*
  /diamond/ ring *bague de /diamant/*
  engagement ring *bague de fiançailles*
  wedding ring *alliance (f)*
ring (vb) **at the door** *sonner à la porte*
ring road *route (f) périphérique*
rinse (n) (clothes) *rinçage (m)*
  colour rinse (hair) *rinçage (m)*
  (coiffure)
rinse (vb) *rincer*
ripe *mûr (adj)*
river (large) *fleuve (m)*
river (small) *rivière (f)*
road *route (f)*
  main road *route principale*
  ring road *route périphérique*
  side road *route de traverse*
roast (vb) *rôtir*
  roast beef *rosbif (m)*
  roast chicken *poulet (m) rôti*
rock (n) *rocher (m)*
rod (=fishing r.) *canne (f) à pêche*
roll (=bread r.) *petit pain (m)*

roll of /toilet paper/ *rouleau (m) de* /*papier hygiénique*/
roller skating *patinage (m) à roulettes*
  go roller skating *faire du patin à roulettes*
roof *toit (m)*
roof rack *galerie (f) (voiture)*
room *chambre (f)*
  double room *chambre pour deux personnes*
  quiet room *chambre tranquille*
  room service *service (m) dans les chambres*
  room with a view of /the sea/ *chambre qui donne sur* /la mer/
  single room *chambre à un lit*
  twin-bedded room *chambre à deux lits*
  with /shower/ *avec* /douche/
  without /bath/ *sans* /bain/
rope *corde (f)*
  tow rope *câble (m) de remorque*
rose *rose (f)*
  a bunch of roses *un bouquet de roses*
rotten *pourri*
rough (=not calm) *agité*
rough (=not smooth) *rude* (=rugueux)
roughly (=approximately) *à peu près*
round (adj) *rond (m) ronde (f)*
roundabout (n) *rond-point (m)*
route *itinéraire (m)*
row (a boat) *ramer*
row (of seats) *rang (m)*
  the /first/ **row** *le* /premier/ *rang*
rowing boat *bateau (m) à rames*
rub *frotter*
rubber (=eraser) *gomme (f)*
rubber (substance) *caoutchouc (m)*
  rubber boots *bottes (fpl) en caoutchouc*
rubber band *élastique (m)*
rubbish (=litter) *ordures (fpl)*
rucksack *sac (m) à dos*
rude *grossier (m) grossière(f)*
rug *tapis (m)*
rugby *rugby (m)*

  a game of rugby *un match de rugby*
ruler (for measuring) *règle (f) (mesure)*
rules (pl) *règles (fpl)*
rum *rhum (m)*
run (vb) *courir*
run (vb) (colour) *déteindre (couleur)*
  does it run? *est-ce que ça déteint?*
run over / / *écraser* / /
run-resistant (tights etc) *indémaillable*
rush hour *heures (fpl) de pointe*

S

saccharine *saccharine (f)*
  saccharine tablet *comprimé (m) de saccharine*
sad *triste*
saddle *selle (f)*
safe (adj) *sauf (m) sauve (f)*
safe (n) *coffre-fort (m)*
safety belt *ceinture (f) de sécurité*
safety pin *épingle (f) de sûreté*
sail (n) *voile (f)*
sail (vb) *naviguer à la voile*
sailing *navigation (f) à voile*
  go sailing *faire de la voile*
sailor *marin (m)*
saint *saint (m) sainte (f)*
salad *salade (f)*
  green salad *salade verte*
  mixed salad *salade variée*
  salad dressing *vinaigrette (f)*
salary -ies *salaire (m)*
sale *soldes (mpl)*
sales (of a company) *ventes (fpl)*
  sales representative *représentant (m) de commerce*
  sales manager *directeur (m) commercial*
salmon/salmon (pl) *saumon (m)*
  smoked salmon *saumon fumé*
salt (n) *sel (m)*
salted *salé*
same *même*
  the same as / / *le/la même que* / /
sand *sable (m)*

sandals (pl) *sandales (fpl)*
  a pair of sandals *une paire de sandales*
sandwich -es *sandwich (m)*
  a /cheese/ sandwich *un sandwich /au fromage/*
sandy *sablonneux (m) sablonneuse (f)*
sanitary towels (pl) *serviettes (fpl) hygiéniques*
sardine *sardine (f)*
satin (adj) *satiné*
satin (n) *satin (m)*
satisfactory *satisfaisant (m) satisfaisante (f)*
Saturday *samedi (m)*
  on Saturday *samedi*
  on Saturdays *le samedi*
sauce *sauce (f)*
saucepan *casserole (f)*
saucer *soucoupe (f)*
  a cup and saucer *une tasse et une soucoupe*
sauna *sauna (m)*
sausage *saucisse (f)/saucisson (m)*
save (money) *épargner*
save (=rescue) *sauver*
savoury (=not sweet) *salé*
say (something) *dire (quelque chose)*
scale (on a map) *échelle (f) (carte)*
  large scale *à grande échelle*
  small scale *à petite échelle*
scales (pl) (=weighing machine) *balance (fs)*
scallop *coquille (f) St-Jacques*
scar *cicatrice (f)*
scarf -ves *écharpe (f)*
  /silk/ scarf *écharpe de /soie/*
scenery *paysage (m)*
schedule *programme (m)*
school *école (f)*
  language school *école de langue*
schoolboy *écolier (m)*
schoolgirl *écolière (f)*
science *science (f)*
scissors (pl) *ciseaux (mpl)*
  a pair of scissors *une paire de ciseaux*

scooter (=child's s.) *trottinette (f)*
  motor scooter *scooter (m)*
score /a goal/ *marquer /un but/*
scratch (vb) *gratter*
scratch -es (n) *égratignure (f)*
scream (n) *cri (m)*
screen (=film screen) *écran (m)*
screen (=movable partition) *paravent (m)*
screw *vis (f)*
screwdriver *tournevis (m)*
sculpture *sculpture (f)*
sea *mer (f)*
  by sea *par bateau*
seafood *fruits (mpl) de mer*
search (vb) *fouiller*
search -es (n) *fouille (f)*
seasick
  be seasick *avoir le mal de mer*
  I feel seasick *j'ai le mal de mer*
season *saison (f)*
season ticket *carte (f) d'abonnement*
seasoning *assaisonnement (m)*
seat *place (f)*
  at the back *an fond*
  at the front *devant*
  at the theatre *au théâtre*
  by the exit *près de la sortie*
  by the window *près de la fenêtre*
  in a non-smoker (train) *dans un compartiment non-fumeur*
  in the non-smoking section (aeroplane) *dans la partie non-fumeur*
  in a smoker (train) *dans un compartiment fumeur*
  in the smoking section (aeroplane) *dans la partie fumeur*
  in the middle *au milieu*
  on a coach *dans un car*
  on a train *dans un train*
second (of time) *seconde (f)*
second-hand *d'occasion*
  a second-hand car *une voiture d'occasion*
secret (adj) *secret (m) secrète (f)*
secret (n) *secret (m)*
secretary -ies *secrétaire (m&f)*

security sécurité
  security check contrôle (m) de
    sécurité
  security control contrôle (m) de
    sécurité
sedative sédatif (m)
see voir
  I see (= understand) je vois
  see /the manager/ voir /le directeur/
  see /the menu/ voir /la carte/
  see you! salut! (= au revoir)
  see you soon! à bientôt!
self-addressed envelope enveloppe (f)
    à vos nom et adresse
sell vendre
Sellotape (tdmk) scotch (m) (tdmk)
send envoyer
  send /a message/ envoyer /un
    message/
  send / / to me m'envoyer / /
  send it by / / mail l'envoyer par
    / /
separate (adj) séparé
September septembre (m)
septic septique
serve servir
service service (m)
  room service service (m) dans les
    chambres
  twenty-four hour service ouvert
    vingt-quatre heures sur vingt-quatre
service (vb)(car) réviser (voiture)
service (n) (car) révision (f)
serviette serviette (f) de table
set (n) service (m)
  dinner set service (m) de table
  tea service service (m) à thé
set (vb)(hair) faire une mise en plis
  shampoo and set (n) shampooing (m)
    et mise en plis
several plusieurs
sew coudre
sewing couture (f)
  do some sewing faire de la couture
sex -es sexe (m)
shade (colour) teinte (f) (couleur)
shade ombre (f)

in the shade à l'ombre
shake (vb) secouer
  shake hands se serrer la main
shampoo (n) shampooing (m)
  a bottle of shampoo une bouteille de
    shampooing
  a sachet of shampoo un sachet de
    shampooing
  shampoo and blow dry shampooing
    et un brushing
  shampoo and set shampooing et
    mise en plis
shampoo (vb) laver
shape (n) forme (f)
share (vb) partager
sharp (of things) tranchant (m)
    tranchante (f)
sharpen aiguiser
shave (n) rasage (m)
shave (vb) se raser
shaving brush -es blaireau (m)
    blaireaux (pl) (brosse)
shaving cream crème (f) à raser
  a tube of shaving cream un tube de
    crème à raser
shaving soap savon (m) à barbe
  a stick of shaving soap un bâton de
    savon à barbe
shawl châle (m)
she elle
sheath (= Durex) préservatif (m)
  a packet of sheaths un paquet de
    préservatifs
sheep/sheep (pl) mouton (m)
sheepskin peau (f) de mouton
  sheepskin /rug/ /tapis (m)/ en peau
    de mouton
sheet (bed linen) drap (m)
sheet (of paper) feuille (f)
shelf -ves rayon (m) (étagère)
  bookshelf étagère (f)
shell (sea-s.) coquille (f)
shellfish (s)/shellfish (pl) coquillages
    (mpl)
sheltered abrité
sherry sherry (m)
  a bottle of sherry une bouteille de

sherry
a sherry un sherry
shiny brillant (m) brillante (f)
ship (n) bateau (m) bateaux (pl)
ship (vb) expédier par bateau
shirt chemise (f)
casual shirt chemise de sport
/cotton/ shirt chemise de /coton/
formal shirt chemise habillée
short-sleeved shirt chemise à
manches courtes
shock (n) choc (m)
electric shock décharge (f) électrique
state of shock état (m) de choc
shock absorber (car) amortisseur (m)
shockproof (eg of watch) antichoc
shoebrush -es brosse (f) à chaussures
shoelaces (pl) lacets (mpl)
a pair of shoelaces une paire de
lacets
shoepolish cirage (m)
shoes (pl) chaussures (fpl)
a pair of shoes une paire de
chaussures
boys' shoes chaussures pour
garçonnets
girls' shoes chaussures pour fillettes
flat-heeled shoes chaussures plates
high-heeled shoes chaussures à
talon
ladies' shoes chaussures pour
femmes
men's shoes chaussures pour
hommes
walking shoes chaussures de marche
shoeshop magasin (m) de chaussures
shoot (vb) (sport) chasser
shop magasin (m)
shop assistant vendeur (m)
vendeuse (f)
shopping achats (mpl)
go shopping faire des achats
shopping bag sac (m) à provisions
shopping centre centre (m) commercial
shore côte (f)
short (people) petit (m) petite (f)
(personne)

short court (m) courte (f)
short circuit court-circuit (m)
shorten raccourcir
shorts (pl) short (ms)
a pair of shorts un short
shot (n) coup (m) de fusil
shoulder épaule (f)
shout (n) cri (m)
shout (vb) crier
show (n) exposition (f)
fashion show salon (m) de mode
floor show café-concert (m)
strip show strip-tease (m)
variety show spectacle (m) de
variétées
show (vb) montrer
show /it/ to me montrez-/le/-moi
shower (=s. bath) douche (f)
shower cap bonnet (m) de douche
shrimp crevette (f)
shut (adj) fermé
shut (vb) fermer
shutters (pl) volets (mpl)
shy timide
sick malade
I feel sick j'ai mal au coeur
side (n) (in game) équipe (f)
side (n) (of object) côté (m)
sights (pl)(of a town) monuments (mpl)
sightseeing tourisme (m)
go sightseeing faire du tourisme
sign (n) signe (m)
sign /a cheque/ signer /un chèque/
sign here signez ici .
signal (n) signal (m)
signal (vb) faire signe
signature signature (f)
signpost poteau (m) indicateur
silence silence (m)
silent silencieux (m) silencieuse (f)
silk (adj) en soie
silk (n) soie (f)
silver (adj) en argent
silver (n) argent (m)
similar pareil
simple simple
sincere sincère

sing *chanter*
singer *chanteur (m) chanteuse (f)*
single (=not married) *célibataire*
 single bed *lit (m) d'une personne*
 single ticket *aller simple (m)*
sink (n) *évier (m)*
sink (vb) *couler*
sister *soeur (f)*
sister-in-law/sisters-in-law (pl)
 belle-soeur (f) belles-soeurs (fpl)
sit (see seat) *s'asseoir*
 please sit down *asseyez-vous s'il vous plaît*
site *emplacement (m)*
 campsite *(terrain de) camping (m)*
 caravan site *camping (m) pour caravanes*
size *taille (f) (habillement)*
 large size *grande taille*
 medium size *taille moyenne*
 small size *petite taille*
 what size? *quelle taille?*
size (shoes) *pointure (f)*
skating *patinage (m)*
 go skating *faire du patinage*
 ice-skating *patinage sur glace*
 roller-skating *patinage à roulettes*
sketch -es (n) *esquisse (f)*
sketchpad *bloc (m) à dessin*
ski lift *télésiège (m)*
ski-boots (pl) *chaussures (fpl) de ski*
 a pair of ski-boots *une paire de chaussures de ski*
skid (n) *dérapage (m)*
skid (vb) (car) *déraper*
skiing *ski (m)*
 go skiing *faire du ski*
 water-skiing *ski nautique*
skin *peau (f) peaux (pl)*
skin diving *plongée (f) sous-marine*
 go skin diving *faire de la plongée sous-marine*
skirt *jupe (f)*
 long skirt *jupe longue*
 short skirt *jupe courte*
skis (pl) *skis (mpl)*
 a pair of skis *une paire de skis*

water skis *skis nautiques*
sky -ies *ciel (m)*
sleep (n) *sommeil (m)*
sleep (vb) *dormir*
 he's asleep *il dort*
sleeper (on a train) *couchette (f)*
sleeping bag *sac (m) de couchage*
sleeping berth *couchette (f)*
sleeping car *wagon-lit (m) wagons-lit (pl)*
sleeping pill *somnifère (m)*
sleepy
 be sleepy *avoir sommeil*
 I'm sleepy *j'ai sommeil*
sleeves (pl) *manches (fpl)*
 long sleeves *manches longues*
 short sleeves *manches courtes*
 sleeveless *sans manches*
slice (n) *tranche (f)*
 a slice of / / *une tranche de / /*
slice (vb) *couper en tranches*
slide viewer *visionneuse (f)*
slides (pl) *diapositives (fpl)*
 colour slides *diapositives en couleur*
slippers (pl) *pantoufles (fpl)*
 a pair of slippers *une paire de pantoufles*
slippery *glissant (m) glissante (f)*
slope *pente (f)*
slot machine *distributeur (m) automatique*
slow *lent (m) lente (f)*
 slow train *omnibus (m)*
slower *plus lentement*
slowly *lentement*
small (size) *petit (m) petite (f) (taille)*
smart (appearance) *élégant (m) élégante (f)*
smell (n) *odeur (f)*
smell (vb) *sentir*
 it smells /good/ *ça sent /bon/*
smoke (n) *fumée (f)*
smoke /a cigarette/ *fumer /une cigarette/*
smoked (of fish & meat etc) *fumé*
 smoked /ham/ */jambon(m)/ fumé*
smoker *fumeur (m)*

non-smoker *non-fumeur*
smooth *lisse*
snack *casse-croûte (m)*
snack-bar *snack (m)*
snake *serpent (m)*
  snakebite *morsure (f) de serpent*
sneeze (vb) *éternuer*
snorkel (vb)
  snorkel mask *masque (m) sous-marin*
  snorkel tube *tuba (m)*
snow (n) *neige (f)*
snow (vb) *neiger*
  it's snowing *il neige*
so (=therefore) *donc*
soak (vb) *tremper*
soap *savon (m)*
  a bar of soap *pain (m) de savon*
  shaving soap *savon à barbe*
  soap flakes *paillettes (fpl) de savon*
soapy *savonneux (m) savonneuse(f)*
sober *sobre*
socket *prise (f) (femelle)*
  electric razor socket *prise de rasoir électrique*
  light socket *prise (f) douille*
  /three/-pin socket *prise à /trois/ fiches*
socks (pl) *chaussettes (fpl)*
  a pair of socks *une paire de chaussettes*
  short socks *chaussettes courtes*
  long socks *chaussettes longues*
  /woollen/ socks *chaussettes en /laine/*
soda (water) *eau (f) de Seltz*
  a bottle of soda (water) *une bouteille d'eau de Seltz*
  a glass of soda (water) *un verre d'eau de Seltz*
soft (=not hard) *doux (m) douce (f)*
sold *vendu*
sold out *épuisé*
soldier *soldat (m)*
sole (=fish) *sole (f)*
sole (of shoe) *semelle (f)*
solid *solide*
somebody *quelqu'un*

someone *quelqu'un*
something *quelque chose*
  something to drink *quelque chose à boire*
  something to eat *quelque chose à manger*
sometimes *quelquefois*
somewhere *quelque part*
son *fils (m)*
song *chanson (f)*
  folk song *chanson folk*
  pop song *chanson pop*
son-in-law /sons-in-law/ (pl) *beau-fils (m) beaux-fils (mpl)*
soon *bientôt*
sore (adj) *douloureux (m) douloureuse (f)*
  sore throat *mal (m) de gorge*
sorry? (= pardon?) *comment?*
sorry! (apology) *pardon! (=désolé)*
sound (n) *bruit (m)*
soup (clear) *soupe (f)*
  /chicken/ soup *soupe (f) au /poulet/*
soup (thick) *potage (m)*
sour *acide*
south *sud (m)*
  southeast *sud-est (m)*
  southwest *sud-ouest (m)*
souvenir *souvenir (m)*
  souvenir shop *magasin (m) de souvenirs*
space (room) *espace (m)*
spade *pelle (f)*
spanner *clé (f) (outil)*
  adjustable spanner *clé à molette*
spare (adj)
  spare parts (pl) *pièces (fpl) de rechange*
  spare time *temps (m) libre*
sparking plug (car) *bougie (f)*
speak *parler*
speak /English/ *parler /anglais/*
  do you speak /English/? *parlez-vous /anglais/?*
  I don't speak /Arabic/ *je ne parle pas /arabe/*
speak /to the manager/ *parler /au directeur/*

may I speak /to the manager/ please? (on phone) *est-ce que je peux parler /au directeur/ s'il vous plaît?*
special *spécial*
speed *vitesse (f)*
speedboat *hors-bord (m)*
spell *épeler*
spend (money) *dépenser*
spend (time) *passer (son temps à)*
spice *épice (f)*
spicy *piquant (m) piquante (f)*
spider *araignée (f)*
spilt *renversé*
spinach (s) *épinards (mpl)*
spine (part of body) *colonne (f) vertébrale*
spirits (pl) (=alcohol) *spiritueux (mpl)*
spit (vb) *cracher*
splendid *splendide*
spoil (vb) *gâter*
sponge (bath s.) *éponge (f)*
spoon *cuillère (f)*
spoonful *cuillerée (f)*
  a spoonful of / / *une cuillerée de / /*
sport *sport (m)*
sports car *voiture (f) de sport*
spot (=blemish) *bouton (m) (corps)*
spot (=dot) *point (m)*
sprain (n) *entorse (f)*
sprained *foulé*
spring (=season) *printemps (m)*
  in spring *au printemps*
spring (=wire coil) *ressort (m)*
spring onion *ciboule (f)*
sprout (=Brussels s.) *chou (m) de Bruxelles*
square (=scarf) *carré (m)*
  a /silk/ square *un carré de /soie/*
square (shape) *carré (adj)*
square (place) *place (f)*
  main square *place (f) principale*
squash *squash (m)*
  a game of squash *une partie de squash*
  play squash *jouer au squash*
squeeze (vb) *serrer*

stable (for horses) *écurie (f)*
stadium *stade (m)*
staff (=employees) *personnel (m)*
stage (in a theatre) *scène (f) (théâtre)*
stain *tache (f)*
  stain remover *détachant (m)*
stained *taché*
stainless steel *acier (m) inoxydable*
  stainless steel /cutlery/ */coutellerie/ (f) inoxydable*
staircase *escalier (m) (cage)*
stairs (pl) *escalier (ms)*
stale (bread, cheese etc) *rassis*
stamp (n) *timbre (m)*
  book of stamps *carnet (m) de timbres*
  a /two/ franc stamp *un timbre à /deux/ francs*
stand (vb) *être debout*
standard (adj) *standard (m&f)*
stapler *agrafeuse (f)*
staples (n) (pl) *agrafes (fpl)*
star *étoile (f)*
  film star *vedette (f) de cinéma*
starch (vb) *amidonner*
starch -es (n) *amidon (m)*
start (n) *début (m)*
start (vb) *commencer*
  start /the journey/ *commencer /le voyage/*
start (vb) (eg a car) *démarrer*
  it won't start *ça ne démarre pas*
starter (=hors d'oeuvre) *hors-d'oeuvre (m)*
starter motor (car) *démarreur (m)*
state (n) *état (m)*
station (=railway s.) *gare (f)*
  bus station *gare routière*
  coach station *gare routière*
  underground station *station (f) (de métro)*
stationery *papeterie (f)*
statue *statue (f)*
stay (somewhere) *loger*
  where are you staying? *où logez-vous?*
stay at / / *rester à / /*
  for a night *une nuit*

for /two/ nights /deux/ nuits
for a week une semaine
for /two/ weeks /deux/ semaines
till / / jusqu'à / /
from / / till / de / / jusqu'à
/ /
steak steak (m)
  medium à point
  rare saignant
  well-done bien cuit
steal voler (crime)
steam (vb) cuire à la vapeur
steel acier (m)
  stainless steel acier inoxydable
steep raide
steer (vb) (boat) barrer
steer (vb) (car) conduire
steering (n) (car) direction (f) (voiture)
step (n) (movement) pas (m)
step (n) (part of staircase) marche (f)
  (d'escalier)
stereo (adj) stéréo
  stereo equipment équipement (m)
  stéréo
stereo (n) chaîne (f) stéréo
stern (of boat) poupe (f)
steward (plane or boat) steward (m)
stewardess -es (plane or boat) hôtesse
  (f) (avion, bateau)
stick (n) bâton (m)
sticking plaster sparadrap (m)
sticky collant (m) collante (f)
sticky tape (eg Sellotape (tdmk)) scotch
  (m) (tdmk)
stiff raide
sting (n) piqûre (f)
  /bee/ sting piqûre d'/abeille/
sting (vb) piquer
stir (vb) remuer
stock (n) (of things) stock (m)
stockings (pl) bas (mpl)
  fifteen/thirty denier quinze/trente
  deniers
  a pair of stockings une paire de bas
  /nylon/ stockings bas de /nylon/
stolen volé
stomach estomac (m)

I've got a stomach ache j'ai mal à
l'estomac
I've got a stomach upset j'ai mal au
ventre
stone (substance) pierre (f)
  precious stone pierre précieuse
stone (of fruit) noyau (m) noyaux (pl)
stool tabouret (m)
stop (n) arrêt (m)
  bus stop arrêt de bus
  tram stop arrêt de tram
stop (vb) arrêter
stop at / / s'arrêter à / /
store (=department s.) grand magasin
  (m) grands magasins (pl)
storm orage (m)
stormy orageux (m) orageuse (f)
story -ies histoire (f) (conte)
straight droit (m) droite (f)
stranger (n) étranger (m) étrangère (f)
strap courroie (f)
  watch-strap bracelet (m) de montre
strapless sans bretelles
straw (=drinking s.) paille (f)
strawberry -ies fraise (f)
  a punnet of strawberries un panier
  de fraises
streak (n) (of hair) mèche (f) (cheveux)
streak (vb) (of hair)
  I'd like my hair streaked je voudrais
  me faire faire des mèches
stream (n) ruisseau (m)
street rue (f)
  main street rue (f) principale
stretcher brancard (m)
strike (n) grève (f)
  be on strike être en grève
strike (vb) (of clock) sonner
string ficelle (f)
  a ball of string une pelote de ficelle
  a piece of string un bout de ficelle
striped rayé
strong fort (m) forte (f)
  strong /coffee/ /café/ fort
stuck (eg a window) coincé
student étudiant (m) étudiante (f)
studio studio (m)

study *étudier*
  study at / / *étudier à* / /
  study /French/ *étudier /le français/*
stuffing (material) *bourre (f)*
stuffing (food) *farce (f)*
stupid *stupide*
style *style (m)*
stylus *tête (f) de lecture*
  ceramic *céramique*
  diamond *diamant*
  sapphire *saphir*
subscribe to / / *être abonné à* / /
subscription *abonnement (m)*
substance *substance (f)*
suburb *banlieue (f)*
subway *passage (m) souterrain*
suede (n) *daim (m)*
  suede /jacket/ */veste (f)/ en daim*
suffer *souffrir*
  suffer from /headaches/ *souffrir de /maux de tête/*
sugar *sucre (m)*
  a spoonful of sugar *une cuillerée de sucre*
sugar lump *morceau (m) de sucre*
suggest *suggérer*
suit (n) *costume (m)*
suit (vb) *convenir*
suitable *convenable*
suitcase *valise (f)*
suite (=hotel suite) *suite (f)*
summer *été (m)*
  in summer *en été*
sun *soleil (m)*
  in the sun *au soleil*
sunbathe *prendre un bain de soleil*
sunburn *coup (m) de soleil*
sunburnt *brûlé*
Sunday *dimanche (m)*
  on Sunday *dimanche*
  on Sundays *le dimanche*
sunglasses (pl) *lunettes (fpl) de soleil*
  a pair of sunglasses *une paire de lunettes de soleil*
  polaroid sunglasses *lunettes polaroid*
sunny *ensoleillé*
sunrise *lever (m) du soleil*

sunset *coucher (m) du soleil*
sunshade *parasol (m)*
sunstroke *insolation (f)*
suntan (n) *bronzage (m)*
  suntan oil *huile (f) solaire*
suntanned *bronzé*
supermarket *supermarché (m)*
supper *souper (m)*
  have supper *souper*
supply (vb) *approvisionner*
supply -ies (n) *réserves (fpl)*
suppository -ies *suppositoire (m)*
sure *certain (m) certaine (f)*
  he's sure *il est certain*
surface (n) *surface (f)*
  surface mail *poste (f) normale*
surfboard *planche (f) à surf*
surfing *surf (m)*
  go surfing *faire du surf*
surgery -ies (=place) *cabinet (m) de consultation*
  doctor's surgery *consultation (f)*
surname *nom (m) de famille*
surplus -es *surplus (m)*
surprise (n) *surprise (f)*
surprised *surpris (m) surprise (f)*
  surprised at /the result/ *surpris par /le résultat/*
surveyor *inspecteur (m)*
survive *survivre*
suspect (vb) *soupçonner*
suspender belt *porte-jarretelles (m)*
suspension (car) *suspension (f)*
swallow (vb) *avaler*
sweat (n) *sueur (f)*
sweat (vb) *transpirer*
sweater *pull-over (m)/pull (infml)*
  /cashmere/ sweater *pull-over /en cachemire/*
  long-sleeved sweater *pull-over à manches longues*
  short-sleeved sweater *pull-over à manches courtes*
  sleeveless sweater *pull-over sans manches*
sweep (vb) *balayer*
sweet (=not savoury) (adj) *sucré*

sweet (n) (=confectionery) *bonbon (m)*
sweet (n)(=dessert) *dessert (m)*
swelling *enflure (f)*
swim (n) *nage (f)*
  have a swim *nager*
swim (vb) *nager*
swimming *natation (f)*
  go swimming *nager*
  swimming costume *maillot (m) de bain*
  swimming trunks (pl) *maillot (m) de bain*
swimming cap *bonnet (m) de bain*
swimming pool *piscine (f)*
  heated swimming pool *piscine chauffée*
  indoor swimming pool *piscine couverte*
  open air swimming pool *piscine de plein air*
  public swimming pool *piscine publique*
swing (n) (children's swing) *balançoire (f)*
switch -es (=light switch) *interrupteur (m)*
switch off (light) *éteindre*
switch on (light) *allumer*
switchboard (company) *standard (m)*
swollen *enflé*
symptom *symptôme (m)*
synagogue *synagogue (f)*
synthetic *synthétique*

T

table *table (f)*
table tennis *ping-pong (m)*
  a game of table tennis *un match de ping-pong*
  play table tennis *jouer au ping-pong*
tablecloth *nappe (f)*
tablemat *set (m) de table*
tablespoonful of / / *cuillerée (f) à soupe de / /*
tailor *tailleur (m)*
take *prendre*

I'll take it (in shop) *je prends ça*
take (time) *mettre*
take away (vb) *emporter*
  take-away meal *repas (m) à emporter*
take off /a coat/ *enlever /un manteau/*
take out (tooth) *arracher (dent)*
talcum powder *talc (m)*
talk (n) (discussion, chat) *causerie (f)*
talk (vb) *parler*
  talk to me about / / *parlez-moi de / /*
tall *grand (m) grande (f) (de taille)*
tame (adj) *apprivoisé*
tampons (pl) *tampons (mpl)*
  a box of tampons (eg Tampax (tdmk)) *une boîte de tampons (Tampax (tdmk))*
tank *réservoir (m)*
  water tank *réservoir d'eau*
tap *robinet (m)*
  cold tap *robinet d'eau froide*
  hot tap *robinet d'eau chaude*
tape (n) *bande (f) magnétique*
  cassette *cassette (f)*
tape measure *mètre-ruban (m)*
tape recorder *magnétophone (m)*
  cassette recorder *magnétophone (m) à cassette*
  open reel recorder *magnétophone (m) à bobine*
tartan *tartan (m)*
  tartan skirt *jupe (f) écossaise*
taste (n) *goût (m)*
taste (vb) (=have a certain taste) *avoir un goût*
taste (vb) (perceive with tongue) *goûter*
tasty *délicieux (m) délicieuse (f)*
tax -es *impôt (m)*
  airport tax *taxe (f) d'aéroport*
  income tax *les impôts (mpl) (sur le revenu)*
tax free *hors-taxe*
taxi *taxi (m)*
  by taxi *en taxi*
  taxi rank *station (f) de taxis*
  taxi driver *chauffeur (m) de taxi*
tea (meal) *goûter (m)*

have tea *goûter (vb)*
tea *thé*
  a cup of tea *une tasse de thé*
  a pot of tea *une théière pleine de thé*
  China tea *thé de Chine*
  Indian tea *thé indien*
tea towel *torchon (m)*
teabag *sachet (m) de thé*
teach *apprendre (à quelqu'un)*
  teach (me) /French/ *(m')apprendre /le français/*
  he teaches (me) /German/ *il (m') apprend /l'allemand/*
teacher *professeur (m&f)*
team *équipe (f)*
teapot *théière (f)*
tear (n) (= hole in material) *déchirure (f)*
tear (vb) (material) *déchirer*
teaspoon *cuillère (f) à café*
  a teaspoonful of / / *une cuillerée à café de / /*
teat *tétine (f)*
teenager *adolescent (m) adolescente (f)*
teetotal *anti-alcoolique*
telegram *télégramme (m)*
  send a telegram *envoyer un télégramme*
  telegram form *formulaire (m) de télégramme*
telephone (vb) *téléphoner*
  telephone Reception *téléphoner à la Réception*
  telephone the exchange *téléphoner au standard*
  telephone the operator *téléphoner au téléphoniste*
  telephone this number *téléphoner à ce numéro*
telephone/phone (n) *téléphone (m)*
  telephone directory -ies *annuaire (m) téléphonique*
  on the phone *au téléphone*
  call box -es *cabine (f) téléphonique*
  telephone call *appel (m) téléphonique*
television channel *chaîne (f) (de télévision)*
television programme *émission*

television/TV (infml) *télévision (f) /télé (infml) (f)*
  on television/on T.V. *à la télé (infml)*
  portable television *poste (m) portatif*
  television aerial *antenne (f)*
  television channel *chaîne (f)*
  television programme *émission (f)*
  television set *poste (m) de télévision*
telex (vb) *envoyer par télex*
tell
  tell me (something) about / / *dites-moi (quelque chose) sur / /*
  he told /me/ (about it) *il /me/ l'a dit*
temperature (atmosphere, body) *température (f)*
  I've got a temperature *j'ai la fièvre*
temple *temple (m)*
temporary *temporaire*
tender (eg of meat) *tendre*
tennis *tennis (m)*
  a game of tennis *une partie de tennis*
  play tennis *jouer au tennis*
tent *tente (f)*
term (= expression) *terme (m)*
term (= period of time) *trimestre (m)*
  air terminal *aérogare (f)*
terminus *terminus (m)*
  bus terminus *terminus (m) du bus*
  railway terminus *terminus (m) du train*
  tram terminus *terminus (m) du tram*
terms (pl) *conditions (fpl)*
terrace *terrasse (f)*
terrible *terrible*
test (n) *test (m)*
test (vb) *tester*
textbook *manuel (m)*
thank you *merci*
  no thank you *non merci*
thank you for / / (vb) *vous remercier de / /*
  thank you for your hospitality *merci pour votre accueil*
that one *celui-là (m) celle-là (f)*
the *le (m) la (f) les (pl)*
theatre *théâtre (m)*
  theatre programme *programme (m)*
theft *vol (m) (crime)*

their *leur (m&f) leurs (pl)*
  their passport *leur passeport (m)*
  their sister *leur soeur (f)*
  their tickets *leurs billets (mpl)*
  their keys *leurs clés (fpl)*
theirs
  it's theirs *c'est à eux (m)/ elles (f)*
them
  for them *pour eux (mpl) pour elles (fpl)*
then *puis*
there *là*
  over there *là-bas*
there is (s) **there are** (pl) *il y a*
  are there /any restaurants/ near here? *est-ce qu'il y a /des restaurants/ par ici?*
  there's /some beer/ *il y a /de la bière/*
  there aren't /any hotels/ near here *il n'y a pas /d'hôtels/ par ici*
thermometer *thermomètre (m)*
  Centigrade thermometer *thermomètre centigrade*
  Fahrenheit thermometer *thermomètre Fahrenheit*
  clinical thermometer *thermomètre médical*
these *ces (ici)*
  these ones *ceux-ci (mpl) celles-ci (fpl)*
they *ils (mpl) elles (fpl)*
thick *épais (m) épaisse (f)*
thigh *cuisse (f)*
thin (coat etc) *léger (m) légère (f) (manteau, etc)*
thin (of person) *mince*
thing *chose (f)*
things (=belongings) *affaires (fpl)*
think about /something/ *penser à /quelque chose/*
thirsty
  be thirsty *avoir soif*
  I'm thirsty *j'ai soif*
this
  this one *celui-ci (m) celle-ci (f)*
those *ces (là-bas)*
  those ones *ceux-là (mpl) celles-là (fpl)*

thousand *mille*
  thousands of / / *des milliers de / /*
thread *fil (m) (à coudre)*
  a reel of thread *une bobine de fil*
throat *gorge (f)*
  sore throat *mal (m) de gorge*
  throat pastille *pastille (f) pour la gorge*
through (prep)
  through /the streets/ *par /les rues/*
  through /the countryside/ *à travers /la campagne/*
thumb *pouce (m)*
thunderstorm *orage (m)*
Thursday *jeudi (m)*
  on Thursday *jeudi*
  on Thursdays *le jeudi*
ticket *billet (m)*
  child's ticket *billet pour enfant*
  day return *aller et retour (m) dans la journée*
  first class ticket *billet de première classe*
  group ticket *billet collectif*
  return ticket *aller et retour (m)*
  season ticket *abonnement (m)*
  second class ticket *billet de seconde classe*
  single *aller (m) simple*
ticket office *guichet (m)*
tide *marée (f)*
  high tide *marée (f) haute*
  low tide *marée (f) basse*
tidy (adj) (of people) *ordonné (=propre, soigneux)*
tidy (adj) (things) *bien rangé*
tidy (vb) *ranger*
tie (n) *cravate (f)*
tie (vb) *attacher*
tiepin *épingle (f) à cravate*
tight *serré*
tights (pl) *collant (ms)*
  a pair of tights *un collant*
till (=until) *jusqu'à*
time *temps (m)*
  the time (clock) *l'heure (f)*

/six/ times /six/ fois
have a good time s'amuser
in time à temps
on time à l'heure
what time is it? quelle heure est-il?
timetable horaire (m)
bus timetable horaire des bus
coach timetable horaire des cars
train timetable horaire des trains
tin boîte (f)
a tin of / / une boîte de / /
tin opener ouvre-boîte (m)
tint (n) (=hair t.) shampooing colorant (m)
tint (vb) teindre
tip (n) (money) pourboire (m)
tip (vb) (money) laisser un pourboire
tip /the waiter/ donner un pourboire /au garçon/
tired fatigué
tiring fatigant (m) fatigante (f)
tissues (pl) **/Kleenex** (tdmk) mouchoirs (mpl) en papier /Kleenex (tdmk)
a box of tissues une boîte de mouchoirs en papier
title titre (m)
to
to /the station/ à /la gare/
toast (vb) griller
toast (n) pain (m) grillé
a slice of toast une tranche de pain grillé
tobacco tabac (m)
tobacconist's (bureau (m) de) tabac
today aujourd'hui
toe orteil (m)
toenail ongle (m) d'orteil
together ensemble
toilet toilettes (fpl)
toilet paper papier (m) hygiénique
a roll of toilet paper un rouleau de papier hygiénique
toilet water eau (f) de toilette
tomato -es tomate (f)
tomato sauce sauce (f) tomate
tomato juice jus (m) de tomate
a bottle of tomato juice une bouteille de jus de tomate
a can of tomato juice une boîte de jus de tomate
a glass of tomato juice un verre de jus de tomate
tomorrow demain
ton tonne (f)
tongue langue (f)
tonic (water) tonic (m)
tonight ce soir
tonsillitis angine (f)
too (=more than can be endured) trop
too /big/ trop /grand/
too many trop
too much trop
tool outil (m)
tooth/teeth (pl) dent (f)
wisdom tooth dent de sagesse
toothache (s) mal (m) aux dents
toothbrush -es brosse (f) à dents
toothpaste dentifrice (m)
a tube of toothpaste un tube de dentifrice
toothpick cure-dent (m)
top haut (m)
the top of / / le haut de / /
torch -es lampe (f) de poche
tortoiseshell (adj) d'écaille
total (adj) total
total (n) total (m)
touch (vb) toucher
tough (meat etc) dur
tour excursion (f)
conducted tour visite (f) guidée
tourist touriste (m&f)
tourist class en classe touriste
tourist office syndicat (m) d'initiative
tow (vb) remorquer
tow rope câble (m) de remorquage
towel (=bath towel) serviette (f) de bain
towelling (material) tissu (m) éponge
tower tour (f)
town ville (f)
town centre centre (m) ville
town hall mairie (f)/hôtel (m) de ville
toxic toxique
toy jouet (m)

toy shop *magasin (m) de jouets*
track (of animal) *piste (f)*
track (of tape) *piste (f) de bande magnétique*
track (=race track) *piste (f) de course*
traditional *traditionnel*
traffic *circulation (f)*
traffic jam *embouteillage (m)*
traffic lights (pl) *feux (mpl) (de signalisation)*
trailer *remorque (f)*
train *train (m)*
   boat train *train-bateau*
   express train *express (m)*
   fast train *rapide (m)*
   slow train *omnibus (m)*
train driver *mécanicien (m)*
training (of personnel) *formation (f)*
tram *tramway (m)/tram (infml)*
   by tram *en tram*
   the tram for / / *le tram pour / /*
   tram stop *arrêt (m) de tram*
   tram terminus *terminus (m) de tram*
tranquilliser *tranquillisant (m)*
transfer (vb) *transférer*
transformer *transformateur (m)*
transistor (transistor radio) *transistor (m)*
transit passenger *voyageur (m) en transit*
   in transit *en transit*
translate *traduire*
translation *traduction (f)*
transmission (car) *transmission (f)*
transparent *transparent (m) transparente (f)*
transport (n) *transport (m)*
   public transport *tranport (m) public*
trap (n) *piège (m)*
trap (vb) *coincer*
travel (vb) *voyager*
   by air *par avion*
   by boat, by bus *en bateau, en bus*
   by coach, by car *en autocar, en voiture*
   by hovercraft *en aéroglisseur*
   by sea *par mer*

   by train, by tram, by underground *en train, en tram, en métro*
   on foot *à pied*
   on the ferry *en ferry*
   overland *par voie de terre*
   to / / à / /
travel agent's *agence (f) de voyage*
traveller's cheque *chèque (m) de voyage*
tray *plateau (m) plateaux (pl)*
treat (medically) *soigner*
treatment *traitement (m)*
tree *arbre (m)*
triangular *triangulaire*
trip (n) *voyage (m)*
   coach trip *excursion (f) en car*
   have a good trip! *bon voyage!*
tripod *trépied (m)*
trolley (=luggage t.) *chariot (m)*
tropical *tropical*
trot (vb) *trotter*
trouble *ennuis (mpl)*
   I'm in trouble *j'ai des ennuis*
trousers (pl) *pantalon (ms)*
   a pair of trousers *un pantalon*
trout/trout (pl) *truite (f)*
true *vrai*
trunk (of tree) *tronc (m)*
trunk (for luggage) *malle (f)*
trust (vb) *avoir confiance*
   I trust /her/ *j'ai confiance en /elle/*
truth *vérité (f)*
   tell the truth *dire la vérité*
try (vb) *essayer*
   try on /this sweater/ *essayer /ce pull-over/*
   try /this ice-cream/ *goûter /cette glace/*
T-shirt *T-shirt (m)*
tube *tube (m)*
   a tube of / / *un tube de / /*
tube (for a tyre) *chambre (f) à air*
tubeless (tyre) *tubeless (m) (pneu)*
Tuesday *mardi (m)*
   on Tuesday *mardi*
   on Tuesdays *le mardi*
tulip *tulipe (f)*

a bunch of tulips un bouquet de tulipes
tunnel (n) tunnel (m)
turkey dinde (f)
turn off (switch) éteindre
turn on (switch) allumer
turnip navet (m)
turntable (on record player) platine (f) (électrophone)
turpentine térébentine (f)
tweed tweed (m)
tweezers (pl) pince (fs) à épiler
a pair of tweezers une pince à épiler
twice deux fois
twin jumeau (m) jumelle (f)
twin beds lits (mpl) jumeaux
type (vb) taper (à la machine)
typewriter machine (f) à écrire
typhoid typhoïde (f)
typical typique (m&f)
typist dactylo (m&f)
tyre pneu (m)
flat tyre pneu à plat
tyre pressure pression (f) des pneus

U

ugly laid (m) laide (f)
ulcer ulcère (m)
umbrella parapluie (m)
beach umbrella parasol (m)
umpire arbitre (m)
UN ONU
uncle oncle (m)
uncomfortable inconfortable
unconscious sans connaissance
under sous
undercooked pas assez cuit (m) pas assez cuite (f)
underground (u. railway train) métro
by underground en métro
underpants (pl) (for men) caleçon (ms)
a pair of underpants un caleçon
understand comprendre
I don't understand je ne comprends pas
underwear sous-vêtements (mpl)

children's underwear sous-vêtements pour enfants
men's underwear sous-vêtements pour hommes
women's underwear sous-vêtements pour femmes
unemployed (adj) au chômage
unemployment chômage (m)
unfashionable démodé
unfasten détacher
unfortunately malheureusement
unfriendly froid (m) froide (f) (personne)
uniform (n) uniforme (m)
in uniform en uniforme
unique unique
university -ies université (f)
unlocked pas fermé à clé
unlucky
be unlucky ne pas avoir de chance
he's unlucky il n'a pas de chance
unpack défaire (bagage)
unpleasant désagréable
unripe vert (m) verte (f) (=pas mûr)
untie détacher
until jusqu'à
until /Friday/ jusqu'à /vendredi/
unusual rare
up
are you going up? vous montez?
be up (=out of bed) être levé
get up se lever
upset (n)
I've got a stomach upset j'ai mal au ventre
upset (adj) (= angry) vexé
upside-down à l'envers
upstairs en haut
urgent urgent (m) urgente (f)
urinate uriner
urine urine (f)
us nous
for us pour nous
use (vb) utiliser
use /your phone/ utiliser /votre téléphone/
useful utile
usually d'habitude

utensil *ustensile (m)*

V

V -necked sweater *pull-over en V*
vacancy -ies(job) *poste (m) vacant*
vacancy -ies(room) *chambre (f) à louer*
vacant *libre (inoccupé)*
vaccinate *vacciner*
vaccination *vaccination (f)*
vaccine *vaccin (m)*
vacuum cleaner *aspirateur (m)*
vacuum flask *bouteille (f) thermos*
valid *valide (m&f)*
  valid /passport/ */passeport (m)/ valide*
valley -ies *vallée (f)*
valuable *précieux (m) précieuse (f)*
valuables (pl) *objets (mpl) de valeur*
value (n) *valeur (f)*
value (vb) *évaluer*
van *camionnette (f)*
  luggage van *fourgon (m)*
vanilla *vanille (f)*
variety -ies *variété (f)*
various *varié*
varnish (vb) *(eg boat) vernir*
varnish -es(n) *vernis (m)*
  nail varnish *vernis à ongles*
vase *(=flower v.) vase (m)*
vaseline *vaseline (f)*
  a tube of vaseline *un tube de vaseline*
VAT *T.V.A. (f)*
veal *veau (m)*
vegetables (pl) *légumes (mpl)*
  fresh vegetables *légumes frais*
  mixed vegetables *légumes variés*
vegetarian *végétarien (m) végétarienne (f)*
vehicle *véhicule (m)*
vein *veine (f)*
velvet *velours (m)*
venereal disease (VD) *maladie (f) vénérienne*
venison *venaison (f)*
ventilator *ventilateur (m)*

very *très*
vest *tricot (m) de corps*
  cotton vest *tricot de corps en coton*
  woollen vest *tricot de corps en laine*
VHF *ondes ultra-courtes*
via *par*
  travel via /Rome/ *passer par /Rome/*
vicar *pasteur (m)*
view (n) *vue (f)*
viewfinder *viseur (m)*
villa *(=holiday villa) villa (f)*
village *village (m)*
vinegar *vinaigre (m)*
  a bottle of vinegar *une bouteille de vinaigre*
  oil and vinegar *huile et vinaigre*
vineyard *vignoble (m)*
violin *violon (m)*
visa *visa (m)*
visibility *visibilité (f)*
visit /a museum/ *visiter /un musée/*
visitor *visiteur (m) visiteuse (f)*
vitamin pills (pl) *vitamines (fpl) en comprimés*
  a bottle of v. p. *un flacon de v. en c.*
vodka *vodka (f)*
  a bottle of vodka *une bouteille de vodka*
  a vodka *un vodka*
voice *voix (f)*
volt *volt (m)*
  / a hundred and ten/ volts */ cent dix/ volt*
voltage *tension (f)*
  high voltage *haute tension*
  low voltage *basse tension*
volume *volume (m)*
vomit (n) *vomissement (m)*
vomit (vb) *vomir*
voucher *bon (m)*
  hotel voucher *bon pour hôtel*
voyage (n) *voyage (m) par mer*

W

waist *taille (f)*

waistcoat *gilet (m)*
wait *attendre*
  please wait /for me/ *attendez-/moi/ s'il vous plaît*
waiter *garçon (m) (restaurant)*
waiting room *salle (f) d'attente*
waitress -es *serveuse (f)*
wake
  wake /me/ up at /6/ *reveillez /-moi/ à /6/ heures*
walk (n) *promenade (f)*
  go for a walk *faire une promenade*
walk (vb) *marcher*
walking *marche (f)*
  do some walking *faire de la marche*
walking stick *canne (f)*
wall (=inside w.) *mur (m)*
wallet *portefeuille (m)*
walnut (nut) *noix (f) noix (f)*
walnut (wood) *noyer (m)*
want *vouloir*
  want /a room/ *vouloir /une chambre/*
  want to /buy/ it *vouloir l'/acheter/*
war *guerre (f)*
ward (in hospital) *salle (f) (commune)*
wardrobe *penderie (f)*
warm (adj) *chaud (m) chaude (f)*
warm (vb) *chauffer*
warn *avertir*
warning *avertissement (m)*
wash (vb) *laver*
wash -es (n)
  have a wash *se laver*
wash up *faire la vaisselle*
washbasin *lavabo (m)*
washing machine *machine (f) à laver*
washing powder *lessive (f) (poudre à laver)*
wasp *guêpe (f)*
  wasp sting *piqûre de guêpe*
waste (vb) *gaspiller*
wastepaper basket *corbeille (f) à papier*
watch (vb) *regarder*
watch -es (n) *montre (f)*
  face (of w.) *cadran (m)*
  hand (of w.) *aiguille (f) (montre)*

watch strap *bracelet (m) de montre*
watch /T.V./ *regarder /la télévision/*
watchmaker's *horlogerie (f)*
water *eau (f) eaux (pl)*
  cold water *eau froide*
  distilled water *eau distillée*
  drinking water *eau potable*
  hot water *eau chaude*
  running water *eau courante*
water skiing *ski (m) nautique*
  go water skiing *faire du ski nautique*
watercolour (=painting) *aquarelle (f)*
waterproof (adj) *imperméable (adj)*
watt *watt (m)*
  /a hundred/ watts */cent/ watt*
wave (radio) *onde (f)*
  long wave *grandes ondes*
  medium wave *ondes moyennes*
  short wave *ondes courtes*
  VHF *ondes ultra-courtes*
wave (sea) *vague (f)*
wax *cire (f)*
way (n) (to a place) *direction (f)*
  that way *par là*
  this way *par ici*
  which way? *par où?*
we *nous*
weak (physically) *faible*
wear (vb) (clothes) *porter (vêtements)*
weather *temps (m)*
  weather conditions (pl) *conditions (fpl) météorologiques*
  weather forecast (s) *prévisions (fpl) météorologiques*
  what's the weather like? *quel temps fait-il?*
wedding *mariage (m)*
Wednesday *mercredi*
  on Wednesday *mercredi (m)*
  on Wednesdays *le mercredi*
week *semaine (f)*
  this week *cette semaine*
  last week *la semaine dernière*
  next week *la semaine prochaine*
weekend *weekend (m)*
weekly (adj) *hebdomadaire*
  twice weekly *deux fois par semaine*

weigh *peser*
weight *poids (m)*
  weight limit *limitation (f) de poids*
welcome (vb) *accueillir*
  welcome to / / *bienvenu à / /*
  you're welcome (in reply to 'thank
  you') *je vous en prie*
well (=all right) *bien*
  well done! (congratulation) *c'est très
  bien! (félicitations)*
  well-done (eg of steak) *bien cuit (m)*
  bien cuite (f)
well (n) *puits (m)*
Wellingtons (pl) *bottes (fpl) en
  caoutchouc*
west *ouest (m)*
Western (=film) *western (m)*
wet *mouillé*
  I'm wet *je suis mouillé*
  it's wet (weather) *il pleut*
  /this towel/ is wet */cette serviette/
  est humide*
what? *comment?*
  at what time? *à quelle heure?*
  what about /Mary/? *et /Mary/?*
  what's your address? *quelle est
  /votre adresse/?*
wheel *roue (f)*
wheelchair *fauteuil (m) roulant*
when? *quand?*
  when do /the shops/ open? *à quelle
  heure ouvrent /les magasins/?*
where? *où?*
  where are you from? *d'où êtes-vous?*
which *quel (m) quelle (f) quels (mpl)
  quelles (fpl)?*
  which /plane/? *quel /avion/?*
  which one?/which ones? *lequel? (m)
  laquelle? (f) lesquels? (mpl) lesquelles?
  (fpl)*
whisky -ies *whisky (m)*
  a bottle of whisky *une bouteille de
  whisky*
  a whisky *un whisky*
whistle (n) *sifflet (m)*
white *blanc (m) blanche (f)*
  white coffee *café (m) crème*

who? *qui?*
whole *entier (m) entière (f)*
  a whole /month/ *un mois/ entier*
  the whole /month/ */le mois/ entier*
whose? *à qui?*
  whose is it? *c'est à qui?*
why? *pourquoi?*
wick (lamp, lighter) *mèche (f) (lampe)*
wide *large*
widow *veuve (f)*
widower *veuf (m)*
width *largeur (f)*
wife/wives (pl) *femme (f) (épouse)*
wig *perruque (f)*
wild (=not tame) *sauvage*
  wild animal *animal (m) sauvage*
win (vb) *gagner*
wind (n) *vent (m)*
wind (vb) (clock) *remonter*
window *fenêtre (f)*
  French window *porte-fenêtre (f)*
  shop window *vitrine (f)*
window (car) *vitre (f)*
windy *venteux (m) venteuse(f)*
  it's windy *il fait du vent*
wine *vin (m)*
  a bottle of wine *une bouteille de vin*
  a carafe of wine *une carafe de vin*
  a glass of wine *un verre de vin*
  a half bottle of wine *une
  demi-bouteille de vin*
  dry wine *vin sec*
  red wine *vin rouge*
  rosé *vin rosé*
  sparkling wine *vin mousseux*
  sweet wine *vin doux*
  white wine *vin blanc*
wine glass -es *verre (m) à vin*
wine list *carte (f) des vins*
wine merchant's *marchand (m) de vins*
wing *aile (f)*
winter *hiver (m)*
  in winter *en hiver*
wipe (vb) *essuyer*
wire *fil (m)*
  a piece of wire *un bout de fil*
with *avec*

without *sans*
witness -es(n) *témoin (m)*
woman/women (pl) *femme (f)*
wonderful *merveilleux (m)*
    merveilleuse (f)
wood *bois (m)*
wooden *en bois*
wool *laine (f)*
woollen *en laine*
word *mot (m)*
work (n) *travail (m) travaux (pl)*
    do some work *travailler*
work (vb) (of machines) *marcher*
    (= fonctionner)
    it doesn't work *ça ne marche pas*
work (vb) (of people) *travailler*
world (the world) *monde (m)*
worn-out *usé*
worried *préoccupé*
worse (in health) *plus mal*
    he's worse *il va plus mal*
worse (things) *pire*
    worse than / / *pire que / /*
    it's worse *c'est pire*
worst *le pire*
    the worst /hotel/ *le plus mauvais
    /hôtel/*
    the worst /room/ *la plus mauvaise
    /chambre/*
worth
    be worth *valoir*
    it's worth /a hundred/ francs *ça
    vaut / cent/ francs*
would like
    I'd like to /go swimming/ *je voudrais
    /aller nager/*
    would you like /a drink/?
    voulez-vous /boire quelque chose/?
wound (= injury) *blessure (f)*
wrap (vb) *emballer*
    gift-wrap (vb) *faire un
    emballage-cadeau*
wreath -es (funeral w.) *couronne (f)
    (funéraire)*
wreck (n) *naufrage (m)*
wrist *poignet (m)*
write *écrire*

writing paper *papier (m) à lettres*
wrong *faux (m) fausse (f)*
    be wrong *avoir tort*
    I'm wrong *j'ai tort*
    wrong number *faux numéro (m)*

X

x-ray *radiographie (f)*

Y

yacht *yacht (m)*
year *année (f)*
    last year *l'année dernière*
    next year *l'année prochaine*
    this year *cette année*
yearly *annuel*
yellow *jaune*
yes *oui*
yesterday *hier*
yet
    not yet *pas encore*
yoghurt *yaourt (m)*
    a carton of yoghurt *un pot de yaourt*
    plain yoghurt *yaourt naturel*
    fruit yoghurt *yaourt aux fruits*
you (polite form) *vous*
    for you *pour vous*
young *jeune*
young man/young men (pl) *jeune
    homme (m)*
young woman/young women (pl)
    jeune femme (f)
your (polite form) *votre (m&f) vos (pl)*
    your passport *votre passeport (m)*
    your sister *votre soeur (f)*
    your tickets *vos billets (mpl)*
    your keys *vos clés (fpl)*
yours
    it's yours *c'est à vous*
youth hostel *auberge (f) de jeunesse*

Z

zero *zéro (m)*
    above zero *au-dessus de zéro*

below zero *au-dessous de zéro*
zip (n) *fermeture (f) éclair*

zoo *zoo (m)*
zoom lens -es *zoom (m)*

English foods   Nourriture anglaise

Cooking methods   Façons de cuisiner

baked	au four
boiled	bouilli
braised	braisé
creamed	à la crème
devilled	grillé et poivré
dressed	assaisonné
fresh	frais
fried	frit
grilled	grillé
in vinegar	au vinaigre
jugged	en civet
mashed	en purée
medium	à point
overcooked	trop cuit
poached	poché
rare	saignant

raw	cru
roast	rôti
scrambled	brouillé
smoked	fumé
steamed	à la vapeur
stewed	en ragoût/en compote
stuffed	farci
undercooked	pas assez cuit
well done	bien cuit

Food and drink

Plats et boissons

ale	bière (anglaise)
brown ale	bière brune
light ale	bière blonde
pale ale	bière blonde
almonds (pl)	amandes
anchovies (pl)	anchois
apple	pomme
apple crumble	gâteau aux pommes
apple pie	tourte aux pommes
apple tart	tarte aux pommes
apricot	abricot
artichoke	artichaut
asparagus	asperge
asparagus tips (pl)	pointes d'asperge
assortment	assortiment
avocado pear	avocat
bacon	bacon
a rasher of bacon	une tranche de bacon
baked Alaska	omelette norvégienne
baked beans (pl)	haricots blancs à la sauce tomate
banana	banane
beans (pl)	haricots
broad beans	fèves

French beans	haricots verts
haricot beans	flageolets
kidney beans	haricots rouges
runner beans	gros haricots verts
beef	boeuf (viande)
beefburger	beefburger
beer	bière
draught beer	bière pression
beverages (pl)	boissons
biscuits (pl)	biscuits
biscuits and cheese	fromage et biscuits salés
bitter	bière fortement houblonnée (amère)
brandy	cognac
bread	pain
breakfast	petit déjeuner
broth	bouillon
brussels sprouts (pl)	choux de Bruxelles
bun	sorte de petit pain rond
butter	beurre
butterscotch	caramel dur
cabbage	chou
red cabbage	chou rouge
cake	gâteau
fruit cake	cake aux fruits
sponge cake	gênoise/pain de Savoie
carrots (pl)	carottes
cauliflower	chou-fleur
celery	céleri
cereal	céréale
Châteaubriand steak	steak Châteaubriand
cheese	fromage
blue	fromage bleu (danois)
Caerphilly	fromage blanc et dur

Cheddar	Cheddar – fromage doux de goût agréable
Cheshire	Cheshire – fromage doux d'un goût légèrement salé
cottage	fromage blanc fermier
cream	fromage à tartiner
Stilton	Stilton
Wensleydale	Wensleydale -- fromage à pâte blanche friable d'un goût délicat
cheeseboard	plateau de fromages
cheesecake	tarte au fromage
cherry	cerise
chestnut	châtaigne
chicken	poulet
chicken soup	soupe au poulet
chips (pl)	frites
chives (pl)	ciboule(ttes)
chocolate	chocolat
milk chocolate	chocolat au lait
plain chocolate	chocolat à croquer
chop	côte/côtelette
lamb chop	côtelette d'agneau
pork chop	côtelette de porc
chowder	soupe aux poissons ou aux coquillages
Christmas cake	gâteau de Noël aux fruits secs
Christmas pudding	pudding de Noël aux fruits secs
cider	cidre
clam	palourde, clam
coconut	noix de coco
cod	morue
coffee	café
coleslaw	salade de choux avec des oignons ou carottes râpés
corn on the cob	maïs sur l'épi

cottage pie	hachis parmentier
course	plat
3 course meal	repas avec entrée, plat principal et dessert
cover charge	couvert
crab	crabe
crayfish	écrevisse
cream	crème
clotted	caillebottée
double	crème fraîche épaisse
fresh	crème fraîche
single	crème fraîche assez liquide
whipped	crème fouettée
crisps (pl)	chips
cucumber	concombre
currant bread	pain aux raisins
currant bun	petit pain aux raisins
custard	crème anglaise
cutlet	côtelette
lamb cutlet	côtelette d'agneau
damson	prune de Damas
date	datte
dinner	dîner
doughnut	beignet en couronne
dressing	assaisonnement
duck	canard
eel	anguille
jellied eel	anguille en gelée
egg	oeuf
egg mayonnaise	oeuf mayonnaise
escalope	escalope
veal escalope	escalope de veau
fillet	filet
cod fillet	filet de morue

fillet of plaice	filet de plie
fillet steak	steak dans le filet
filling	farce
fish	poisson
fish cake	croquette de poisson
flan	tarte
fool	dessert à base de crème fraîche et de fruits
frankfurter	saucisse de Francfort
French dressing	vinaigrette
fritter	beignet
apple fritter	beignet aux pommes
fruit	fruit
fruit cocktail	cocktail aux fruits en conserve
fruit salad	salade de fruits frais
fudge	fondant
Gaelic coffee	café avec du whisky et de la crème
game	gibier
gammon	jambon fumé
garlic	ail
garnished with	garni de
ginger	gingembre
goose	oie
gooseberry	groseille
goulash	goulache
grapes (pl)	raisins
grapefruit	pamplemousse
grapefruit segments	pamplemousse en morceaux
gravy	sauce
Guinness	bière forte et brune
haddock	haddock/aiglefin
hake	merluche
halibut	flétan/halibut
ham	jambon

hare	lièvre
heart	coeur
herbs (pl)	herbes aromatiques
herring	hareng
honey	miel
hotpot	ragoût de mouton, pommes de terre et oignons
ice	glaçons
ice cream	glace
ice cream sundae	coupe avec de la glace, des noix et du chocolat
icing	glaçage (d'un gâteau)
Irish coffee	café avec du whisky et de la crème
Irish stew	ragoût
jam	confiture
jam tart	tartelette à la confiture
jelly	gelée (sucrée)
juice	jus
grapefruit juice	jus de pamplemousse
orange juice	jus d'orange
tomato juice	jus de tomate
kedgeree	plat indien épicé à base de riz et de poisson cuit froid
kidney	rognon
kipper	hareng salé et fumé
knickerbocker glory	coupe avec de la glace, des fruits, des noix et de la sauce sucrée
lager	bière blonde (allemande)
lamb	agneau
lamb chop	côte d'agneau
lamb cutlet	côtelette d'agneau
leg of lamb	gigot d'agneau

Lancashire hotpot	ragoût de boeuf ou de mouton et pommes de terre, cuits au four dans une marmite
leek	poireau
lemon	citron
lemon juice	jus de citron
lemon meringue pie	tourte à la meringue et au citron
lentil soup	soupe aux lentilles
lettuce	laitue
lime juice	jus de limon/limette
liver	foie
liver sausage	saucisson au foie
lobster	homard
loin	filet
loin of lamb	carré d'agneau
loin of pork	échine de porc
lunch	déjeuner
macaroni cheese	macaroni au gratin
mackerel	maquereau
marmalade	confiture d'orange, de citron ou de pamplemousse
marrow	courge
meal	repas
meat	viande
meatball	boulette de viande
milk	lait
milk shake	lait parfumé fouetté
mince	viande hachée
mince pies (pl)	tartelettes contenant du 'mincemeat'
mincemeat	compote de raisins secs
mint	menthe
mint jelly	gelée à la menthe
mint sauce	sauce à la menthe
mixed grill	grillades variées

mock turtle soup	potage à la tête de veau
muesli	flocons d'avoines avec raisins secs
muffin	sorte de petit pain
mullet	mulet
mushroom	champignon
mussel	moule
mustard	moutarde
English mustard	moutarde très forte
French mustard	moutarde
mutton	mouton (viande)
nut	noix
oatmeal	flocons d'avoine
oil	huile
corn oil	huile de maïs
olive oil	huile d'olive
onion	oignon
orange	orange
orange squash	sirop synthétique d'orange
oyster	huître
pancake	sorte de crêpe
parsley	persil
parsnip	panais
pasta	pâtes
pastries (pl)	pâtisseries
pastry	pâtisserie (pâte)
flaky pastry	pâte sablée
puff pastry	pâte feuilletée
shortcrust pastry	pâte brisée
peas (pl)	petits pois
peach	pêche
peach melba	pêche melba
pear	poire
pepper	poivron

green pepper	poivron vert
red pepper	poivron rouge
peppermint	menthe anglaise
pheasant	faisan
pickles (pl)	conserves au vinaigre
pie	tourte
pilchard	sardine
pineapple	ananas
plaice	carrelet
plum	prune
pomegranate	grenade
pork	porc
fillet of pork	filet de porc
loin of pork	échine de porc
pork chop	côte de porc
potato	pomme de terre
croquette potatoes (pl)	pommes de terre en croquettes
jacket potatoes (pl)	pommes de terre en robe des champs
mashed potatoes (pl)	pommes de terre en purée
new potatoes (pl)	pommes de terre nouvelles
potato salad	pommes de terre en salade
poultry	volaille
prawn	crevette rose
king prawn	bouquet/gambas
prawn cocktail	crevette rose, bouquet, mayonnaise et salade
prune	pruneau
pudding	dessert
rabbit	lapin
radish	radis
ragoût	ragoût
ragoût of lamb	ragoût d'agneau
raspberry	framboise

redcurrant	groseille rouge
rhubarb	rhubarbe
rib	côte
rib of beef	côte de boeuf
rice	riz
brown rice	riz complet
rice pudding	dessert au riz (riz au lait)
roll	petit pain rond
rum	rhum
rum baba	baba au rhum
sage	sauge
sage and onion stuffing	farce à la sauge et à l'oignon
salad	salade
green salad	salade verte
mixed salad	salade variée
potato salad	salade de pommes de terre
salad cream	assaisonnement spécial pour la salade qui ressemble à une sorte de mayonnaise sucrée
salad dressing	vinaigrette
tomato salad	salade de tomates
salmon	saumon
salt	sel
sauce	sauce
apple sauce	sauce aux pommes
bread sauce	sauce à base de pain
horseradish sauce	raifort à la crème
mint sauce	sauce à la menthe
soy sauce	sauce de soja
tabasco sauce	sauce de Tabasco
tartare sauce	sauce tartare
white sauce	sauce blanche
Worcester sauce	sauce Worcester

sausage	saucisse
sausage roll	saucisse en croûte
scallop	coquille Saint-Jacques
scone	sorte de petite brioche, que l'on mange avec le thé, avec de la confiture et/ou de la crème
Scotch broth	soupe à l'orge et aux légumes
Scotch egg	oeuf dur entouré de viande hâchée panée
seafood (pas de pl)	fruits de mer
semolina pudding	dessert à la semoule
service charge	service
shandy	panaché
shepherd's pie	hachis parmentier
sherry	vin de Xérès (apéritif)
shrimps (pl)	crevettes
potted shrimps	pâté de crevettes
shrimp cocktail	crevettes, mayonnaise et salade
snacks (pl)	repas légers
snails (pl)	escargots
soda water	eau de Seltz
sole	sole
Dover sole	sole de Douvres
fillet of sole	filet de sole
lemon sole	limande
soup	soupe
soup of the day	soupe du jour
sour cream	crème aigre
spinach	épinard
squash	sirop de fruit synthétique
starters (pl)	hors d'oeuvres
steak	steak
fillet	steak dans le filet
minute	steak minute
rump	rumsteak

sirloin	steak dans l'aloyau
T-bone	côte de boeuf
steak and kidney pie	tourte à base de steak et de rognons
steak and kidney pudding	plat à base de steak et de rognons
stew	ragôut
Stilton	Stilton (fromage bleu)
stout	bière brune (forte)
strawberry	fraise
stuffing	farce
sugar	sucre
supper	souper
swede	navet/rutabaga
sweet	dessert ou bonbon
sweetbread	ris de veau
swiss roll	gâteau roulé
tangerine	mandarine
tart	tarte
tea	thé
cup of tea	tasse de thé
pot of tea	théière pleine de thé
China tea	thé de Chine
Indian tea	thé indien
toast	pain grillé
tomato	tomate
tongue	langue
tonic water	tonic
treacle	sirop/mélasse
treacle tart	tarte au sirop
trifle	gâteau fait de biscuits ou de gênoise imbibés de Xérès, avec de la gelée, de la crème et des fruits
tripe	tripes

trout	truite
tuna	thon
turkey	dinde
turnip	navet
vanilla	vanille
veal	veau
vegetables	légumes
venison	gibier
vinegar	vinaigre
waffle	gaufre
walnut	noix
water	eau
watercress	cresson
water melon	pastèque
Welsh rarebit	pain et fromage grillés
whitebait (pl)	petits poissons frits
wine list	carte des vins
yoghurt	yaourt
Yorkshire pudding	pâte à frire cuite au four jusqu'à ce qu'elle monte. Léger mais croustillant, le pudding est servi avec du roastbeef

English signs

Panneaux et indications anglais

'A' FILM	Film interdit aux enfants non accompagnés
'AA' FILM	Film interdit aux moins de 14 ans
AA (AUTOMOBILE ASSOCIATION)	Association Automobile
ABROAD	A l'étranger
AC (ALTERNATING CURRENT)	Courant (électrique) alternatif
ACCESSORIES	Accessoires
ACCOMMODATION	Logement
ACCOUNTS	Réservé aux clients titulaires d'une carte de crédit du magasin
ADDITIONAL CHARGE	Extra (frais supplémentaires)
ADMISSION (FREE)	Entrée (libre)

ADMISSIONS (HOSPITAL)	Entrée (hôpital)
ADVANCE BOOKING	Location à l'avance
AFTERNOON TEAS	Salon de thé
AGENCY	Agence
AIR	Pression (des pneus) dans un garage
AIRLINE INFORMATION	Renseignements sur les vols
AIRMAIL	Par avion
AIRPORT BUS	Bus pour l'aéroport
AIR TERMINAL	Aérogare
ALARM SIGNAL	Signal d'alarme
ALL TICKETS TO BE SHOWN	Veuillez montrer votre billet
ALLOW TIME FOR COIN TO DROP	Attendre que la pièce tombe
ALTERNATIVE ROUTE	Deviation/Itinéraire de délestage
ANTIQUES	Antiquités
ARRIVALS	Arrivées
ASSEMBLY POINT	Point de rassemblement
AT ANY TIME	Stationnement interdit
ATTENDANT	Gardien
AUTOMATIC BARRIERS	Portillons automatiques
BANK	Banque
BARGAINS	Bonnes affaires
BASEMENT (B)	Sous-sol
BED AND BREAKFAST (B & B)	'Lit et petit déjeuner' (sorte de pension de famille, chambre et petit déjeuner)
BENDS FOR /1/ MILE	Virages sur /1/ mile
BEWARE OF THE DOG	Attention chien méchant
BOARDING NOW	Embarquement immédiat
BOATS FOR HIRE	Bateaux à louer
BOOKABLE	Que l'on peut louer à l'avance
BOOK HERE	Location/adressez-vous ici pour les locations

BOOKING OFFICE	Bureau de location
BOX OFFICE	Guichet (théâtre)
BUSES ONLY	Réservé aux autobus
BUSINESS ADDRESS	Adresse professionnelle
BUS LANE	Couloir réservé aux autobus
BUS STOP	Arrêt d'autobus
CALL	Appel/sonnerie
CAMERAS AND FILMS	Appareils photographiques, pellicules et films
CAMPING PROHIBITED	Camping interdit
CANCELLED	Annulé
CAR ACCESSORIES	Accessoires auto
CAR FERRY BOOKINGS	Réservations car ferry
CAR HIRE	Location de voitures
CAR PARK (FULL)	Parking (complet)
CAR WASH	Lavage de voitures
CASH DESK	Caisse
CASHIER	Caisse
CASUALTIES	Urgences
CASUAL WEAR	Prêt à porter
CAUTION	Attention/prudence
CHAMBERMAID	Femme de chambre
CHANGING ROOM	Vestiaire
CHARGES	Service
CHECK-IN (DESK)	Enregistrement
CHECK OUT (HERE)	Réception
CHEMIST	Pharmacie
CHILD(REN)	Enfant(s)
CHILDREN CROSSING	Attention enfants
CHILDREN'S DEPARTMENT	Rayon enfants
CHILDREN UNDER 3 MUST BE CARRIED	Les enfants de moins de 3 ans doivent être portés
CHINA AND GLASS	Verres et porcelaine
CHURCH	Église
CIRCUS	Cirque

CLEARANCE (SALE)	Liquidation (soldes)
CLOAKROOM	Vestiaire
CLOSED CIRCUIT SECURITY SYSTEM IN OPERATION	Système de sécurité par circuit fermé en fonctionnement
CLOSED (FOR LUNCH)	Fermé (pendant le déjeuner)
CLOSE DOOR (FIRMLY)	Fermez (bien) la porte
CLOSING DOWN (SALE)	Fermeture (soldes)/liquidation totale du stock
CLOSING HOURS	Heures de fermeture
COACH DEPARTURES	Départ des cars
COACH FARES	Tarif des cars
COACH STATION	Gare routière
COCKTAIL BAR/LOUNGE	Bar (dans un hôtel)/Salon avec bar
COFFEE BAR	Milk bar (boissons non-alcoolisées)
COIN CHANGE	Échangeur de monnaie
COINS	Pièces de monnaie
COLD (C)	Froid (F) eau froide (robinets)
COLD DRINKS	Boissons fraîches
COLLECTION TIMES	Horaires des levées
COLOUR PROCESSING	Développement couleur
CO. LTD.	Société Anonyme
CONCEALED ENTRANCE	Attention sortie de voitures
CONDUCTED COACH TOURS	Voyages guidés (en autocar)
CONTINENTAL DEPARTURES	Départs pour le continent
CONTINUOUS PERFORMANCES	Permanent (cinéma)
CONTROLLED ZONE	Zone à stationnement règlementé
CONVENIENCES	Toilettes
CO-ORDINATES	Ensembles (vêtements)
COPYING SERVICE	Photocopie
COUNTRY	Province
COURTESY SERVICE	Service gracieux
CROSS NOW	Traversez (maintenant)

CUSTOMERS MUST TAKE A BASKET	Les clients doivent se munir d'un panier
CUSTOMS (DECLARATION)	Douane (déclaration)
CUTLERY	Couverts
CYCLISTS ONLY	Réservé aux cyclistes
DANGEROUS CORNER	Virage dangereux
DANGEROUS CURRENTS	Courants dangereux
DAY BELL	Sonnette de jour
DAY TOURS	Circuits touristiques pouvant s'effectuer en un jour
DC (DIRECT CURRENT)	Courant (électrique) continu
DEAD SLOW	Ralentir au maximum
DELAYED	Retardé
DELIVERIES	Livraisons
DENTAL SURGERY	Cabinet dentaire
DENTIST	Dentiste
DEPARTMENT	Rayon (magasin)
DEPARTURE LOUNGE	Salle de départ
DEPARTURES	Départs
DEPARTURE TIMES	Horaires de départ
DEPOSITS	Dépôts
DETAILS AVAILABLE ON REQUEST	Informations supplémentaires sur demande
DETOUR	Déviation
DISCO	Dancing/discothèque
DISPENSING CHEMISTS	Pharmacie
DISPOSABLE BAG	Sac à jeter
DIVERSION	Déviation
DO NOT DISTURB	Ne pas déranger s.v.p.
DO NOT ENTER	Défense d'entrer
DO NOT FEED (THE ANIMALS)	Il est interdit de donner de la nourriture aux animaux
DO NOT OBSTRUCT ENTRANCE	Prière de laisser l'entrée libre
DO NOT SMOKE	Défense de fumer

DO NOT SPEAK TO THE DRIVER	Défense de parler au conducteur
DO NOT STAND NEAR THE STAIRS	Prière de ne pas gêner l'accès aux escaliers
DO NOT TOUCH	Prière de ne pas toucher
DOOR OPEN/SHUT	Ouverture/fermeture des portes
DOORS OPEN /1.00 P.M./	Ouverture /13h./
DOWN	Descente
DRINKING WATER	Eau potable
DRY CLEANING	Nettoyage à sec
DUAL CARRIAGEWAY (AHEAD)	Voie express (à ... mètres)
DUMPING PROHIBITED	Défense de déposer des ordures
DUTY FREE SHOP	Magasin en détaxe, 'duty free'
EASTBOUND	Vers l'est
EAT BY ...	À consommer avant le ..
ELECTRICAL GOODS	Articles électriques
EMBARKATION	Embarquement
EMERGENCY	Urgence
EMERGENCY DOOR TO NEXT CAR	Porte d'accès à l'autre wagon en cas de danger
EMERGENCY EXIT	Sortie de secours
EMERGENCY SWITCH	Secours
EMERGENCY TREATMENT	Urgences
EMPTY	Vide
END	Fin
END OF BUS LANE	Fin du couloir réservé aux bus
ENGAGED	Occupé (w.c.)
ENQUIRIES	Renseignements
ENTRANCE	Entrée
ESCALATOR	Escalier mécanique
EVENING PERFORMANCE	Séance du soir
EVENING(S) ONLY	Soirée (uniquement)
EXACT CHANGE	Préparez votre monnaie
EXACT FARE	Préparez le montant exact de votre trajet

EXCEPT FOR ACCESS	Accès interdit sauf aux riverains
EXCESS BAGGAGE CHARGE	Taxe pour excédent de bagages
EXCESS FARES	Suppléments à payer
EXCESS PERIOD	Dépassement du temps (de stationnement) autorisé
EXIT	Sortie
EXIT ONLY	Sortie uniquement
EXPORT FACILITIES AVAILABLE	Articles détaxés en vente ici
EXPRESS DELIVERY	Livraison rapide
EXTRA CHARGES/EXTRAS	Suppléments
FARE STAGE	Arrêt de bus (le bus s'arrête automatiquement)
FASHIONS	Modes
FASTEN SEAT BELTS	Attachez vos ceintures
FAST FIT EXHAUST SERVICE	Remplacement rapide des pots d'échappement
FILLING STATION	Station-service
FINE	Amende
FIRE ESCAPE	Sortie de secours en cas d'incendie
FIRE (EXIT)	Sortie de secours
FIRST CLASS	Première classe
FISH AND CHIPS	Poisson frites
FISH BAR	Restaurant à poisson
FLIGHT	Vol
FLORIST	Fleuriste
FOOD HALL	Rayon alimentation
FOOTPATH	Sentier pour piétons
FOOTWEAR	Chaussures
FOR HIRE	À louer
FRAGILE, WITH CARE	Fragile, manipulez avec précaution
FREE	Gratuit
FREE SERVICE	Service gratuit

FULL	Complet
FULLY LICENSED	Restaurant où l'on peut consommer des boissons alcoolisées
FURNISHING FABRICS	Tissus d'ameublement
FURNITURE DEPARTMENT	Rayon des meubles
GARAGE (IN CONSTANT USE)	Garage (sortie permanente de véhicules)
GARAGE PARKING	Parking couvert
GATE	Barrière
GATES CLOSE AT ...	Fermeture à ..
GENTLEMEN/GENTS	W.C. Hommes
GET IN LANE	Prenez la bonne file
GIFT SHOP	Magasin de souvenirs
GIVE WAY	Vous n'avez pas la priorité
GOLF CLUB/COURSE	Club/terrain de golf
GOODS TO DECLARE	Marchandises à déclarer
GRILLS	Grillades
GRIT FOR ROADS	Sable
GROUND FLOOR (G)	Rez-de-chaussée
GUARD DOG	Chien de garde
GUEST HOUSE	Pension de famille
HABERDASHERY	Mercerie
HAIRDRESSING SALON	Salon de coiffure
HALF-DAY TOURS	Circuits touristiques d'une demi-journée
HALF-PRICE	À moitié prix
HALT	Stop
HAND BAGGAGE	Bagage à main
HARD SHOULDER	Bande d'arrêt d'urgence
HARDWARE	Quincaillerie
HAVE YOU LEFT YOUR KEY?	Avez-vous laissé votre clé?
HEADROOM	Hauteur limitée à ...
HEATER	Chauffage

HEEL BAR	Talon-minute
HEIGHT LIMIT	Hauteur limitée
HIGHLY INFLAMMABLE	Très inflammable
HIGH VOLTAGE	Haute tension
HILL 20%/1 IN 5	Pente/montée 20%
HOLD	Appuyez pour maintenir les portes ouvertes
HOSPITAL	Hôpital
HOSTEL ACCOMMODATION	Hébergement communautaire
HOT (H)	Chaud (C) eau chaude (robinets)
HOT DRINKS	Boissons chaudes
HOTEL ENTRANCE	Entrée de l'hôtel
HOTEL MANAGEMENT	Direction de l'hôtel
HOTEL RESERVATIONS	Location de chambres d'hôtel
HOT MEALS SERVED ALL DAY	Repas chauds servis à toute heure
HOURS OF BUSINESS	Heures d'ouverture
24 HOUR SERVICE	24 heures sur 24/en 24 heures
HOUSEHOLD DEPARTMENT	Rayon des articles ménagers
HOVERCRAFT	Aéroglisseur
ICES	Glaces
IN	Entrée
IN EMERGENCY BREAK GLASS	En cas d'urgence briser la vitre
INFORMATION	Informations
INFORMATION DESK	Bureau de renseignements
INN FOOD	Snack à l'intérieur
IN-PATIENTS	Admissions (hôpital)
INQUIRIES	Informations
INSERT COIN	Introduire une pièce
INSERT /5P/ HERE	Introduisez /une pièce de 5p/ ici
INTERMISSION	Entr'acte
INTERNATIONAL TRAVELLERS' AID	Service d'accueil international

INVISIBLE MENDING	Stoppage
JEWELLERY	Bijoux/bijouterie
JUNCTION (JCT)	Embranchement
KEEP AWAY FROM CHILDREN	Ne pas laisser à la portée des enfants
KEEP CLEAR	Défense d'approcher
KEEP DOORS CLOSED	Prière de fermer les portes/les portes doivent être fermées
KEEP IN LANE	Ne changez pas de file
KEEP LEFT	Roulez à gauche
KEEP OFF THE GRASS	Pelouse interdite/défense de marcher sur l'herbe
KEEP OUT	Défense d'entrer
KEEP RIGHT	Roulez à droite
KEEP SHUT	Prière de laisser ... fermé(e)
KEYS (CUT HERE)	Clés minute ici
KNITWEAR	Tricots
LADIES HAIRDRESSING	Salon de coiffure pour dames
LADIES/LADIES ROOM	Toilettes dames
LADIES ONLY	Réservé aux femmes
LANDED	A atterri
LANE CLOSED	Voie barrée
2-LANE TRAFFIC	Circulation sur deux files
LAST NAME	Nom de famille
LAST TRAIN	Dernier train
LATE PERFORMANCE	Dernière séance
LATE SHOPPING	Nocturne, magasin ouvert (le jeudi jusqu'à 20h)
LATE SHOW	Séance de minuit
LAUNDERETTE/LAUNDROMAT	Laverie automatique
LAUNDRY	Lessive
LAYBY	Dégagement
LEAVE BY CENTRE DOORS	Sortie par la porte centrale
LEFT LUGGAGE	Consigne

LEFT LUGGAGE LOCKERS	Consigne automatique
LETTERS	Lettres
LEVEL CROSSING	Passage à niveau
LIBRARY	Bibliothèque
LICENSED BAR/RESTAURANT	Bar/restaurant ou l'on peut consommer des boissons alcoolisées
LICENSING HOURS	Heures d'ouverture des pubs
LIFEBELTS	Ceintures de sécurité
LIFT(S)	Ascenseur(s)
LIGHT REFRESHMENTS	Boissons non-alcoolisées
LINE	Ligne (de métro)
LITTER	Ordures
LOADING AND UNLOADING ONLY	Arrêt autorisé chargement et déchargement uniquement
LOCAL	Local/régional
LONG VEHICLE	Véhicule de grande longueur
LOOK LEFT/RIGHT	Regardez à gauche/droite
LOOSE CHIPPINGS	Gravillons
LOST PROPERTY OFFICE	Bureau des objets trouvés
LOUNGE	Salon
LOUNGE BAR	Salon avec bar
LOW BRIDGE	Hauteur limitée
LOWER DECK	En bas (dans un autobus à deux étages)
LOWER SALES FLOOR	Sous-sol (dans un magasin)
LOW FLYING AIRCRAFT	Vol à basse altitude
LTD	S.A.R.L.
LUGGAGE	Bagage(s)
MADE IN ...	Fabriqué en/au ...
MAGAZINES	Revues périodiques
MAIL	Courrier
MAIN LINE STATION	Grandes lignes (gare)
MAJOR ROAD AHEAD	Route à grande circulation à ... mètres

MAXIMUM 2 HRS	Stationnement limité à 2 heures
MAX. LOAD /20/ PERSONS OR /3000/ LB	Chargement maximum /20/ personnes ou /3000/ livres (Dans les ascenseurs)
MEMBERS ONLY	Réservé aux membres
MEN	Hommes
MEN ONLY	Réservé aux hommes
MENSWEAR	Prêt-à-porter pour hommes
MEN WORKING	Travaux
METER ZONE	Zone de stationnement limité
MEZZANINE FLOOR	Entresol
MIND THE GAP	Attention en descendant/en montant
MIND THE STEP	Attention à la marche
MIND YOUR HEAD	Attention à ne pas vous cogner la tête
MINICABS	Taxis privés
MINIMUM CHARGE	Tarif minimum
MONEY ORDERS	Mandats
MON–SAT	Lundi-Samedi
MOTOR CYCLES ONLY	Parking réservé aux motos
MOTOR VEHICLES PROHIBITED	Interdit aux véhicules à moteur
MOTORWAY	Autoroute
MOTORWAYS MERGE	Échangeur
N (NIGHT)	Bus de nuit
NCP (NATIONAL CAR PARKS)	Parking public (mais payant)
NEW PATIENTS	Malades non-inscrits
NEXT COACH DEPARTS AT ...	Le car suivant part à ...
NIGHT BELL	Sonnette de nuit
NIGHT CHARGE	Tarif de nuit
NO ACCESS	Accès interdit/voie sans issue
NO ADMITTANCE/ADMISSION (EXCEPT ON BUSINESS)	Entrée interdite aux personnes étrangères à l'établissement
NO ADVANCE BOOKING	Pas de location à l'avance

NO BATHING	Baignades interdites
NO CAMPING	Camping interdit
NO CARAVANS	Caravaning interdit
NO CHANGE AVAILABLE FROM DRIVER	Le chauffeur ne rend pas la monnaie
NO CHARGE SUNDAYS AND BANK HOLIDAYS	Gratuit les dimanches et jours fériés (parcmètres)
NO COLLECTIONS SUNDAY, CHRISTMAS DAY, BANK AND PUBLIC HOLIDAYS	Pas de levée le dimanche, le jour de Noël et les jours fériés
NO CREDIT	La maison ne fait pas crédit
NO CYCLING	Cyclisme interdit
NO DOGS	Entrée interdite aux chiens
NO ENTRY	Entrée interdite
NO L DRIVERS	Accès interdit aux automobilistes débutants (autoroutes)
NO LEFT TURN	Interdiction de tourner à gauche
NO LITTER	Défense de jeter des détritus
NO LOADING (MON–SAT 8 A.M.–6.30 P.M.)	Livraisons interdites (du lundi au samedi de 8h à 18h30)
NO OVERTAKING	Défense de doubler
NO PARKING	Défense de stationner
NO PARKING BEYOND THIS POINT	Stationnement interdit au delà de cette limite
NO PASSING	Accès interdit
NO PEDESTRIANS	Interdit aux piétons
NO PERSONS UNDER 18 YEARS OF AGE ALLOWED ON THESE PREMISES	Interdit aux moins de 18 ans
NO PRAMS OR PUSHCHAIRS	Interdit aux voitures d'enfants
NO RIGHT TURN	Défense de tourner à droite
NORTHBOUND	Vers le nord
NO SERVICE	Fermé
NO SMOKING	Défense de fumer
NO STANDING	Position debout interdite

NO STOPPING	Défense de s'arrêter
NO SWIMMING	Baignades interdites
NOTHING TO DECLARE	Rien à déclarer
NO THOROUGHFARE	Passage interdit
NO THROUGH ROAD	Voie sans issue
NOTICE	Avis/annonce
NOT IN USE	Hors service
NO TRAILERS	Interdit aux caravanes
NO TRESPASSING	Entrée interdite
NOT TO BE TAKEN AWAY	Ne pas emporter
NOT TRANSFERABLE	Strictement personnel
NO U-TURNS	Demi-tour interdit
NO VACANCIES	Complet
NO WAITING	Stationnement interdit
NO WAY OUT	Cul-de-sac/sortie interdite
NOW BEING SERVED	Repas servis en ce moment
NURSERY	Crèche
NURSERY	Pépinière
OCCUPIED	Occupé
OFF	Éteint
OFFENCE	Contravention
OFF LICENCE	Débit/magasin de boissons alcoolisées
OIL	Huile
ON	Allumé
ONE WAY	Sens unique
ON SALE HERE	En vente ici
OPEN (EVERY DAY)/(TILL)	Ouvert (tous les jours)/(jusqu'à)
OPEN TO NON-RESIDENTS	Ouvert au public
OPENING HOURS	Heures d'ouverture
(OPTHALMIC) OPTICIAN	Opticien
OUT	Sortie
OUTPATIENTS	Dispensaire
OVERSEAS TELEPHONE CALLS	Appels téléphoniques à l'étranger

PACKETS	Paquets (poste)
PARKING (P)	Parking
PARTS	Pièces détachées
PASSENGERS ARE ADVISED/ REQUESTED NOT TO LEAVE LUGGAGE UNATTENDED	Les passagers sont priés de ne pas laisser leurs bagages sans surveillance
PASSENGERS ARE ALLOWED ONE ITEM OF LUGGAGE IN THE AIRCRAFT CABIN	Dans la cabine les passagers ont droit à un bagage
PASSENGERS MUST KEEP THEIR BAGGAGE WITH THEM AT ALL TIMES	Les passagers sont priés de ne pas se séparer de leurs bagages
PASSPORTS	Passeports
PAY AS YOU ENTER	Payez à l'entrée
PAY ATTENDANT	Payez au gardien
PAY HERE	Payez ici
PEDESTRIAN CROSSING	Passage pour piétons
PEDESTRIAN PUSH BUTTON	Pour traverser appuyez sur le bouton
PEDESTRIANS ONLY	Réservé aux piétons
PENALTY FOR IMPROPER USE /£5/	Tout abus sera passible d'une amende de /£5/
PERFORMANCE ENDS	Fin de la séance
PERFUMERY	Parfumerie
PERMIT HOLDERS ONLY	Stationnement réservé (aux riverains)
PETROL	Essence
PETROL STATION	Station-service
PHONE	Téléphonez/téléphone
3-PIECE	Ensemble (3 éléments) (vêtements dans une vitrine)
PLACE IN BIN PROVIDED	À jeter dans la poubelle réservée à cet usage
PLATFORM	Quai
PLATFORM TICKETS	Ticket de quai
PLEASE ...	S'il vous plaît

PLEASE DRIVE CAREFULLY	Conduisez prudemment s.v.p.
PLEASE FORWARD	Faire suivre s.v.p.
PLEASE LIFT HAND BAGGAGE CLEAR OF GATES	Prière de ne pas déposer les bagages devant les portes
PLEASE RECLAIM YOUR BAGGAGE ON LEAVING THE COACH	Prière de réclamer vos bagages à la descente du car
PLEASE RING THE BELL	Sonnez s.v.p.
PLEASE SHOW YOUR TICKET (AT THE BARRIER)	Présentez votre billet (au contrôle) s.v.p.
PLEASE STAND ON THE RIGHT	Tenez-vous à droite s.v.p.
PLEASE TAKE A BASKET	Munissez-vous d'un panier s.v.p.
POLICE NOTICE	Avis de la police
PORTER	Portier/concierge
POSITION CLOSED	Guichet fermé
POSTING BOX	Boîte à lettres
POST OFFICE	Poste
POWDER ROOM	Toilettes (Dames)
PRESS BUTTON (FOR ASSISTANCE)	Appuyez sur le bouton (pour le service)
PRESS BUTTON FIRMLY AND WAIT FOR CROSS SIGNAL	Appuyez fermement sur le bouton et attendez le signal 'traversez'
PRESS RETURN COIN BUTTON HERE	Pièces rejetées – appuyez sur le bouton (ici)
PRESS TO REJECT	Retour des pièces
PRICES SLASHED	Prix sacrifiés
PRIVATE	Privé
PRIVATE PARKING ONLY	Parking réservé
PRIVATE ROAD	Route privée
PROHIBITED	Interdit
PUBLIC BAR	Bar public (pub)
PUBLIC CONVENIENCES	Toilettes publiques
PUBLIC HOLIDAY CHARGE	Supplément à payer pendant les jours fériés

PUBLIC LIBRARY	Bibliothèque municipale
PULL	Tirez
PUSH	Poussez
PUSH BAR TO OPEN	Poussez la barre pour ouvrir
PUSHCHAIRS MUST BE FOLDED	Les voitures d'enfant/ poussettes/doivent être pliées
PUSH ONCE	Sonnez une fois
PUT IN /THREE/ /10P/ PIECES	Introduire /3/ pièces de /10p/
QUEUE HERE/Q HERE	Faire la queue ici
QUEUING	Faire la queue
QUEUE OTHER SIDE	Faire la queue de l'autre côté
QUEUE THIS SIDE	Faire la queue de ce côté
QUIET	Silence
RAC (ROYAL AUTOMOBILE CLUB)	Club automobile royal
RAILAIR LINK	Liaison train-avion
RAIL-DRIVE	Train-auto
RAMP AHEAD	Dénivellation
RATES OF EXCHANGE	Taux de change
RECEPTION	Réception
RECORDED DELIVERY	Envoi recommandé avec accusé de réception
RECORDS	Disques
RED CROSS	Croix rouge
REDUCED (FOR CLEARANCE)	Soldes (fins de série)
REDUCE SPEED NOW	Ralentissez dès maintenant
REDUCTIONS	Réductions
REFRESHMENTS	Rafraîchissements
REGISTERED LETTERS	Lettres recommandées
REGISTERED LUGGAGE	Bagages enregistrés
REJECT COINS	Pièces refusées
RENTALS	Locations (télévision etc)
REPAIRS	Réparations
REPLACE IN HOLDER	Remettre en place
REQUEST (R) (BUS STOP)	Arrêt facultatif

RESERVED	Réservé
RESIDENTS' LOUNGE	Salon réservé aux résidents/ pensionnaires
RESIDENTS ONLY	Réservé aux résidents
RESTAURANT CAR	Wagon restaurant
RETURN CARS ONLY	Remise des voitures (louées) uniquement
RETURN TO SEAT	Retournez à votre place
RING FOR ATTENDANT/ SERVICE	Sonnez pour le service
RING ROAD	Boulevard périphérique/route de ceinture
ROAD CLEAR	Voie libre
ROAD WORKS AHEAD	Travaux
ROOM SERVICE	Service d'étage
ROOMS TO LET	Chambres à louer
ROUNDABOUT	Rond-point
ROW	Rangée
SAFETY CURTAIN	Rideau de sécurité
SALE	Soldes
SALES AND SERVICE	Vente et réparations
SALOON BAR	Bar
SANDWICH BAR	Café où l'on peut acheter des sandwichs
SCHEDULED TIME	Horaire prévu
SCHOOL	École
SEALINK	Liaison par bateau
SEAT	Place
SEAT RESERVATIONS	Location de places
SECOND CLASS	Deuxième classe
SECURITY CHECKS IN OPERATION	Ce /magasin/ est équipé d'un système de sécurité en fonctionnement
SELF-DRIVE CAR HIRE	Location de voitures sans chauffeur

SELF-SERVE/SELF-SERVICE	Self-service/libre service
SELL BY ...	Date limite de vente ...
SEPARATE PERFORMANCES	Séances séparées
SEPARATES	Coordonnées
SERVICE AREA	Station-service dépannage
SERVICE (NOT) INCLUDED	Service (non) compris
SHAVERS ONLY	Prise à n'utiliser que pour les rasoirs
SHOE DEPARTMENT	Rayon de chaussures
SHOE REPAIRS	Cordonnerie
SHOPLIFTERS WILL BE PROSECUTED	Toute personne prise en flagrant délit de vol sera poursuivie
SHOPPING HOURS	Heures d'ouverture (des magasins)
SHOW TICKETS PLEASE	Veuillez montrer votre billet
SHUT (THE DOOR/THE GATE)	Fermez (la porte/la barrière)
SINGLE FILE TRAFFIC	Circulation sur voie unique
SINGLE TRACK WITH PASSING PLACES	Voie unique avec dégagements
SLOW	Ralentissez
SNACKS	Repas légers
SOLD OUT	Épuisé
SOUTHBOUND	Vers le sud
SPARE PARTS	Pièces détachées
SPEAK HERE	Parlez ici
SPECIAL OFFER	Offre spéciale/en réclame
STAFF ONLY	Réservé au personnel
STAGE DOOR	Entrée des artistes
STAIRS	Escaliers
STAMPS	Timbres
STAND CLEAR OF THE DOORS	Attention à la fermeture des portes
STANDING ROOM ONLY	Places debout uniquement
STEEP GRADIENT/HILL	Pente forte
STOP	Stop/arrêt
STREET LEVEL	Rez-de-chaussé

SUBURBAN SERVICES	Services de banlieue
SUBWAY	Passage souterrain
SURGERY	Cabinet médical
SURGERY HOURS	Heures de consultation
SUSPENDED	Annulé provisoirement
SWEETS AND CIGARETTES	Bonbons et cigarettes
SWIMMING POOL	Piscine
SWITCH OFF ENGINE	Arrêtez votre moteur
TAKE-AWAY	Plats à emporter
TAKE TICKET – KEEP IT PLEASE	Prenez un billet – gardez-le s.v.p.
TARIFF	Tarif
TAXI QUEUE	File d'attente pour les taxis
TAXI RANK	Tête de station
TAXIS ONLY	Réservé aux taxis
TEAS	Boissons chaudes – snack
TELEGRAMS	Télégrammes
TELEPHONE	Téléphone
TELEPHONE DIRECTORIES	Annuaires téléphoniques
TELEVISION (TV)	Télévision
TELEX SERVICE	Télex
TEMPORARY ROAD SURFACE	Revêtement temporaire (route)
TERMINAL	Aérogare
THERE ARE NO TICKETS. YOUR COIN RELEASES THE GATE	Il n'est pas délivré de billets. Introduire une pièce pour obtenir l'ouverture du portillon
THESE ARTICLES WILL BE CARRIED FREE	Le transport des articles suivants est gratuit
THIS PERFORMANCE	Cette représentation/séance
THIS SIDE (UP/DOWN)	Haut/bas
THIS WAY	Par ici
TICKET HOLDERS ONLY	Réservé aux personnes munies de billets
TICKETS	Billets
TILL CLOSED	Guichet fermé/caisse fermée

TIMETABLE	Horaire/emploi du temps
TOBACCONIST	Bureau de tabac
TO COACHES	Départ des bus
TODAY'S PERFORMANCE(S)	Représentation(s) d'aujourd'hui
TO EAT HERE OR TAKE AWAY	À consommer sur place ou à emporter
TOILETRIES	Articles de toilette
TOILETS	Toilettes
TO LET	À louer
TOLL BRIDGE	Pont à péage
TOLL GATE	Péage
TO OPEN IN EMERGENCY TURN TAP AND PULL HANDLES	Pour ouvrir en cas d'urgence tournez le bouton et tirez les manettes
TO STOP THE BUS RING THE BELL ONCE	Pour demander votre arrêt (de bus) sonnez une fois
TO THE BOATS	Embarquement
TOURIST TICKETS	Billets classe touriste
TOWN CENTRE	Centre ville
TOY DEPARTMENT	Rayon des jouets
TRAFFIC SIGNALS AHEAD	Attention signalisation à ... mètres
TRANSFER PASSENGERS	Passagers en correspondance
TRANSIT PASSENGERS	Passagers en correspondance/ transit
TRAVEL AGENCY	Agence de voyage
TRAVEL OFFICE	Agence de voyage
TRAYS	Plateaux
TRESPASSERS WILL BE PROSECUTED	Entrée interdite sous peine d'amende
TURN HANDLE	Tournez la manette
TWIN TOWN	Ville jumelée avec ...
TWO-WAY TRAFFIC	Circulation sur 2 voies
'U' FILM	Film pour tous publics
UNACCOMPANIED BAGGAGE	Bagages non-accompagnés

UNDERGROUND	Métro
UNDERGROUND STATION	Station de métro
UNDERWEAR	Sous-vêtements
UNISEX	Unisexe
UNRESERVED	Non réservé
UNSUITABLE FOR LONG VEHICLES	Déconseillé, interdit aux véhicules de grande longueur
UP	Montée
UPPER DECK	Étage (bus)
URBAN CLEARWAY	Voie de dégagement (en ville)
USED BLADES	Lames (de rasoir) usagées
USED TICKETS	Billets périmés
USE OTHER DOOR	Sortie/entrée par l'autre porte
VACANCIES	Places/chambres/emplois etc. libres/disponibles
VACANT	Libre
VAT (VALUE ADDED TAX)	T.V.A.
VIP LOUNGE	Hall d'honneur pour personnalités
WAIT (HERE)	Attendez (ici)
WAITING AREA	Zone d'attente
WAITING LIMITED TO 30 MINUTES IN ANY HOUR	Attente limitée à 30 minutes
WAITING ROOM	Salle d'attente
WARD	Salle commune (d'hôpital)
WARNING	Avertissement
WASH ROOM	Toilettes
WASHING CREAM	Crème à laver
WATCH YOUR STEP	Attention à la marche
WAY IN	Entrée
WAY OUT	Sortie
WEEKEND CHARGE	Tarif de weekend
WEIGHT LIMIT	Poids/tonnage limité
WELCOME TO ...	Bienvenue à ...

WESTBOUND	Vers l'ouest
WET PAINT	Peinture fraîche
WHERE TO STAY	Où séjourner
WHILE YOU/U WAIT	Service sur place, immédiat
... WILL ARRIVE ...	Arrivera ... (aérogare)
WINE BAR	Café-cave
WINES AND SPIRITS	Vins et spiritueux
WOMEN	Dames/femmes
'X' FILM	Film interdit aux moins de 18 ans
X RAYS	Rayons X
YELLOW TICKETS THROUGH GATE: OTHER TICKETS THROUGH TICKET COLLECTOR'S GATE	Billets jaunes par portillons automatiques: autres billets à présenter au contrôleur
YHA (YOUTH HOSTEL)	Auberge de jeunesse
YOU MAY TELEPHONE FROM HERE	Vous pouvez téléphoner d'ici
Z BEND	Virage en s
ZONE ENDS	Fin de zone à stationnement limité

Motoring key

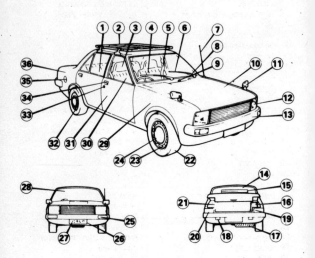

1	back seat	le siège arrière
2	roof rack	la galerie
3	head restraint	le repose-tête
4	passenger's seat	le siège du passager
5	seat belt	la ceinture de sécurité
6	windscreen wiper blade	le balai d'essuie-glace
7	aerial	l'antenne (f)
8	windscreen wiper arm	la porte-raclette
9	windscreen washer	le lave-glace
10	bonnet	le capot
11	exterior mirror	le rétroviseur extérieur
12	headlight	le phare
13	bumper	le pare-chocs
14	rear window	la vitre arrière
15	rear window heater	la lunette arrière chauffante
16	spare wheel	la roue de secours
17	fuel tank	le réservoir de carburant
18	hazard warning light	le feu de détresse
19	brake light	le feu de stop
20	rear light	le feu arrière
21	boot	le coffre
22	tyre	le pneu
23	front wheel	la roue avant
24	hubcap	l'enjoliveur (m) de roue
25	sidelight	la lanterne/la veilleuse
26	number plate	la plaque d'immatriculation
27	registration number	le numéro d'immatriculation
28	windscreen	le pare-brise
29	front wing	l'aile (f) avant
30	driver's seat	le siège du conducteur
31	door	la porte
32	rear wheel	la roue arrière
33	lock	la serrure
34	door handle	la poignée de porte
35	petrol filler cap	le bouchon de réservoir d'essence
36	rear wing	l'aile (f) arrière

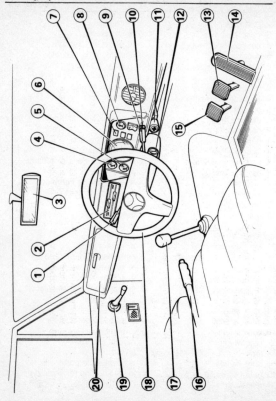

1 dipswitch — la manette phare code
2 heater — le chauffage
3 interior mirror — le rétroviseur
4 water temperature gauge — l'indicateur (m) de température
5 ammeter — l'ampèremètre (m)
6 speedometer — le compteur de vitesse
7 oil pressure warning light — la lampe-témoin de pression d'huile

8 fuel gauge — l'indicateur (m) de niveau de carburant

9 horn — le klaxon
10 direction indicator — le clignotant
11 choke — le starter
12 ignition switch — l'allumage (m)
13 brake pedal — la pédale de freins
14 accelerator — l'accélérateur (m)
15 clutch pedal — la pédale d'embrayage
16 handbrake — le frein à main
17 gear lever (selector) — le levier de commandes de vitesses

18 steering wheel — le volant de direction
19 window winder — la manivelle de lève-glace
20 glove compartment — la boîte à gant

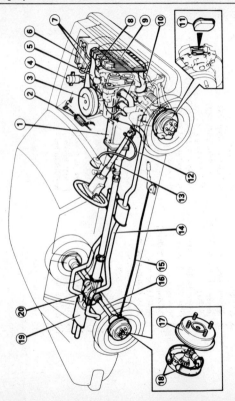

1	gearbox	la boîte de vitesses
2	fuse box	la boîte à fusibles
3	air filter	le filtre à air
4	ignition coil	la bobine d'allumage
5	radiator hose (top)	la tubulure supérieure
6	battery	la batterie
7	leads (battery) (pl)	les fils (mpl) de connexion de batterie
8	filler cap (radiator)	le bouchon de radiateur
9	radiator	le radiateur
10	radiator hose (bottom)	la tubulure inférieure
11	disc brake pad	la mâchoire de frein à disque
12	speedometer cable	le câble de compteur de vitesse
13	steering column	l'axe de volant
14	exhaust pipe	le tuyau d'échappement
15	handbrake cable	le câble de frein à main
16	rear axle	le pont arrière
17	brake drum	le tambour de frein
18	brake shoe	le segment de frein
19	silencer	le silencieux
20	differential	le différentiel

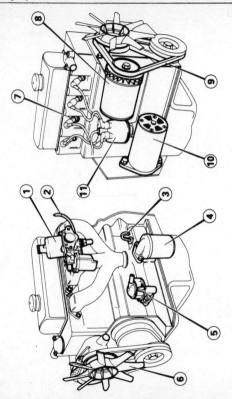

1 carburettor — le carburateur
2 cable — le câble
3 oil dip stick — le jauge d'huile
4 oil filter — le filtre à huile
5 fuel pump — la pompe à essence
6 fan — le ventilateur
7 sparking plug — la bougie
8 alternator — la dynamo
9 fan belt — la courroie de ventilateur
10 starter motor — le démarreur
11 distributor — l'allumage (m)

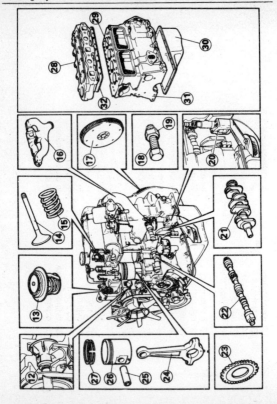

12	water pump	la pompe à eau
13	thermostat	le thermostat
14	valve	la soupape
15	spring	le ressort
16	manifold, inlet and exhaust	le collecteur d'admission et d'échappement
17	fly wheel	le volant
18	bolt	la vis
19	nut	l'écrou (m)
20	oil pump	la pompe à huile
21	crankshaft	le vilebrequin
22	camshaft	l'arbre (m) à cames
23	sprocket	la roue d'entraînement à chaîne
24	connecting rod	la bielle
25	gudgeon pin	l'axe (m) de piston
26	piston	le piston
27	piston rings (pl)	les segments (mpl) de piston
28	cylinder head	la culasse
29	cylinder	le cylindre
30	oil sump	le carter inférieur
31	cylinder block	le bloc-cylindres
32	gasket	le joint

Numbers, days and months

Numbers

0	zéro	54	cinquante-quatre
1	un	65	soixante-cinq
2	deux	76	soixante-seize
3	trois	87	quatre-vingt-sept
4	quatre	98	quatre-vingt-dix-huit
5	cinq	100	cent
6	six	101	cent un
7	sept	211	deux cent onze
8	huit	322	trois cent vingt-deux
9	neuf	433	quatre cent trente-trois
10	dix	544	cinq cent quarante-quatre
11	onze	655	six cent cinquante-cinq
12	douze	766	sept cent soixante-six
13	treize	877	huit cent soixante-dix-sept
14	quatorze	988	neuf cent quatre-vingt-huit
15	quinze	1000	mille
16	seize	1001	mille un
17	dix-sept	2112	deux mille cent douze
18	dix-huit	3223	trois mille deux cent vingt-trois
19	dix-neuf		
20	vingt	4334	quatre mille trois cent trente-quatre
21	vingt et un		
32	trente-deux	10,000	dix mille
43	quarante-trois		

0.1 = 0,1 zéro virgule un (literally 'nought comma one')
In Belgium, Switzerland and neighbouring parts of France: 70 septante, 80 octante, 90 nonante.

The days of the week

Monday	Lundi
Tuesday	Mardi
Wednesday	Mercredi
Thursday	Jeudi
Friday	Vendredi
Saturday	Samedi
Sunday	Dimanche

The months of the year

January	Janvier
February	Février
March	Mars
April	Avril
May	Mai
June	Juin
July	Juillet
August	Août
September	Septembre
October	Octobre
November	Novembre
December	Décembre

Equivalents

French, Belgian & Swiss money

Francs = F   1F = 100 centimes   2,72F = deux francs soixante-douze centimes

French

Coins (*pièces*)
- 1 centime (un centime)
- 2 centimes (deux centimes)
- 5 centimes (cinq centimes)
- 10 centimes (dix centimes)
- 20 centimes (vingt centimes)
- 50 centimes (cinquante centimes)
- 1 franc (F) (un franc)
- 5 francs (F) (cinq francs)
- 10 francs (F) (dix francs)

Notes (*billets*)
- 10 francs (F) (dix francs)
- 50 francs (F) (cinquante francs)
- 100 francs (F) (cent francs)
- 500 francs (F) (cinq cent francs)

Belgian

Coins (*pièces*)
- 25 centimes (vingt-cinq centimes)
- 50 centimes (cinquante centimes)
- 1 franc (F) (un franc)
- 5 francs (F) (cinq francs)
- 10 francs (F) (dix francs)
- 100 francs (F) (cent francs)
- 250 francs (F) (deux cent cinquante francs)

Notes (*billets*)
- 20 francs (F) (vingt francs)
- 50 francs (F) (cinquante francs)
- 100 francs (F) (cent francs)
- 500 francs (F) (cinq cent francs)
- 1000 francs (F) (mille francs)
- 5000 francs (F) (cinq mille francs)

Swiss

Coins (*pièces*)
1 centime (un centime)
5 centimes (cinq centimes)
10 centimes (dix centimes)
20 centimes (vingt centimes)
50 centimes (cinquante centimes)
1 franc (F) (un franc)
2 francs (F) (deux francs)
5 francs (F) (cinq francs)

Notes (*billets*)
10 francs (F) (dix francs)
20 francs (F) (vingt francs)
50 francs (F) (cinquante francs)
100 francs (F) (cent francs)
500 francs (F) (cinq cents francs)
1000 francs (F) (mille francs)

In a bank you will be asked:

How would you like the money?   En billets de combien?
In /fifties/ please   En billets de /cinquante/, s'il vous plaît

Distances

1 mile = 1.6 kilometres   1.6 kilomètres = 1 mille

Miles	10	20	30	40	50	60	70	80	90	100	Milles
Kilometres	16	32	48	64	80	97	113	128	145	160	Kilomètres

Lengths and sizes

Some approximate equivalents:

British		**Metric**
1 inch		= 2.5 centimètres
6 inches		= 15 centimètres
1 foot	= 12 inches	= 30 centimètres
2 feet	= 24 inches	= 60 centimètres
1 yard	= 3 feet or 36 inches	= 91 centimètres
1 yard 3 inches		= 1 mètre

General clothes sizes (including chest/hip measurements)

GB	USA	Europe	ins	cms
8	6	36	30/32	76/81
10	8	38	32/34	81/86
12	10	40	34/36	86/91
14	12	42	36/38	91/97
16	14	44	38/40	97/102
18	16	46	40/42	102/107
20	18	48	42/44	107/112
22	20	50	44/46	112/117
24	22	52	46/48	117/122
26	24	54	48/50	122/127

Waist measurements

(ins) GB/USA 22 24 26 28 30 32 34 36 38 40 42 44 46 48 50
(cms) Europe 56 61 66 71 76 81 86 91 97 102 107 112 117 122 127

Collar measurements

(ins) GB/USA 14 14½ 15 15½ 16 16½ 17 17½
(cms) Europe 36 37 38 39 40 41 42 43

Shoes

GB	3	3½	4	4½	5	5½	6	6½
USA	4½	5	5½	6	6½	7	7½	8
Europe	36		37		38		39	

GB	7	7½	8	8½	9	10	11	12
USA	8½	9	9½	10	10½	11½	12½	13½
Europe	40		41		42	43	44	45

Hats

GB	6⅝	6¾	6⅞	7	7⅛	7¼	7⅜	7½	7⅝
USA	6¾	6⅞	7	7⅛	7¼	7⅜	7½	7⅝	7¾
Europe	54	55	56	57	58	59	60	61	62

Glove sizes are the same in every country.

Weights

Some approximate equivalents:

Grammes (g) (Grams) and *kilogrammes* (kg) (kilograms)
1000 *grammes* (1000 g) = 1 *kilogramme* (kilo/kg)

1 oz	=	25 grammes (g)
4 ozs	=	100/125 grammes
8 ozs	=	225 grammes
1 pound (16 ozs)	=	450 grammes
1 pound 2 ozs	=	500 grammes ($\frac{1}{2}$ kilogramme)
2 pounds 4 ozs	=	1 kilogramme (1 kilo/kg)
1 stone	=	6 kilogrammes

Body weight
Body weight in French-speaking countries is measured in kilograms
(*kilogrammes*).

Some approximate equivalents:

Pounds	Stones	Kilogrammes
28	2	$12\frac{1}{2}$
42	3	19
56	4	25
70	5	32
84	6	38
98	7	45
112	8	51
126	9	$57\frac{1}{2}$
140	10	63
154	11	70
168	12	76
182	13	83
196	14	90

Liquid measure

In French-speaking countries all liquids are measured in litres. Some approximate equivalents:

1 pint = 0.57 litres (*litres*) . . . . 1 gallon = 4.55 litres

GB measures		**Litres**
1 pint	=	0.5
(20 fluid ounces (fl. ozs.))		
1.7 pints	=	1
1.1 gallons	=	5
2.2 gallons	=	10
3.3 gallons	=	15
4.4 gallons	=	20
5.5 gallons	=	25
6.6 gallons	=	30
7.7 gallons	=	35
8.8 gallons	=	40
9.9 gallons	=	45

Temperature

	Fahrenheit (F)	**Centigrade** (C)
Boiling point	212°	100°
	104°	40°
Body temperature	98.4°	36.9°
	86°	30°
	68°	20°
	59°	15°
	50°	10°
Freezing point	32°	0°
	23°	−5°
	0°	−18°

(Convert Fahrenheit to Centigrade by subtracting 32 and multiplying by 5/9. Convert Centigrade to Fahrenheit by multiplying by 9/5 and adding 32.)

Tyre pressures

lb/sq in	= kg/cm²	lb/sq in	= kg/cm²	lb/sq in	= kg/cm²
20	= 1.40	24	= 1.68	30	= 2.10
21	= 1.47	26	= 1.82	34	= 2.39
22	= 1.54	28	= 1.96	40	= 2.81

Countries, currencies, nationalities and languages

Country, area or continent		Main unit of currency	Description & nationality (masculine and feminine form)	Main Language(s)
Africa	Afrique	—	Africain – e (f)	—
Albania	Albanie	Lek	Albanien – ne (f)	Albanien
Algeria	Algérie	Dinar	Algérien – ne (f)	Arabe/Français
Argentina	Argentine	Peso	Argentin – e (f)	Espagnol
Asia	Asie	—	Asiatique (m & f)	—
Australia	Australie	Dollar	Australien – ne (f)	Anglais
Austria	Autriche	Schilling	Autrichien – ne (f)	Allemand
Bahrain	Bahrain	Dinar	du Bahrain (m & f)	Arabe
Belgium	Belgique	Franc	Belge (m & f)	Flamand/Français
Benin	Bénin	Franc	Béninois – e (f)	Français
Bolivia	Bolivie	Peso	Bolivien – ne (f)	Espagnol
Brazil	Brésil	Cruzeiro	Brésilien – ne (f)	Portugais
Bulgaria	Bulgarie	Lev	Bulgare (m & f)	Bulgara
Burma	Birmanie	Kyat	Birman – e (f)	Birman
Canada	Canada	Dollar	Canadien – ne (f)	Anglais/Français
Chile	Chili	Peso	Chilien – ne (f)	Espagnol
China	Chine	Yuan	Chinois – e (f)	Chinois
Colombia	Colombie	Peso	Colombien – ne (f)	Espagnol

Costa Rica	Costa Rica	Colon	Costa Rican – e (f)	Espagnol
Cuba	Cuba	Peso	Cubain – e (f)	Espagnol
Cyprus	Chypre	Pound	Cypriote (m & f)	Grec/Turc
Czechoslovakia	Tchécoslovaquie	Koruna	Tchécoslovaque (m & f)	Tchèque/Slovaque
Denmark	Danemark	Krone	Danois – e (f)	Danois
Ecuador	Équateur	Sucre	Équatorien – ne (f)	Espagnol
Egypt	Égypte	Pound	Égyptien – ne (f)	Arabe
Eire	Irlande (du Sud)	Punt	Irlandais – e (f)	Anglais/Gaélique
England	Angleterre	Pound	Anglais – e (f)	Anglais
Ethiopia	Éthiopie	Dollar	Éthiopien – ne (f)	Amharique
Europe	Europe	—	Européen – ne (f)	—
Finland	Finlande	Markka	Finlandais – e (f)	Finlandais
France	France	Franc	Français – e (f)	Français
Gabon	Gabon	Franc	Gabonais – e (f)	Français
Germany West Germany	Allemagne A. de l'ouest	Deutschmark	Allemand – e (f)	Allemand
East Germany	A. de l'est	Mark	Allemand – e (f)	Allemand
Ghana	Ghana	New Cedi	Ghanéen – ne (f)	Akan/Anglais
Greece	Grèce	Drachma	Grec (m) Grecque (f)	Grec
Guadaloupe	Guadeloupe	Franc	Guadeloupéen – ne (f)	Français

Country, area or continent	Main unit of currency	Description & nationality (masculine and feminine form)	Main Language(s)
Guatemala	Quetzal	Guatémaltèque (m & f)	Espagnol
Guyana	Dollar	Guyanais – e (f)	Anglais
Holland (The Netherlands)	Guilder	Hollandais – e (f)	Hollandais
Hong Kong	Dollar	Chinois – e (f)	Anglais/Chinois
Hungary	Forint	Hongrois – e (f)	Hongrois
Iceland	Krona	Islandais – e (f)	Islandais
India	Rupee	Indien – ne (f)	Hindi/Anglais
Indonesia	Rupiah	Indonésien – ne (f)	Bahasa Indonésie
Iran	Rial	Iranien – ne (f)	Farsi
Iraq	Dinar	Iraquien – ne (f)	Arabe
Israel	Pound	Israëlien – ne (f)	Hébreu
Italy	Lira	Italien – ne (f)	Italien
Ivory Coast	Franc	Ivoirien – ne (f)	Français
Jamaica	Dollar	Jamaïquain – e (f)	Anglais
Japan	Yen	Japonais – e (f)	Japonais
Jordan	Dinar	Jordanien – ne (f)	Arabe
Kenya	Shilling	Kényen – ne (f)	Swahili
Kuwait	Dinar	Koweïtien – ne (f)	Arabe
Lebanon	Pound	Libanais – e (f)	Arabe
Libya	Dinar	Libyen – ne (f)	Arabe

	Luxembourg	Franc	Luxembourgeois – e (f)	Français/Allemand
Malaysia	Malaisie	Dollar	Malais – e (f)	Malais/Chinois
Malta	Malte	Pound	Maltais – e (f)	Maltais/Anglais
Martinique	Martinique	Franc	Martiniquais – e (f)	Français
Mauritius	Maurice	Rupee	Mauricien – ne (f)	Anglais/Français/ Hindi
Mexico	Mexique	Peso	Mexicain – e (f)	Espagnol
Morocco	Maroc	Dirham	Marocain – e (f)	Arabe/Français
New Zealand	Nouvelle-Zélande	Dollar	Zélandais – e (f)	Anglais
Nicaragua	Nicaragua	Cordoba	Nicaraguayen – ne (f)	Espagnol
Nigeria	Nigéria	Naira	Nigérian – ne (f)	Hausa/Ibo/ Yoruba/Anglais
Northern Ireland	Irlande (du Nord)	Pound	Irlandais – e (f)	Anglais
Norway	Norvège	Krone	Norvégien – ne (f)	Norvégien
Pakistan	Pakistan	Rupee	Pakistanais – e (f)	Urdu
Paraguay	Paraguay	Guarani	Paraguayen – ne (f)	Espagnol
Peru	Pérou	Sol	Péruvien – ne (f)	Espagnol
Poland	Pologne	Zloty	Polonais – e (f)	Polonais
Portugal	Portugal	Escudo	Portugais – e (f)	Portugais
Romania	Roumanie	Leu	Roumain – e (f)	Roumain
Saudi Arabia	Arabie Séoudite	Riyal	Séoudien – ne (f)	Arabe
Scotland	Écosse	Pound	Écossais – e (f)	Anglais/Gaélique

Country, area or continent		Main unit of currency	Description & nationality (masculine and feminine form)	Main Language(s)
Singapore	Singapour	Dollar	de Singapour (m & f)	Malais/Chinois/ Anglais/Tamil
South Africa	Afrique du Sud	Rand	Sud Africain – e (f)	Afrikaans/Anglais
Spain	Espagne	Peseta	Espagnol – e (f)	Espagnol
Sudan	Soudan	Pound	Soudanais – e (f)	Arabe
Sweden	Suède	Krona	Suédois – e (f)	Suédois
Switzerland	Suisse	Franc	Suisse (m & f)	Français/Italien/ Allemand/ Romanche
Syria	Syrie	Pound	Syrien – ne (f)	Arabe
Tanzania	Tanzanie	Shilling	Tanzanien – ne (f)	Swahili
Thailand	Thaïlande	Baht	Thaïlandais – e (f)	Thaïlandais
Togo	Togo	Franc	Togolais – e (f)	Français
Tunisia	Tunisie	Dinar	Tunisien – ne (f)	Arabe/Français
Turkey	Turquie	Lira	Turc (m) Turque (f)	Turc
Union of Soviet Socialist Republics (USSR)/ Russia	Union Soviétique (URSS)/Russie	Rouble	Russe (m & f)	Russe

			Britannique (m & f)	Anglais
United Kingdom (UK) (England, Northern Ireland, Scotland, Wales, Channel Islands)	Royaume-Uni (Angleterre, Irlande du Nord, Écosse, Pays de Galles, Îles anglo-normandes)	Pound Sterling		
United States of America (USA)	États-Unis d'Amérique (USA)	Dollar	Américain – e (f)	Anglais
Uruguay	Uruguay	Peso	Uruguayen – ne (f)	Espagnol
Venezuela	Venezuela	Bolivar	Vénézuélien – ne (f)	Espagnol
Vietnam	Vietnam	Dong	Vietnamien – ne (f)	Vietnamien
Wales	Pays de Galles	Pound	Gallois – e (f)	Anglais/Gallois
West Indies	Antilles	Franc	Antillais – e (f)	Anglais/Français/Antillais
Yugoslavia	Yougoslavie	Dinar	Yougoslave (m & f)	Serbo-Croate
Zaire	Zaïre	Zaïre	Zaïrois – e (f)	Français
Zimbabwe	Zimbabwe	Dollar	Zimbabwéen – ne (f)	Anglais

Travel hints

Useful addresses

In London French Tourist Office, 178, Piccadilly, London W1 (01 491 7622).
French Chamber of Commerce, 54 Conduit Street, London SW1 (01 439 1735).
In France Fédération Nationale des Syndicats d'Initiative, Offices du Tourisme, 127 Champs Elysées, 75008 Paris.

Before leaving the United Kingdom

If you are driving you must have an insurance policy covering you abroad, a green card (carte verte) and, of course, a valid driving licence. Do not forget to fill in the form EIII (from Department of Health and Social Security) to benefit from European Health agreements. Doctors, dentists and prescriptions are not free.

Social behaviour

Most people shake hands on meeting and saying goodbye. In friendly, informal situations you'll find that the French kiss each other instead. 'Monsieur', 'Madame' and 'Mademoiselle' (Mr, Mrs and Miss), can be used as in English eg 'Monsieur Dupont', but are often used on their own eg 'Bonjour Monsieur!' (literally 'Good morning Mr'). It isn't unusual to complain about food in a restaurant. Just politely ask the waiter to change it for you.

Accommodation

Contact the local 'Syndicat d'Initiative' (Tourist Office). There is one in every town. In larger towns there is a 'Centre d'Accueil' (literally 'Welcome Centre') at the main railway station. On the whole, hotels are cheaper than in Great Britain. Breakfast is not included and you usually pay for a room rather than per person. Accommodation

ranges from:
Large/International hotels (4/5-stars).
Smaller, cheaper hotels (2-star hotels provide good, standard accommodation).
Hostel/Student-type accommodation Contact the local C.R.O.U.S. (Comité Régional des Oeuvres Universitaires et Sportives) or Youth Hostels (Auberges de jeunesse) – members only.

Getting around

Ask about cheap day returns/tourist fares/weekend fares/passes etc. On the whole public transport in France is cheaper than in England, though taxis are more expensive.

By car Remember to drive on the right-hand side of the road! There are usually tolls on motorways.

By taxi In Paris and some other cities you can stop a taxi in the street. In some cities, (eg Strasbourg), they will stop only at taxi ranks. Payment is shown on the meter. Tip 15%.

By bus/underground Most buses are driver-operated so pay as you enter. Bus and underground tickets can be purchased in tobacconists'/cafés. If you're using buses and the underground it's cheaper to buy your tickets in 'carnets' (books of 10 tickets which can be used on both buses and underground). Bus fares vary; state your destination. You pay by 'section' (fare stage) (1 ticket per fare stage). Tube fares – flat rate (1 ticket) for all destinations in Paris, 1st or 2nd class. No smoking on buses or tubes.

By train (S.N.C.F. – Société nationale des chemins de fer français) It may be necessary to book. If you plan a long-distance journey remember that the train may not have a buffet. If you are taking a fast train you may have to pay extra (a 'supplément vitesse'). Do not forget to 'stamp' (composter) your ticket at an orange machine before you set off – you can't miss it! Otherwise you'll have to pay a fine (20% of journey price).

By coach Between towns you can travel by coach. Inquire at the local 'Syndicat d'Initiative' (Tourist Office) or at the coach station (gare routière).

Changing money

Banks Usually open from 8.30 till 4.30–5.00 Mon-Fri and may be open on Saturday. They are closed on public holidays and sometimes for lunch.
NB With your cheque book, Eurocard and passport you can draw money in most banks.

Bureau de change Open late at night and at weekends. Commission charged.

Shopping

Shops Check locally for opening times. Usually open later than in England. Some close at lunch-time and one day a week.

Post office Opening hours 8.30–6.00. Stamps can also be bought in 'bureaux de tabacs' (tobacconist's) and some cafés.

Food and drink

Cafés You can drink soft drinks or alcohol at any time. Most cafés serve continental breakfast, lunch, and sandwiches at any time.

Restaurants Lunch is served from 12–2.30. Dinner is often served later than in Great Britain.

Tipping ('Pourboire/Service')

By law it must be mentioned if a tip is included, (service compris) or not (service non-compris). If it is not included, tip about 15%.

Entertainment

Most newspapers give information about what's on locally. If you want to find out what's on in and around Paris, buy 'L'officiel des spectacles' or 'Pariscope'.

Booking You can book from the box office (guichet) or from agencies (commission sometimes charged). Times of performance vary, but cinemas are open later than in England.

Museums and galleries National museums, (musées nationaux) are closed one day a week, usually Tuesday. NB You have to pay!

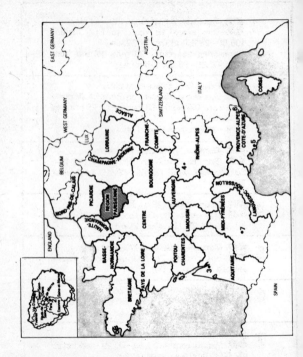

1 ✈ **Paris—Charles de Gaulle** (NE of city)
Bus every 15 mins to Pte. Maillot (06.00–23.00) (30 mins) 23 km.
Connecting bus every 20 mins to and from Orly (06.00–23.00) (75 mins).

2 ✈ **Paris—Orly Ouest** (S of city)
Bus every 15 mins to Pont St. Michel/Austerlitz (40 mins) 18 km, every 20 mins to Invalides.
Orly – rail train to Gare d'Orsay.

3 ✈ **Bordeaux—Mérignac** (W of city)
Bus to Cours du 30 juillet (06.15–20.00 weekdays) (08.00–18.00 weekends) 12km.

4 ✈ **Lyon—Satelas** (E of city)
Bus every 20 mins to Gare de Perrache (05.00–21.00) (35 mins) 25km.

5 ✈ **Marseille—Marignane** (NW of city)
Bus to Gare St. Charles, Avenue Pierre Semard (06.00–22.00) 27km.

6 ✈ **Nice—Côte d'Azur** (SW of city)
Bus every 20 mins to Place Général Leclerc (06.00–20.30) 7km.

7 ✈ **Toulouse—Blagnac** (NW of city)
Bus to centre (07.30–20.00 weekdays) (08.00–18.00 weekends) 10km.

ACHEVÉ D'IMPRIMER
PAR L'IMPRIMERIE
BRODARD ET TAUPIN
À LA FLÈCHE
LE 10 JANVIER 1985

Numéro d'éditeur : 3370
Numéro d'imprimeur : 1374-5
Dépôt légal : février 1985

Printed in France